海外漢文古醫籍精選叢書・第二輯

2011—2020年國家古籍整理出版規劃項目
中國中醫科學院「十三五」第一批重點領域科研項目
——我國與「一帶一路」九國醫藥交流史研究（ZZ10—011—1）

蕭永芝◎主編

寸楮集

（日）曲直瀨道三 撰
（日）曲直瀨正琳 注

用藥心法

（日）曲直瀨道三 傳
（日）津島道救 選輯

北京科学技术出版社

圖書在版編目（CIP）數據

海外漢文古醫籍精選叢書・第二輯・寸楮集　用藥心法/蕭永芝主編．—北京：北京科學技術出版社，2018.1
ISBN 978－7－5304－9215－4

Ⅰ．①海…　Ⅱ．①蕭…　Ⅲ．①醫論—研究—日本②中藥學—臨床藥學—經驗—日本　Ⅳ．①R249②R285.6

中國版本圖書館 CIP 數據核字（2017）第207328號

海外漢文古醫籍精選叢書・第二輯・寸楮集　用藥心法

主　　編： 蕭永芝
責任編輯： 楊朝暉　周　珊
責任印製： 李　茗
出 版 人： 曾慶宇
出版發行： 北京科學技術出版社
社　　址： 北京西直門南大街16號
郵政編碼： 100035
電話傳真： 0086-10-66135495（總編室）
0086-10-66113227（發行部）　0086-10-66161952（發行部傳真）
電子信箱： bjkj@bjkjpress.com
網　　址： www.bkydw.cn
經　　銷： 新華書店
印　　刷： 虎彩印藝股份有限公司
開　　本： 787mm×1092mm　1/16
字　　數： 448千字
印　　張： 38.5
版　　次： 2018年1月第1版
印　　次： 2018年1月第1次印刷
ISBN 978－7－5304－9215－4/R・2376

定　　價：1050.00元

#《海外漢文古醫籍精選叢書·第二輯》編纂委員會

主　編　蕭永芝

副主編　何慧玲　韓素傑

編　委　孫清偉　侯如艷　杜鳳娟　管琳玉　曲　璐

前言

二十多年前，本研究團隊成員蕭永芝剛剛考入中國中醫研究院（現爲中國中醫科學院）攻讀博士學位，師從著名中醫文獻學家馬繼興先生。那時，馬老師經常對弟子們説：「中國的醫書要回歸，海外的醫書要引進。」馬老師的前一個願望，得到日本學者真柳誠先生鼎力支持，后来在鄭金生先生帶領的團隊的努力下，流散海外的重要中國古醫籍得以收集回歸，并通過《海外中醫珍善本古籍叢刊》等幾套叢書公開出版；馬老師關於引進海外古醫籍的願望，則成爲本研究團隊二十多年來不懈努力的方向。

從二〇〇七年開始，中國中醫科學院中國醫史文獻研究所多次立項支持開展對海外古醫籍的研究。二〇一六年，《海外漢文古醫籍精選叢書》被列入二〇一一—二〇二〇年國家古籍整理出版規劃項目，并獲得該年度國家古籍整理出版專項經費資助。二〇一七年初，在北京科學技術出版社的支持下，《海外漢文古醫籍精選叢書・第一輯》面世，收録影印了二十六種海外醫家用漢文撰寫的古醫籍。回想當年，馬老師正當年富力强，雄心勃勃，胸懷衆多願景，還希望做更多的研究；如今，他已年逾九旬，弟子終於戰戰兢兢捧上一份答卷……

二〇一七年，中國中醫科學院將「我國與『一帯一路』九國醫藥交流史研究」列入本院「十三五」第一批重點領域科研項目。在前期工作的基礎上，本團隊再次遴選出二十種海外漢文古醫籍，以影印形式出版《海外漢文古醫籍精選叢書·第二輯》。

本次所精選的圖書含日本醫籍十三種、越南醫籍五種、韓國醫籍二種，内容涉及醫經、醫論、本草、醫方、針灸、兒科、臨床綜合及醫學全書。我们根據實際情况分别爲二十種著作撰寫了三千到萬餘字不等的内容提要，每篇提要從作者與成書、主要内容、特色與價值、版本情况四個方面展開論述。

本次所收醫籍的主要資訊，依次爲書名、卷(編)數、分類、撰著者、成書年代和所用底本，具體如下。

《難經捷徑》，二卷，醫經，(日)曲直瀨玄由撰，寬永十四年(一六三七)以活字本初刊，同年古活字本。

《海上大成懶翁集成先天》，一卷，醫論，(越)黎有卓撰，撰年不詳，鈔本。

《櫟蔭先生遺説》，二卷，醫論，(日)多紀元簡遺作，多紀元堅輯録，撰年不詳，慶應三年(一八六七)森約之鈔本。

《寸楮集》，不分卷，醫論，(日)曲直瀨道三撰，曲直瀨正琳注，撰年不詳，鈔本。

《用藥心法》，一卷，本草，(日)曲直瀨道三傳，津島道救選輯，慶長十二年(一六〇八)成書，鈔本。

《本草綱目鈞衡》，四卷，本草，(日)向井元秀撰，撰年不詳，寬政九年(一七九七)鈔本。

《傷寒論金匱要略藥性辨》，三編(存中、下二編)，本草，(日)大江學撰，明和三年(一七六六)成書，次年刻本。

《古方藥議》，五卷，本草，（日）淺田宗伯撰，文久元年（一八六一）成書，文久三年（一八六三）鈔本。

《秘傳藥性記》，不分卷，本草，（日）味岡三伯撰，元禄元年（一六八八）初刊，同年刻本。

《管蠡備急方》，三卷，醫方，（日）度會常光撰，天文三年（一五三四）成書，鈔本。

《崇蘭館試驗方》，不分卷，醫方，（日）福井楓亭口授，撰年不詳，鈔本。

《古方藥説》，二卷，本草，（日）宇治田泰亮撰，寬政七年（一七九六）刊，同年刻本。

《家傳醫方》，不分卷，醫方，（越）撰者佚名，明命三年（一八二二）成書，同年鈔本。

《醫方軌範》，存卷下，醫方，（日）今大路玄淵傳，撰年不詳，鈔本。

《辨證配劑醫燈》，三卷，臨證綜合，（日）曲直瀨道三撰，元龜二年（一五七一）成書，鈔本。

《雜病提綱》，不分卷，臨證綜合，（朝）撰者佚名，撰年不詳，鈔本。

《穴處治法》，不分卷，針灸，（朝）撰者佚名，撰年不詳，鈔本。

《針灸法總要》，不分卷，針灸，（越）撰者佚名，明命八年（一八二七）成書，嗣德三十三年（一八八〇）鈔本。

《家傳活嬰秘書》，不分卷，兒科，（越）撰者佚名，撰年不詳，成泰二年（一八九〇）鈔本。

《新鐫海上懶翁醫宗心領全帙》，六十六卷（存五十五卷），醫學全書，（越）黎有卓撰，景興三十一年（一七七〇）成書，嗣德三十二年（一八七九）至咸宜元年（一八八五）間刻本。

上述海外古醫籍，絶大多數用漢文撰著，僅有個别醫書雜有少量日文或喃文。以上書籍中明確標明完成時間或可大致推測出撰寫時段的醫書，多成書於十六至十九世紀，大致相當於中國明清時期，其中不乏學術價值較高的名家名著。以「越南醫聖」黎有卓與日本醫學中興之祖曲直瀨道三爲例介紹如下。

黎有卓，自號海上懶翁，是越南歷史上最負盛名、影響最大的醫家，被後世尊爲「越南醫聖」。他在汲取中國醫學精髓的基礎上，結合越南本土醫療實踐，撰成六十六卷規模的鴻篇巨著《海上懶翁醫宗心領》。該書是越南傳統醫學歷史上第一部内容系統完備的綜合性醫學全書，標志着越南傳統醫學的本土化基本完成，在該國醫學史上具有里程碑式的意義。二〇〇三年，真柳誠先生首次在日本向蕭永芝推薦《海上懶翁醫宗心領》一書；二〇〇四年，蕭永芝回國後隨即向馬繼興先生報告此事，馬老師師徒幾人當即前往中國國家圖書館考察該書；此後，本團隊在研究過程中發現，中國醫史文獻研究所已故老專家趙璞珊先生曾在二十世紀八十年代就撰文介紹過該書；二〇〇八年，真柳誠先生再次建議出版該書。中外幾代學者對《海上懶翁醫宗心領》的重視，也從一個角度説明了該書的價值和重要性。因此，在《海外漢文古醫籍精選叢書·第一輯》中，本團隊先期影印了黎有卓《海上懶翁醫宗心領》早期流傳的四册鈔本，冠以《懶翁醫書》之名出版；本次則將刻本《新鐫海上懶翁醫宗心領全帙》現存的五十五卷全部影印出版，希望能够反映出越南傳統醫學的精華及其學術淵源。此外，本叢書收録的鈔本《海上大成懶翁集成先天》，亦爲黎有卓醫書早期的手稿或傳抄之本。

曲直瀨道三（正盛），日本中世紀末期著名醫家、醫學教育家，對日本醫學産生過深遠的影響，被譽爲日本醫學中興之祖。道三早年師從曾入明學醫的名家田代三喜，受其師影響創立了日本漢方醫界的後世方派。爲改變當時日本醫者單純依賴《太平惠民和劑局方》診病處方的被動局面，道三提出「察證辨治」，即診察每位患者的病證，然後有針對性地予以配劑施治。道三一生著述頗豐，其《辨證配劑醫燈》一書，載述臨床各科常見病證的病因病機、診斷察證、辨治預後及注意事項。全書貫串着診察辨證的思想，是後世方派系統實用的臨證處方秘典。曲直瀨家族是日本著名的醫學世家，世代名賢輩出，亦有衆多醫著流傳。例如，曲直瀨玄由祖述《黄帝内經》，博采諸家注本之言，參以己見，全文注解并闡發《難經》之旨，撰成《難經捷徑》一書，是日本現存較早的《難經》注解性著作，具有較高的研究價值。曲直瀨正琳輯録并注釋道三親傳之心法秘訣，書成之後定名爲《寸楮集》。該書作爲後世方派的秘傳經驗合集，充分體現了道三察證辨治、重視脉診的學術特色。曲直瀨玄鑑被後陽成天皇賜予「今大路」的家號，之後曲直瀨家子孫均改姓今大路。如今大路玄淵，爲曲直瀨（今大路）家第六代道三，他將家族精心甄選并經歷代親試的效驗良方彙編爲《醫方軌範》一書，所收醫方涵括臨床各科，具有較高的臨床實用價值。此外，曲直瀨道三還創辦了日本歷史上第一所醫學校啓迪院，培養了衆多門生弟子，其中部分弟子成爲日本醫界的中流砥柱。如門人津島道救選編道三的臨床用藥、辨治經驗，彙爲《用藥心法》一書。該書凝聚了道三畢生臨證用藥經驗之精華，處處體現出道三察病辨治的核心思想。曲直瀨道三的養子玄朔培養了弟子饗庭東庵。饗庭東庵及其徒味岡三伯是後世方別派的代表醫家。味岡三伯將本草學理論與臨床實踐相結合，融入自己對疾病及用藥的感悟，選取該流派臨床常用效驗之藥，分別述其和名、炮製、性味、功效、主治、禁忌及所涉方劑等，編撰《秘傳藥性記》一書，系統條理，重點突出，便捷實用，體現了中國醫藥理論及其實踐對日本本土醫藥學發展的影響。

上述六部醫籍均傳承了曲直瀨道三獨特的學術理念與臨證實用經驗秘訣，展示了道三深厚的醫學造詣及其醫學思想在日本的傳承發展。幾部著作之間既有獨特的價值韻味，又有着千絲萬縷的内在聯繫，從不同角度反映了曲直瀨道三及其子孫、弟子的學術特色。讀者可綜合比較閱讀，以便更好地理解并挖掘日本漢方醫學後世方派的學術精髓。

曲直瀨道三主要活躍於十六世紀中後期，以其爲鼻祖的後世方派注重吸收中國宋金元明醫學精華，尤其推崇李東垣、朱丹溪兩位醫家的醫學思想。十七世紀中葉，日本著名醫家名古屋玄醫提出醫學復古論，倡導回歸張仲景《傷寒論》《金匱要略》的古醫學，之後又有後藤艮山、香川修德、吉益東洞等名醫及弟子繼其衣鉢。這些醫家自稱爲古方派。在漢代盛行的仲景古方，經他們的闡釋發揮，被賦予了新的生命。本叢書收録的《傷寒論金匱要略藥性辨》《古方藥説》二書，均是爲日本醫者更好地運用仲景醫方而作。《傷寒論金匱要略藥性辨》對仲景醫方所用的藥物逐一辨正，注重鑒别藥材的真僞優劣與相似藥材的辨别應用，側重於闡釋藥物的藥性、功用、主治與臨床應用。《古方藥説》的作者宇治田泰亮，曾師從古方派吉益東洞的弟子中西惟忠與當時的本草大家小野蘭山，兼通傷寒、本草。該書詳細論述了仲景方中部分藥物的名稱、形態、產地、真贋優劣、炮製加工及替代用品。除古方派醫家在研究仲景方中的藥物外，折衷派醫家也對仲景方中的藥物多有研究，如折衷派代表人物淺田宗伯。其書《古方藥議》收録部分仲景醫方用藥，分「釋品」與「釋性」兩項記述藥物，結合仲景原方藥物組成及藥味加減，闡釋藥物的性味、功用，重視藥物的配伍，處處體現出方中有藥、藥中有方的思想。三部醫籍雖分屬古方派和折衷派的本草著作，側重點各有不同，但也存在許多共通之處。例如，三書記載藥物的次序，均依從相關醫方在《傷寒論》《金匱要略》出現的先後順序。讀者若能綜合參閲上述三書，既可加深對日本江户時代古方派用藥特點以及當時藥材種植、采收、炮製與流通情况的了解，又可對仲景醫方用藥有更深刻的認識，臨證運用時也會更加得心應手。

江户時代中期，日本傳承舊學的本草學術漸廢，諸家新説盛行；中國明代李時珍撰著的《本草綱目》也已傳入日本。《本草綱目鈞衡》即是一部運用傳統文獻考據方法研究《本草綱目》的本草學專著。該書對李時珍所載部分藥物逐一進行考證、詮釋和校勘，徵引文獻廣博，尤其推崇中國宋代唐慎微的《經史證類備急本草》，糾正了《本草綱目》中存在的部分錯誤。

除前文所述今大路玄淵所傳《醫方軌範》外，本叢書還收録日本《管蠡備急方》《崇蘭館試驗方》與越南《家傳醫方》三部方書。其中，《管蠡備急方》博引中國明以前歷代諸家方書，經由日本醫學世家度會家族歷代驗證，精選并收録臨證各科效驗良方。全書按疾病分門，因病立門，門下首述醫論，次列方藥，醫者臨證可按病索方，簡明實用。《崇蘭館試驗方》所載之方，多爲日本名醫福井楓亭口授的家傳臨證試驗良方。該書以日語假名讀音爲序記載方劑，所録醫方來源廣泛，總以《傷寒論》《金匱要略》《備急千金要方》《外臺秘要》《太平聖惠方》《太平惠民和劑局方》爲主，兼采中國清以前歷代重要醫書，反映了楓亭既重視經方，又兼用時方的學術特點。此外，越南醫籍《家傳醫方》一書，主要輯録中國明代李梴《醫學入門》和龔廷賢《萬病回春》二書的相關内容，通過取捨化裁，歸納記述了數十種臨床常見病證的對應治方，便捷實用，富有特色。

醫家臨證除采用方藥療病之外，還常應用針灸療法。本叢書收録李氏朝鮮《穴處治法》與越南《針灸法總要》兩部針灸專著。《穴處治法》主要記述經穴、别穴、針灸治療、折量法、針灸擇日等五項内容，其中經穴内容主要引自中國明代李梴《醫學入門》，後四項内容則主要摘自李氏朝鮮時期太醫許任《針灸經驗方》。全書編排巧妙，内容豐富，簡明實用。《針灸法總要》彙聚中國明代徐鳳《針灸大全》、李梴《醫學入門》和龔廷賢《壽世保元》等著作中的針灸醫學精華，主要記載針灸禁忌、五輸穴、靈龜八法主治病證、十四經脉循行流注及其重點腧穴定位、經絡起止、明堂尺寸法、八脉交會穴、奇穴治法等。儘管兩部針灸專著分别出自不同國家醫者之手，但均引用了中國《醫學入門》一書，都收録了十四經穴、骨度分寸定位法、針灸禁忌等内容，皆側重應用特定穴、奇穴，可謂異曲同工，殊途同歸。

周邊國家在學習中國醫學的過程中，漸漸形成了本土化特徵，或衍生出本國的醫學特色。如《家傳活嬰秘書》是一部獨具越南本土特色、自成體系的兒科專著。該書係越南「四民醫館」的家傳經驗秘笈。書中首先論述兒科諸病的見症分型與辨證方法；其次設「置藥治病列湯於下」，載述各種疾病對應的藥方及變方；再次是「治嬰各症方藥」，記載小兒常用治方；从次爲「論外湯症」，詳論以他藥煎湯送服丸、散劑的方法；最後列出兒科常用藥物的漢喃對照。如此環環相扣，自成一體，精審巧妙。其中，「論外湯症」一章，多以一味或數味藥煎湯送服丸、散劑，煎湯之藥隨症狀不同而變化，故隨煎湯之藥的變化，有效地擴充了單種丸、散劑的應用範圍。又如李氏朝鮮《雜病提綱》一書，依次記載雜病提綱、疾病分類、疾病治方，書中内容雖大多源於《醫學入門》《東醫寶鑑》，但經過作者巧妙編排，全書層次分明，内容系統，具有較高的臨床參考價值。再如，部分方書中開始出現一些未見載於中國醫籍的方劑，福井楓亭《崇蘭館試驗方》中收録的若干日本「和方」和福井「家傳方」等，即爲日本醫家自創之方。

前來中國拜師學醫，閲讀中國醫著，師承通曉中國醫學的本國醫家，閲讀本國名醫整理彙編中國醫學的相關著作，是海外醫者學習中國醫藥學的四種主要途徑。然而，前兩種途徑實施起來相對困難，故日本、朝鮮、越南三國名醫大多旁徵博引，取捨化裁中國醫籍以教化後學。以日本江户時代考證派名家多紀元簡遺作《櫟蔭先生遺説》爲例。該書係由元簡之子多紀元堅輯録而成，各篇之間獨立成文，主要論及痙病、麻疹、痔疾、脚氣、小兒吐乳、青腿牙疳，以及藥論、書論、醫論、醫事考證，同時收録元簡治療經驗、見聞心得。全書内容豐富，涉及醫學的方方面面，較好地體現了元簡精於考證、引録廣博、醫術精湛、治驗頗豐的學術特點。書中標注的參考引用著作近九十種，其中援引中國秦漢至清代歷代醫籍五十餘種，中國歷代非醫學文獻近三十種，旁及日本本土醫書五種、朝鮮醫籍二種。書中所引醫學文獻涵括醫經、傷寒、金匱、方書、本草、診法、兒科、外科、針灸、醫論、醫話等衆多類别。此外，該書引文中還提及二十餘位人物，其中絶大多數爲醫家。海外醫家將中國醫學重新化裁編排撰著成書後，部分著作還回流中國，引起中國醫家的重視。如中國清代曾多次刊刻發行，一九四九年以後又多次校注出版，在國内流傳較廣的《勉學堂針灸集成》一書，主要摘録了朝鮮太醫許任《針灸經驗方》全文與朝鮮名醫許浚《東醫寶鑑》的針灸相關内容。該書與本次收載的《穴處治法》一書關係密切，其間的淵源值得進一步考證。

但海外醫者對中國醫學的學習，更加强調其臨床實用性，往往首先汲取適於臨床運用的方法而捨弃醫理闡發的内容。日、韓、越均有一批對中國醫學研究得非常透徹的名醫大家，他們爲方便本國醫者學習和運用中國醫學，汲取中國醫學中最爲精華的部分，將中國醫學化繁爲簡，由博返約，促使其簡約化、本土化。如曲直瀨道三一派借鑒佛經中的經疏形式，巧妙運用綫段、圖表來提煉、歸納中醫藥的關鍵要素，或梳理錯綜複雜的醫理邏輯，用簡潔直觀的方式表達深奥的中國醫藥知識，極大地方便了日本民衆學習應用中國醫學。周邊國家還根據本國國情有選擇地學習吸收中國醫書的内容。如越南地處東南亞中南半島東部，大部分地區爲熱帶季風氣候，濕熱邪盛，國民患病以陽證爲主，故越南方書《家傳醫方》所載病證多爲陽證，陰證較爲少見。

本叢書收録的二十種海外醫籍，雖然有十五種爲鈔本，但其文獻研究價值與臨床實用價值不可小覷。從醫書分類角度而言，本叢書囊括醫經、醫論、本草、醫方、針灸、兒科、臨證綜合及醫學全書。從醫學流派與作者而言，涵蓋日本江户時代後世方派、古方派、考證派和折衷派幾大主流醫學流派，作者則涵括日本、越南兩國衆多名醫大家。書中所收本草著作，既有對張仲景古方用藥的闡釋發微，又有對李時珍《本草綱目》的考證。收録方書，多爲家族世代相傳的效驗良方。傳統醫藥學的理、法、方、藥在本叢書中均有很好的體現。但海外醫籍更加注重著作内容的實用性、簡約化，且具有不同國家的本土特色。

中、日、韓、越四國地理相近、交流頻繁，長期持續不斷的醫學交流，使得彼此的醫學思想、理論、學術和醫療技藝相互交叉貫通，血肉相連，共同爲人類的醫療衛生保健事業做出了巨大貢獻。本次所精選的二十種海外漢文傳統醫籍，獨具特色且國内罕見，能够在一定程度上呈现出中國醫學在海外傳承發展的不同側面，展現出日、韓、越傳統醫學各自的特色，較好地體現了中、日、越、韓之間的醫學發展、傳承流變、共性特色和交流互動。且本次所選之書内容豐富，涵蓋面較廣，具有較高的學術研究價值、文獻參考價值與臨床實用價值，將有助於研究中國醫學對周邊國家傳統醫學的深遠影響，能爲國内廣大中醫藥工作者拓寬思路、開闊視野創造良好的條件。

總之，本研究團隊以「一帶一路」沿綫國家的傳統醫學文獻爲切入點，繼續挖掘具有代表性的海外傳統醫學古籍，再次遴選，影印出版《海外漢文古醫籍精選叢書·第二輯》。希望本叢書能夠吸引更多國内學者關注中外醫學交流的源流與本質，以促進中醫藥的全面發展。本研究團隊也希望不負恩師之望，繼續努力將更多的海外醫籍精品介紹給國内的中醫藥工作者。

蕭永芝　韓素傑

目録

海外漢文古醫籍精選叢書·第二輯

寸楮集

(日)曲直瀨道三　撰
曲直瀨正琳　注

内容提要

《寸楮集》是日本曲直瀨正琳對其師曲直瀨道三著作《切紙》的注解發微。《切紙》一書輯録曲直瀨道三醫論四十一篇，是其秘傳門人弟子的流派心傳秘法，内容涵括基礎理論、診斷、藥物、針灸、臨證各科、養生等諸多方面。書中滲透着金元明醫學思想，尤其是李東垣、朱丹溪的醫學思想，充分體現了曲直瀨道三察證辨治、重視脉診的學術特色。曲直瀨正琳在原《切紙》的基礎上親筆題加批注而成《寸楮集》。本書爲日本後世方醫學流派的秘訣合集，至今仍有較高的臨床參考借鑒和理論研究價值。

一　作者與成書

《寸楮集》分爲上、下兩册，共收載醫論四十一篇，且多數醫論在標題之前編有序碼。不過，需要説明的是，書中第四篇「辨脉體名狀」漏寫序碼，致其後各篇序碼皆錯位，如「四　當流藥劑調進之法則」實爲第五篇，「四十　脉訣刊誤撮要」當爲第四十一篇。其他各篇，依次類推。

本書内封題有「寸楮集」書名。寸楮，指簡短的信札，如本書第十八篇「二十四劑」篇末載「故貽楮上，俟同志者之求云」。因本書係由多篇醫論彙編而成，故名《寸楮集》。全書各篇之末均注明作者及完成時間，其中有四十篇的落款含「道三」二字，如第卅一篇「惡脉之再察」，落款爲「元龜二辛未年九月下澣/洛下　雖知苦户　盍静翁　曲直瀬　道三」；僅第卅九篇「授越年學侶」篇末落款不含「道三」，題爲「於時天正第九歲舍辛巳睦月十一日/爲學僚越年勤侶使講授之一紙也/翠竹庵　一席叟七十五齡老筆」，而翠竹庵、一席叟都是曲直瀬道三的號。

本書中題署的「道三」，即曲直瀬道三（一五〇七—一五九四），爲日本中世紀末期著名醫家、醫學教育家，生於京都，名正盛或正慶，字一溪。本書各篇落款中記載的道三的别號有雖知苦户、雖知苦齋、盍静翁、盍静叟、盍静子、翠竹院、翠竹庵、一席叟、一溪叟、寧固齋等。

道三七歲入江州（今屬日本滋賀縣）天光寺學習佛經，二十一歲進足利學校學習儒學經典，二十四歲拜著名醫家田代三喜爲師學習醫術，三十九歲回京都懸壺濟世，後在當地創辦醫學校啓迪院，培養學生數百名。作爲日本漢方醫界後世方派之鼻祖，道三對日本醫學産生了深遠的影響，被譽爲日本醫學中興之祖。其代表著作有《啓迪集》《切紙》《藥性能毒》《辨證配劑醫燈》《雲陣夜話》《診脉口傳集》《授蒙聖功方》《衆方規矩》《泪墨紙》《遐齡小兒方》《和字全九集》《養生秘旨》《針灸集要》《秘灸》《指南針灸集》《啓迪庵日用灸法》《仰伏同身寸法》等數十種。

《寸楮集》爲鈔本醫書，内封題爲「玉翁正琳法印手澤本」，書中有大量朱墨雙色的旁注、眉批。可知《寸楮集》中的注釋批語爲「玉翁正琳法印」親筆題寫。「正琳法印」，即道三門人曲直瀬正琳，文禄元年（一五九二），曲直瀬正琳受封「法印」稱號。

曲直瀨正琳（一五六五—一六一一），日本文禄、慶長年間著名醫家，幼名又五郎，字養庵，其家本姓一柳。天正四年（一五七六），正琳拜入道三門下。道三愛其才，將養子玄朔之女嫁之，使其襲曲直瀨姓氏。文禄元年（一五九二），正琳治愈正親町天皇之疾，敕授「法印」稱號，奉命改稱「養安」，故正琳以「養安院」爲院號，本書正文首葉即鈐有「養安院藏書」長印。文禄四年（一五九五），正琳因治愈武將宇喜多秀夫人豪姬之病，獲贈朝鮮戰役收穫的書籍數千卷，其中包括多種貴重醫籍。

經筆者考證，本書正文主體實爲道三著作《切紙》的内容，書中小字旁注、眉批爲正琳題加。所謂切紙，即書奥義條目以授他人之紙張。道三授徒注重因材施教，有針對性地撰寫、傳授醫學秘訣，贈予不同的門人。其後，門人搜集整理散在的道三手書秘訣，經其本人確認，彙爲《切紙》一書。正琳師從道三，是其得意門生，抄録并注釋乃師秘傳《切紙》之文，書成之後定名爲《寸緒集》。本書中各篇落款時間最晚的是天正九年（一五八一），《切紙》亦存同年刻本；正琳於一五九二年受賜「法印」稱號，一六一一年逝世。由上推斷，《寸緒集》當成書於一五八一年至一六一一年之間。

二　主要内容

《寸緒集》正文主體爲道三《切紙》内容，包括四十一篇醫論。全書分爲上、下兩册。上册有：一，五十七個條（醫工宜慎持之法）；二，診候藥注一紙之約術；三，脉對分别之捷徑；四，辨脉體名狀；五，當流藥劑調進之法則；六，宜諷類；七，當他之兩例；八，一臟一腑之規矩陰陽兩經之弁劑；九，三治授；十，四證四治劑味多寡；十一，五矩；十二，諸治奥儀口訣；十三，二七局；十四，注銘無盡藏之一紙；十五，製方鑑；十六，學習記；十七，經常養生之仙術；十八，二十四劑；十九，常經流注升降迎隨之圖；廿，求嗣合卦法；廿一，察胎；廿二，建中；廿三，辟狐魅、驚風；廿四，老師口訣；廿五，戴眼；廿六，摩訶覺；廿七，補瀉之配劑；廿八，宗奭胃氣；廿九，男婦胃氣弁診；卅，深察胃絶；卅一，惡脉之再察，計三十一篇。下册收：卅二，男女命脉生死診訣；卅三，脉神；卅四，外感内傷生死弁解；卅五，療規通準；卅六，治法例繩；卅七，救矩明鑒；卅八，察生氣有無；卅九，授越年學侣；四十，老人痰證、虚煩之二論；四十一，脉訣刊誤撮要，共有十篇。上述四十一篇醫論，有三十二篇作於元龜二年（一五七一），且其中的三十一篇均完成於該年九月；兩篇撰於元龜四年（一五七三）；三篇成於天正九年（一五八一）；另有四篇分别撰於天文七年（一五三八）、天文十一年（一五四二）、永禄九年（一五六六）和永禄十年（一五六七）。其中，最早撰寫於一五三八年，最晚成文於一五八一年，時間跨度長達四十餘年。此外，下册前有四葉，以日文小字抄録中國北宋著名隱士、道教學者陳摶（字圖南）的小傳及異事，與本書主題内容無關。

正琳在旁注和眉批處添加的注釋，主要有字詞訓釋與内容注解兩種。字詞訓釋，如第一篇「五十七個條（醫工宜慎持之法）」第十三條云：「四時正氣與不正氣預《毛》先也，及也，通作豫、與，早也可勘知也。」引西漢毛亨、毛萇輯注的《毛詩正義》，訓釋了「預」字。内容注解，如上述第一篇第四十一條述及妊婦禁忌之藥味并飲食之忌戒時，在「禁忌之藥味」旁，注「雄黄、朴硝、巴豆、牡丹、牛膝、桂心之類」「薏苡、瞿麥、附子、牽牛、半夏、麝香、桃仁、茅根、槐花、三棱、乾薑、通草、南星之類」，舉十九藥爲例，注明了妊娠婦女應當禁忌的藥物；在「飲食之忌戒」下，標注「食犬肉令子無聲，食兔肉令子缺唇。勿妄服湯藥，勿妄亂針灸，勿過飲酒漿之類」，補充説明了孕婦在飲食、湯藥、針灸方面的禁忌。此外，爲方便日本醫者閲讀，正琳在部分漢文詞語之旁，標注了日文發音和語序。其注釋以上册爲多，下册較少。

三　特色與價值

《寸楮集》是道三秘傳弟子的醫論彙編，書中藴含着後世方派最爲實用的醫學秘訣與學術觀點，内容極爲豐富，流派特色鮮明。筆者今主要從構建察證辨治體系、重視脉診、傳承金元明醫學思想、普及醫學知識四個方面來分析。

（一）構建察證辨治體系

中國宋代政府設立太平惠民和劑局，頒布《太平惠民和劑局方》（簡稱《和劑局方》）。隨後《和劑局方》一書傳入日本，一度成爲日本的主流醫學。元代中日兩國交往中斷，這一時期中國醫學發展迅速，李東垣、朱丹溪等提出各具特色的學説；日本却仍在沿用《和劑局方》，部分醫家僅據證出方，不復辨求病因病機。道三在學習和深研中國金元明時代的醫學以後，受李東垣、朱丹溪學説的影響，爲改變日本醫者單純依賴《和劑局方》診病處方的被動局面，主張首先診察每位患者的病證，然後有針對性地予以配劑施治。

那麽，道三是如何辨察病證的呢？在本書開篇「五十七個條（醫工宜慎持之法）」第二十一條，道三明確提出：「諸病先明八要，虚實、冷熱、邪正、内外也。」第廿七篇「補瀉之配劑」篇末云：「右辨察表裏、虚實、三焦通塞、氣血盛衰，而宜施補瀉之各劑，猶審病證標本而用輕重緩急之異味，則須獲十全之功效矣。」第卅五篇「療規通準」之末載：「以上三十三準，或弁陰陽，或察虛實，或審病源，或分肥瘦，或潮熱早晏，或未來吉凶，或用劑先後，或表裏補瀉，誠施治明例，診察通規也。」以上三篇均作於元龜二年（一五七一）九月。同年十一月，道三在其另一部著作《辨證配劑醫燈》中提出了「診察辨證」一詞，并概述了察與辨的主要內容，云：「診察辨證……或弁陰陽表裏，或察虛實寒熱，或别血氣盛衰，或分貧賤苦樂，或異上下左右，區老少男女，或明吉凶順逆。」❶天正二年（一五七四），道三在其代表作《啓迪集》中正式提出了「察證辨治」的概念，并較爲系統地論述了察證辨治的具體方法。

由上可知，道三的診察辨證或察證辨治，主要是辨别疾病之陰陽、表裏、虛實、寒熱、氣血盛衰、三焦通塞、上下左右、病因病源、病勢預後等，并結合患者之貧賤苦樂、老少男女、形體肥瘦等予以配劑施治。

陰陽辨治，本書第一篇「五十七個條（醫工宜慎持之法）」（簡稱第一篇）第二十二條載：「諸疾皆因陰陽偏勝，其治不過守中，是當流之奥義也。」

氣血辨治，本書第一篇第十六條云：「諸證先必可定血氣之衰旺也。」第廿四篇「老師口訣」第一條提出「諸治當分氣血」。

三焦辨治，本書第一篇第十八條載：「一，上焦順痞《毛》：氣隔不通，飲食多少，膈痰通否《毛》：□也，塞也；二，中焦强弱，尅化遲速《玉》：疾也，膨《廣》：脹也脹緩急；三，下焦通塞，二便滑秘，元精强羸《玉》：弱也；

❶（日）曲直瀨道三：辨證配劑醫燈[M]．日本國立國會圖書館藏鈔本：（卷三）尾葉．

《府》：瘦也。」

病因病源辨治，本書第一篇第十條云「可辨察病因也」。第十三篇「二七局」記載了風、寒、暑煩、濕、宿食、痰、瘀血、氣結、濕飲、虛煩、諸痛、諸腫、大便、小便等十四種病源的辨治方法。如痰的治法用藥，曰：「吐，常、前、半、茶、生薑、苛(荷)；利，巴、苓、目；下，枳、檳、實、苓、虎、巴；內消，术、目、莎、苓、貝、蔞、半、生薑。」此篇末又云：「右所著之十有四局者，弁劑處治之妙法也。若弁病因，知邪之所在，而或用驅逐之劑，或施內消之藥，而使無虛虛實實之誤者，誠可謂十全之上工矣。」

上下左右辨治，如第廿四篇「老師口訣」之「治渴分上中下」條云：「寸脉有力而渴，二門冬、葛根；關脉有力而渴，石膏、白芍；尺脉有力而渴，知母、黃柏。」又如，道三在第卅九篇「授越年學侶」中提出「一身之疾宜分左右而治之」，并列出「左右分治之配劑立方」，以四物湯調左屬，四君子湯調右屬。

病勢預後判斷，如本書第一篇第三十四條載：「久病沉疴癖積癥瘕之類，頓《□》：遽也不可求效之事。」

因人施治，如本書第一篇第三條載：「必先可察患者肯《毛》：可也信與惰猜《廣》：恨也，疑也也。」第九條云：「可問素常肥瘦矣。」第五十一條言：「貴賤苦樂，同病異治。」本書因人施治還主要體現在男女異治與老少異治兩方面，如第一篇第十五條載「少年壯盛老衰可異治事」，第十七條云「男婦有尺寸之別診、氣血之異治也」。

本書還記載了臟腑、經絡之辨證用藥。

臟腑辨治，如第七篇「當他之兩例」記載了道三學派對五臟的認識，提出肺貴清虛，心貴安靜，脾貴常寧，肝貴散緩，腎貴保潤。其中，「心貴安靜」條曰：「安，不苦神氣，遠志、辰沙；靜，不悖榮脉，地髓、連翹。」道三謂此「右五家之攝政，誠養生治疾之一助也」。

經絡辨治，如第八篇「一臟一腑之規矩陰陽兩經之弁劑」，先載十二經之本藥，云：「脾太陰濕土：芍藥，收濕益液，足太陰經藥也；胃陽明燥金：白术，除濕邪也益燥，足陽明經藥也……」繼而又言：「庶幾要察脉弁證，以本經之藥爲主，尚明佐使之用，然則可謂十全之上工也。」其後補列十二經之佐使藥。如脾經，主藥爲芍藥，佐使藥有當歸、益智、甘草、黄芩、柴胡、地黄。又如，第十二篇「諸治奥儀口訣」之「十二引經弁劑」條，援引明代饒鵬《醫林正宗》十二經脉引經藥，「肺手太陰：芷、升、葱；大腸手陽明：葛、芷、升……肝足厥陰：柴胡；膽足少陽：藁、羌、柴胡。」

此外，道三還應用了五行等其他辨證方法。如第卅九篇「授越年學侶」之「治手足病宜從五行而弁之」條載：「兩手病，必從金火，蓋手有金火……兩足病，必從土水木，蓋足有土水木。」

然而，疾病的産生與發展變化多端，複雜莫測，故道三臨證常常綜合運用多種辨證方法。今取其二三舉例如下。

其一，陰陽虛實表裏寒熱辨治，第一篇第二十七條載：「陰陽虛實，必可分別。《經》曰：陽勝則外熱，陽虛則外冷；陰勝則内冷，陰虛則内熱。」第廿四篇「老師口訣」之「陰陽虛實之分别」條亦載此内容，其後補加一句「陽主外而温之，陰主内而凉之，是其當也」。此处針對疾病的複雜性，將陰陽、虛實、表裏、寒熱辨證綜合運用於臨床診治。

其二，氣血寒熱辨治，第十一篇「五矩」之「氣血寒熱療治之弁劑」條載：「氣分：熱，門、柴、知、翹、通、莎、桑、柏；寒，芷、生薑、細、附、芪、參、檳……」綜合運用了氣血辨證和寒熱辨證的方法。

其三，三焦氣血辨治，第十二篇「諸治奧儀口訣」之「三焦流通氣血弁劑」條載：「上焦滯氣，香附、陳皮、紫蘇；滯血，香附、川芎。中焦結氣，香附、枳殼、厚朴；結血，牡丹、紅花。下焦留氣，檳榔、枳實、杏仁；留血，桃仁、大黄。」此條上焦用「滯」，中焦用「結」，下焦用「留」，可見道三辨證所用的每一個字都非常考究，且其對上、中、下三焦疾病的關鍵問題已有深入的了解。

針對診察到的多種病情信息，道三主張選擇較嚴重者辨治。如第十四篇「注銘無盡藏之一紙」眉批載：「對患者診其脉，欲施治則必記痛苦數證，而就中其甚者，先配藥治之矣。經日逾旬而必得奇效。」

通過診察辨證，道三常在症狀、病證之後出具相應的治療藥物。如第二篇「診候藥注一紙之約術」末載：「右一紙者，診脉察證之捷徑。先賢記之，猶指掌也。惜哉患證具而頗闕療藥矣。予今於病名側傍而且録治劑，唯是要迪齋下初學蒙士而已。」即言道三根據其辨證結果，歸納總結出相應的治法用藥，并列之於後，有效地提高了察證辨治的臨床實用價值。如第十八篇「二十四劑」記載通塞、升降、散收、潤燥、動静、攻救、堅軟、補瀉、寒熱、走止、澀滑、緩急等二十四劑，篇末云：「夫古人之製法，有十二劑之弁異。予久治病，窺諸家方法，然而儲二十四劑之異旨……」又在第廿七篇「補瀉之配劑」細分氣、血或微、中、甚，載録了表、裏、上、中、下、尿的補瀉配劑。如言：「瀉表之劑：微，陳皮、羌活；中，獨活、葛根；甚，麻黄、紫蘇。補表之劑：輕，芍藥、人參；重，黄芪、肉桂。瀉上之劑：氣，莎、芎、芸、菊；血，芷、莎、細、芎。補上之劑：氣，菖、沉；血，桂、芥、首……」每個病證之下，道三僅列幾味藥物，可見其選藥亦是精益求精。不難看出，這些都是道三經過長期研究、實踐後，才總結出來的辨證用藥規律，十分精到獨特。

總之，辨陰陽、表裏、虛實、寒熱、氣血、三焦、臟腑、經絡等思想貫串本書始終，是道三察證辨治的重要組成部分。道三還根據臨證病情的實際需要，靈活運用上述察證辨治方法。

天正二年（一五七四），道三在《啓迪集》自序中言：「竊顧吾朝未著察證辨治之全書也，予不慮淺知，私拾聖賢之隳栝，普集諸家之樞機，而竭力極意，徐數十年，而綴以爲八卷。初自中風傷寒，終曁婦人小兒。而辨證必宗《素問》神規，配劑每祖《本草》聖規矣。」❶數十年來，道三「上始於軒岐《内經》，下及百家醫書，日夜玩味之，漸究厥旨趣」（《啓迪集》自序），在廣泛深入研讀先賢著述的基礎上，逐漸摸索并概括出臨證診療的潛在規律，初步構建起察證辨治的體系。道三將其察證辨治思想運用到具體疾病中，編撰了《辨證配劑醫燈》《啓迪集》等著作，其學術思想在門人津島道救的《用藥心法》等著作中得以傳承。

儘管道三反對一味套用局方，但在本書第十五篇「製方鑑」中他也指出：「今之醫者，若非熟讀《本草》，深究《内經》，而輕自製方，鮮不誤人矣。」第一篇第六條亦言：「不可拘古方，而通舊法則佳也。」説明道三更加强調的是醫者須通曉古人治方之法，即他所提出的察證辨治之法。故本書中也記

❶（日）曲直瀨道三.啓迪集[M].日本國立國會圖書館藏室町時代（一三三六—一五七三）鈔本：卷首.

載了少量的臨床驗方，如中暑方、養生方等。

綜上所述，《寸楮集》一書蘊含着道三豐富的察證辨治思想，且其學術體系在本書已經比較成熟，這爲之後撰寫《啓迪集》闡述各種具體疾病的察證辨治奠定了基礎。

（二）臨證重視脉診

脉證是道三診察辨證的重要參考資料，如第一篇第二條討論了「察《廣》：監察也，知也，審也；《毛》：考也，廉視也脉證《毛》：驗也，候也，質也而定病名事」；第二篇「診候藥注一紙之約術」之前載「辨知病證而即診察左右三部，忽脉證對合，則以應劑宜治之」；第十一篇「五矩」之「内外傷之弁察」條則言「凡脉爲人司命，故以脉爲主，多從脉而少從證也」。可知，道三臨證之時，於四診中尤其重視脉診。

在本書四十一篇醫論中，有十三篇專論脉法，約占全書總篇數的三分之一。第二篇「診候藥注一紙之約術」，記載七表八裏九道脉之主病、用藥及諸證順逆吉凶，道三稱之爲「診脉察證之捷徑」。第三篇「脉對分別之捷徑」，兩兩配對記載二十四種脉象，篇末言「右診候捷徑之分別也，雖窺百家診術，無如斯口傳之易明」。第四篇「辨脉體名狀」，記述人迎、氣口二十六種脉象主病。第廿六篇「摩訶覺中的「脉治之大悟」條，記述辨脉之虚實、太過不及、浮沉三項内容，篇末言「右三個之辨例者，誠診候之奥儀。深明之，則雖不察七表、八裏、九道之煩，而頗辨虚實寒熱，知邪由淺深矣。然無有表裏補瀉之差誤也。」第廿八篇「宗夷胃氣」，載寸口脉候胃氣方法。第廿九篇「男婦胃氣弁診」，載人迎、氣口候胃氣方法。第卅篇「深察胃絶」，記載診脉候胃氣來復方法。第卅一篇「惡脉之再察」，强調惡脉當覆手再診。第卅二篇「男女命脉生死診訣」，提出男子命脉在右尺，女子命脉在左尺，以及男女診脉之不同。第卅三篇「脉神」，記載脉中有力是爲有神，有神即代表有中氣。第卅四篇「外感内傷生死弁解」，提出「蓋外感以緩和往來爲正神，内傷以指下有力爲有神」。第卅九篇「授越年學侶」，記載左部寸口脉主血相關，右部寸口脉主氣相關。第四十一篇「脉訣刊誤撮要」，載「王氏生死明診」「舍府之至辨」「七候之明切」「脉息之兩解」「按尋、邊頭二字之刊誤」「沉浮之明教」「診切博約之次序」「療虛療勞之别補」「吐血診切之遠慮」「臨産離經之至弁」「脉位脉形之辨例」「於肺之一經分三部之位候他臟之氣妙解」十二條脉診内容。可見，本書所載脉診内容十分豐富，所論脉法主要爲寸口診脉法。本書專門討論脉學的第三篇「脉對分别之捷徑」，撰於天文十一年（一五四二），是全書所有醫論中創作時間較早的一篇。當時道三僅有三十六歲，尚處於跟隨田代三喜學習的階段，最終能將此篇全文保留在本書中，可見此文在道三及其弟子們心目中的地位。

道三診脉察證的方法，大致如其在第十三篇「二七局」篇首所言：「夫治諸病，有捷徑之弁察……後學乃候於人迎、氣口，以明内外之因；診於寸、關、尺，而知於三焦病處；察於左右虛實，弁於氣血盈虧；審於浮沉遲數，分於表裏寒熱。」

道三診寸口脉，總以寸口「法天而主上部之病」，關上「法人而主中部之病」，尺中「法地而主下部之病」。關於臟腑分候，在本書中有以下四種説法。其一，如第卅二篇「男女命脉生死診訣」附圖兩幅標明：左寸浮取候小腸，沉取候心；右寸浮取候大腸，沉取候肺；左關浮取候膽，沉取候肝；右關浮取候胃，沉取候脾；左尺浮取候膀胱，沉取候腎；右尺浮取候三焦，沉取候包絡。本書大多數篇章所論脉法均采用此種臟腑分候方法。其二，道三在第四十一篇「脉訣刊誤撮要」之「於肺之一經分三部之位候他臟之氣妙解」條中提出：「私云：分其部位者，謂皮肺、血心、肉脾、筋肝、骨腎。」其後言右寸皮毛部，沉取候肺，浮取候大腸；左寸血脉部，沉取候心，浮取候小腸；右關肌肉部，沉取候脾，浮取候胃；左關筋膜部，沉取候肝，浮取候膽；兩尺骨髓部，沉取候腎，浮取候膀胱。其三，第卅二篇「男女命脉生死脉訣」提出：「男子命脉在右尺，男子左尺爲精府；女子命脉在左尺，女子右尺爲血海。」其四，又有七候説，如第四十一篇「脉訣刊誤撮要」之「七候之明切」條載「寸、關、尺，每部以浮、中、沉候表裏中氣，及四旁察竪横」，即於寸、關、尺三候之下，又列魚際、産門、内旁、外旁四候。

第四篇「辨脉體名狀」、第廿九篇「男婦胃氣弁診」等記述人迎、氣口脉法，本書以左關前一分爲人迎，右關前一分爲氣口。寸口脉以左部候血，以右部候氣。在第廿六篇「摩訶覺」之「脉治之大悟」條，道三提出脉象以「所有爲實，所不有爲虛；有力爲實，無力爲虛」，尤其注重診脉辨察胃氣。然診脉又有博約之分，如第四十一篇「脉訣刊誤撮要」之「診切博約之次序」條載：「博則二十四字，不濫絲毫；約則浮、沉、遲、數，總括紀綱也。」

（三）傳承宋金元明醫學

道三在撰著本書醫論時引證廣博。僅第卅五篇「療規通準」、第卅六篇「治法例繩」、第卅七篇「救矩明鑒」三篇引用醫書就多達三十種，如《靈樞》，宋代寇宗奭《本草衍義》、王貺《全生指迷方》、許叔微《普濟本事方》、張杲《醫説》，金代李東垣《脾胃論》《蘭室秘藏》，元代羅天益《衛生寶鑑》、王好古《此事難知》、齊德之《外科精義》、危亦林《世醫得效方》、朱丹溪《格致餘論》《局方發揮》《丹溪心法》《丹溪脉訣》、汪汝懋《山居四要》，明代王永輔《惠濟方》、劉純《醫經小學》、徐彦純《玉機微義》、王璽《醫林集要》、盧和《丹溪先生醫書纂要》、王綸《明醫雜著》、虞摶《醫學正傳》，及佚名氏所集《東垣十書》、吴球《諸症辨疑》、佚名氏《醫學指南》。此外，尚有標志爲「經驗」「良方」「葛」的三書以及宋代黄堅的詩文集《古文真寶》。其中，《醫學正傳》《玉機微義》《丹溪心法》《世醫得效方》《衛生寶鑑》是上述三篇醫論引用最多的五部著作。

明代自中日兩國恢復邦交之後，包括田代三喜（一四六五——一五三七）在内的醫者紛紛前來中國學習先進的醫術。日本名醫田代三喜赴明後師從錢塘僧醫月湖十餘年，尤其精通李東垣、朱丹溪兩家的學説。道三跟隨三喜學醫長達十餘年，繼承了三喜的醫術，繼續倡導李東垣、朱丹溪的學説，故《寸楮集》中藴含着大量李東垣、朱丹溪二人的醫學思想，也滲透着田代三喜、月湖的學術觀點。如在第廿八篇「宗奭胃氣」篇名下標注「三按一舉，月湖所秘也」；在第七篇「當他之兩例」中，朱書注文「直聽師三喜老師君尊講而私一溪也注藥劑」。

李東垣十分强調脾胃在人身的重要作用，是中醫「脾胃學説」的創始人，主要著作有《脾胃論》《内外傷辨惑論》《蘭室秘藏》等。《寸楮集》中多篇提到養護脾胃的重要性，如第廿二篇「建中」第一條「建中之機要」下注引自「李氏《脾胃論》」，云：「腸胃爲市，無物不包，無物不入，或感於四氣，或傷於飲食。胃者，十二經之源，水穀之海也，平則萬化安，病則萬化危。」第廿四篇「老師口訣」云：「百治先賴胃：人以脾胃爲主，胃氣傷則不能運化藥氣以成功也。凡先察飲食傷積，消導之，調脾胃，然後用治病之藥，尚加助中之藥。」另第廿八篇「宗奭胃氣」、第廿九篇「男婦胃氣并診」、第卅篇「深察胃絶」等，都着重論述了胃氣的生理病理。

朱丹溪提出「陽常有餘，陰常不足」學説，爲「滋陰派」的創始人，著有《格致餘論》《局方發揮》《丹溪心法》《金匱鈎玄》《本草衍義補遺》等。《丹溪心法》卷三列「六鬱」專篇，將鬱證分爲氣鬱、濕鬱、痰鬱、熱鬱、血鬱和食鬱，創立「六鬱」學説。《寸楮集》第十篇「四證四治之秘授」載「三證之外，有鬱之一證」，并列述六鬱症狀及其用藥，如氣鬱「胸腹痛，脉沉澀。香附、陳皮、白术、川芎」。此外，本書第四篇「辨脉體名狀」源於《丹溪脉訣》，第卅一篇「惡脉之再察」引自《丹溪心法》，第卅二篇「男女命脉生死診訣」下注「丹溪秘傳」。

本書不僅直接引用李東垣、朱丹溪二人著作中的內容，還引用了二人私淑弟子及後世傳人著作中的部分內容，前者如明代戴思恭《脉訣刊誤》，後者如明代王綸《明醫雜著》。

不過，雖然本書內容多傳承李東垣、朱丹溪學説，但道三也有所取捨。如臨證配劑藥味多寡之分別，道三在第十篇「四證四治劑味多寡」的「藥味多寡之分別」條中提出：「明察藥性之緩急，而復弁病證變異，則用藥材或多或寡。多味則自八九種至十味，漸及十餘種；寡味則自二三味至六七種。制（製同）方之法，當流不仿東垣二十餘味之類，言未明藥性微（深奥幽微）旨而用藥多味，則雜亂之患生而已，深意尚在口傳矣。」可知，道三倡導製方簡潔，用藥精準，與李東垣製方藥味較多有所不同。

（四）普及醫學知識

《寸楮集》所述內容條理清晰，多爲道三數十年研讀古籍和臨證實踐總結出的心法秘訣。道三曾經在江州天光寺學習佛學，閲讀過大量的佛經。他借鑒佛經中的經疏形式，巧妙運用綫段、圖表來梳理醫理的邏輯關係，或提煉歸納醫藥中的關鍵要素，將複雜深奥的中國醫藥知識用簡潔直觀的方式表達出來，以便於日本民衆學習、掌握和運用。在醫書中用綫段、圖表來説理叙事，是道三及其門人常用的表述方式，如道三《啓迪集》及《辨證配劑醫燈》、津島道救《用藥心法》中，均或多或少地采用了這種編撰方法。

在本書第六篇「宜諷類」中，道三爲醫工提煉、歸納出六十一項重要内容，包括「手之六經」「足之六經」「十五絡」「十二經之井滎俞經合」「十二經氣血多少異」「背部中行歌」「脊椎無穴歌」「背部第二行歌」「背部第三行歌」「督脉頭分歌」「任脉序流歌」「四穴總治歌」「禁灸歌」「禁針歌」「宜灸不宜刺六俞」「每月之人神歌」「二十四氣」「八節」「考某年司天之圖」「考某歲主運之圖」「六氣交遷之日」「異穴同名弁歌」「虎口紋歌」「十二個月之卦」「異朝紹運」「九族」「九流」「四民」「九州」「五經」「四書」「三注」「七書」「五岳」「五星」「七星」「二十八宿」「五長」「六陳歌」「八新歌」「十八反歌」「鐵銅禁劑」「十二律」「五穀」「五果」「五菜」「五畜」「七情」「八邪」「五志」「五勞」「六極」「七傷」「四海」「三氣海」「五鬱」「六鬱」「七癥」「八瘕」「七方」和「藥劑七情」。這些都是作爲醫生必須熟記并掌握的基本醫藥及生活常識。

道三的察證辨治，涉及陰陽、表裏、寒熱、虚實等八个方面，初步具備八綱辨證的雛形，并延伸到三焦、臟腑、經絡、氣血、體質、性别、年齡等諸多方面。此外，道三還對脉學知識進行歸納，繼承金元明醫學，建立綫段、圖表的表達方式，總結出醫者需要重點掌握的「醫工宜慎持之法」五十七條、必須熟記在心的「宜諷類」六十一項等。只有像道三及其子孫、門弟之流，通過深研細琢傳入日本的中國醫學，在對中國醫學有了深刻的理解，又對日本臨床需求有了充分的了解之後，才能做到如此精準的提煉和升華。在道三之前，醫學作爲深奥難懂的知識，多爲日本貴族周圍的御用醫師或上層僧侣所掌握。道三創設啓迪院培養普通醫師，并彙集自己數十年潛心研究中國醫學的體悟和長期從事臨床實踐的豐富經驗，編撰普及性小型醫籍，致力於醫學知識的普及，將中國醫學簡約化、本土化，推動了中國醫學在日本的傳播，并開始創立了日本自己的醫學。

總之，道三原撰數十篇醫論，經門弟彙成《切紙》一書。其門人兼孫婿正琳認爲道三在《切紙》中所論醫理還是有深奥難懂或旨趣不明之處，故對道三的四十一篇醫論酌加注解，編成《寸楮集》一書。正琳主要徵引西漢毛亨及毛萇《毛詩正義》，東漢許慎《説文解字》、劉熙《釋名》，北宋陳彭年及丘雍等《大宋重修廣韵》、睦庵（善卿）《祖庭事苑》，南宋王應麟《困學紀聞》等著作，訓釋道三原作的字詞含義；援引《素問》《靈樞》《難經》以及晋代皇甫謐《針灸甲乙經》、唐代孫思邈《備急千金要方》、金代成無己《傷寒明理論》、南宋張杲《醫説》、元代滑壽《十四經發揮》、明代劉純《醫經小學》等醫籍，闡釋《切紙》的具體内容。正琳所添加的上述注釋發微，爲日本醫者閲讀、學習道三流派的醫學秘訣提供了極大的方便。

四　版本情況

《寸楮集》是正琳對其師道三《切紙》一書的注釋發微。日本《國書總目録》未收録《寸楮集》一書，但載有《切紙》的多種版本。如《切紙》的天正九年（一五八一）刻本，日本御茶之水圖書館成簣堂文庫藏；寬永二十年（一六四三）刻本，京都大學圖書館、京都大學圖書館富士川文庫、御茶之水圖書館成篔堂文庫藏；慶安二年（一六四八）刻本，京都大學圖書館富士川文庫、東北大學圖書館狩野文庫、杏雨書屋、神宫文庫圖書館藏；慶安五年（一六五二）刻本，大阪府立中之島圖書館藏；刊年不明刻本，日本國立國會圖書館、京都大學圖書館富士川文庫、東京大學圖書館、市立刈谷圖書館、杏雨書屋、乾乾齋文庫藏。此外，尚有六種《切紙》鈔本留存於世，分别藏於東北大學圖書館狩野文庫、東京都立日比谷圖書館加賀文庫、杏雨書屋、乾乾齋文庫（慶長十六年玄朔奥書）、無窮會神習文庫和陽明文庫。❶

本次影印采用的底本爲日本國立國會圖書館所藏《寸楮集》鈔本。此本藏書號「WA16—15—1」「WA16—15—2 止」。不分卷，兩册。上下兩册書皮分别貼有上述藏書號。内封分别題署「玉翁正琳法印手澤本／寸楮集　上」「玉翁正琳法印手澤本／寸楮集　下」，并貼有藏書號及「貴重圖書」標簽。四眼裝幀。無序、跋。四周單邊，無界格欄綫，無版心、魚尾。第二册前有四葉内容與本書主題無關。每半葉九至十一行，每行字數不等，約十五至二十字。文中有正琳親筆小字旁注和眉批，朱墨分書。書中的書名、人名，多以朱筆綫條或方框標識。

《切紙》爲道三傳授醫學經驗的秘訣合編，其部分内容文字簡略、内涵深奥，經正琳注解成《寸楮集》後，更加便於日本醫者學習道三流派的醫學精髓。本次影印《寸楮集》，可爲研究金元明時期醫家對日本漢方醫學的影響，探討日本後世方派的形成演變、醫學特色及成就影響，尤其是道三的察證辨

❶（日）國書研究室.國書總目録［M］.東京：岩波書店，一九七七：（第二卷）五七二.

治思想與方法，提供珍稀的文獻史料。讀者可藉以了解日本漢方醫學後世方派早期的學術思想與臨證經驗，獲取有益的思路啓發，以提高自身的臨床水平。

韓素傑　蕭永芝

WA 16
15

WA 16
15
1

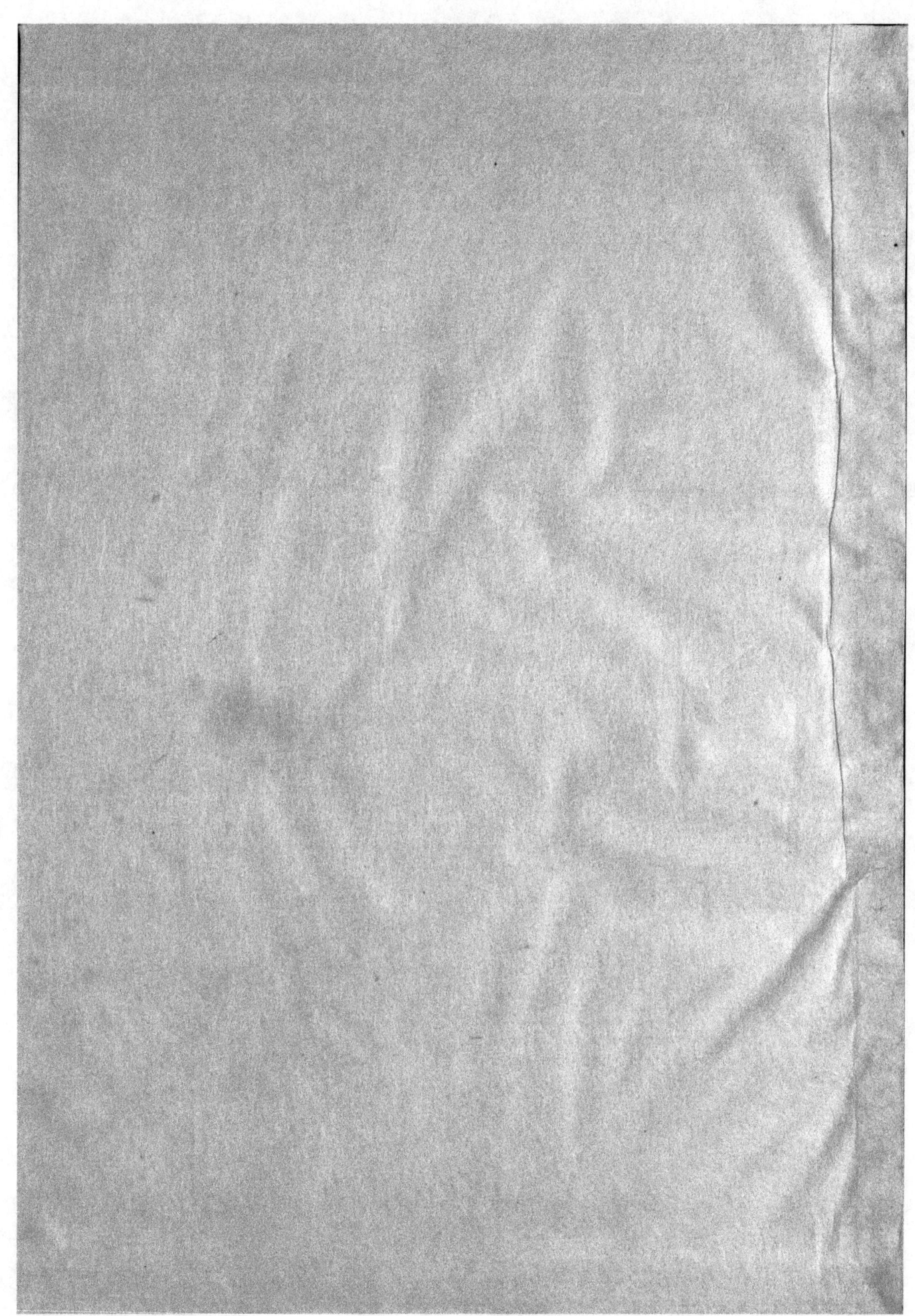

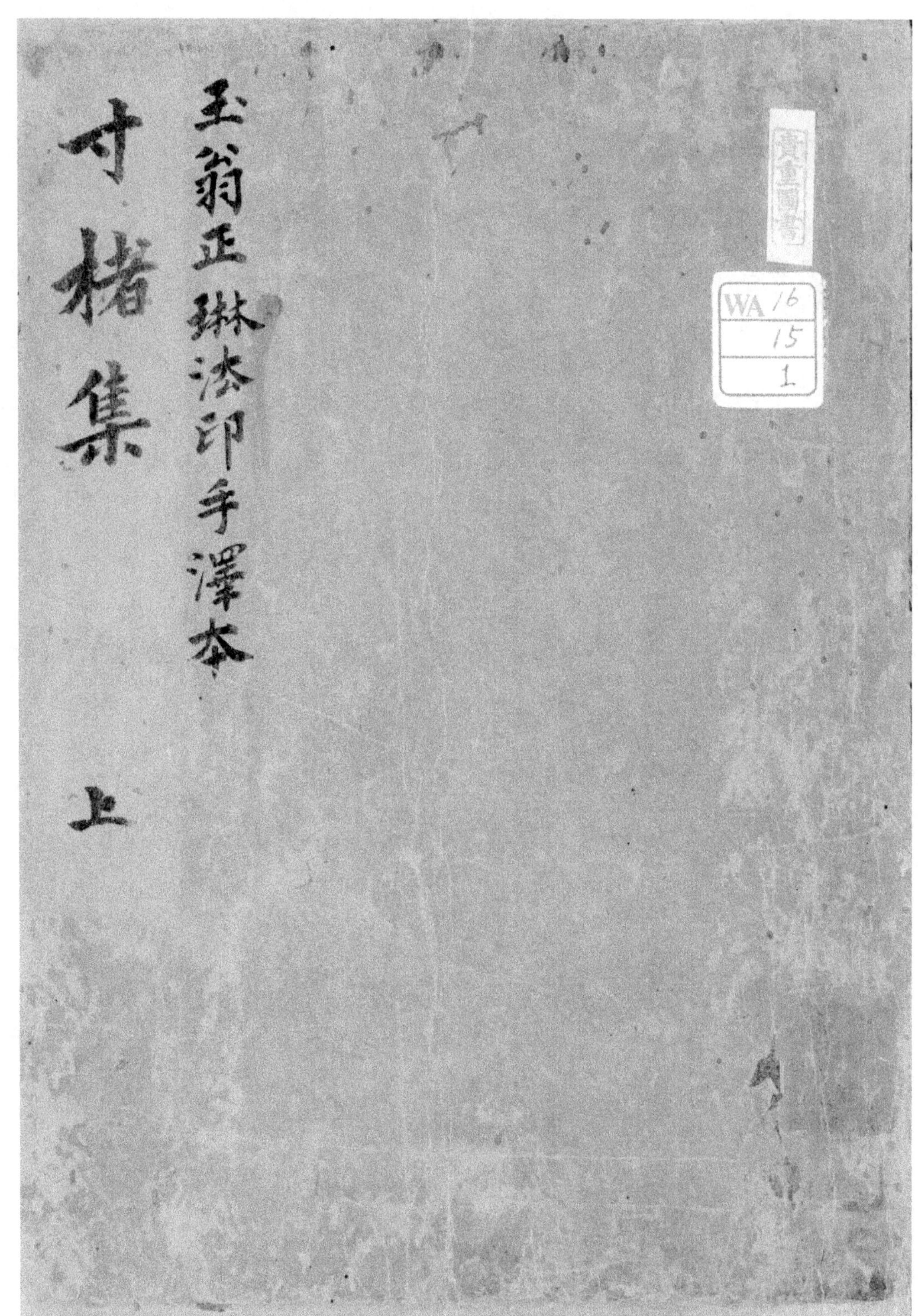
寸楮集
玉翁正琳法印手澤本
上
貴重圖書
WA 16
15
1

大正
3.3.3
購求

一五十七箇条

醫工宜慎持此法

一　慈仁

一　察脈證而可定病若事

一　瀣可察患者肯信与情精也

一　百病可察初受盛甚困危矣

一　不執一識矣

一　不可拘古方而通用法則佳也

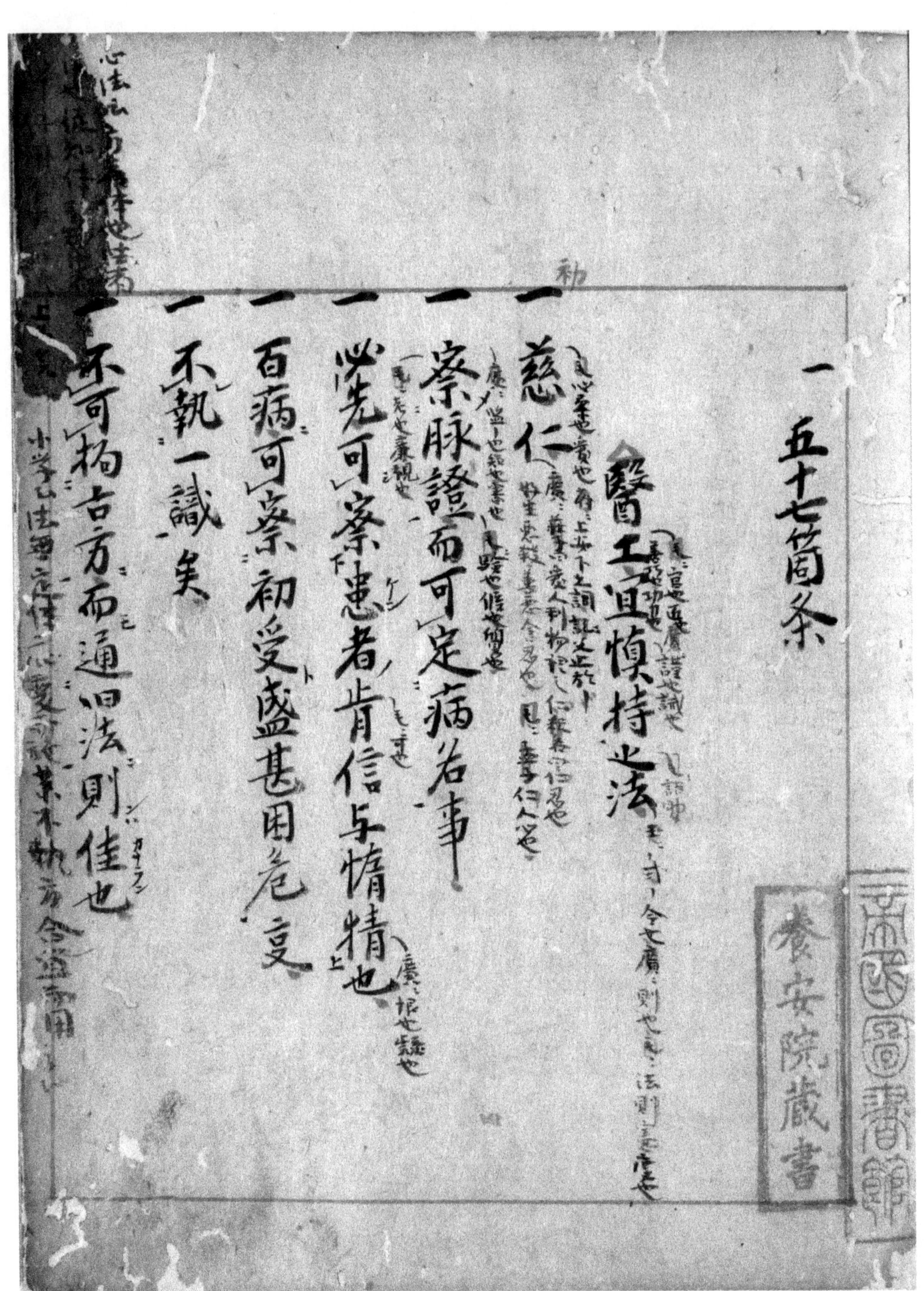

一、更彈ゝ迴知ゝ術事

一、暴新病久痼疾可別治也

一、可問素常肥瘦矣

一、可辨察病因也

一、隨方土而異治則佳矣

一、治未病不治已病

一、四時正氣与不正ゝ氣頻可勘知ゝ

一、信巫不信醫ゝ患者逆而血效

一、少年壯盛老衰可異治矣

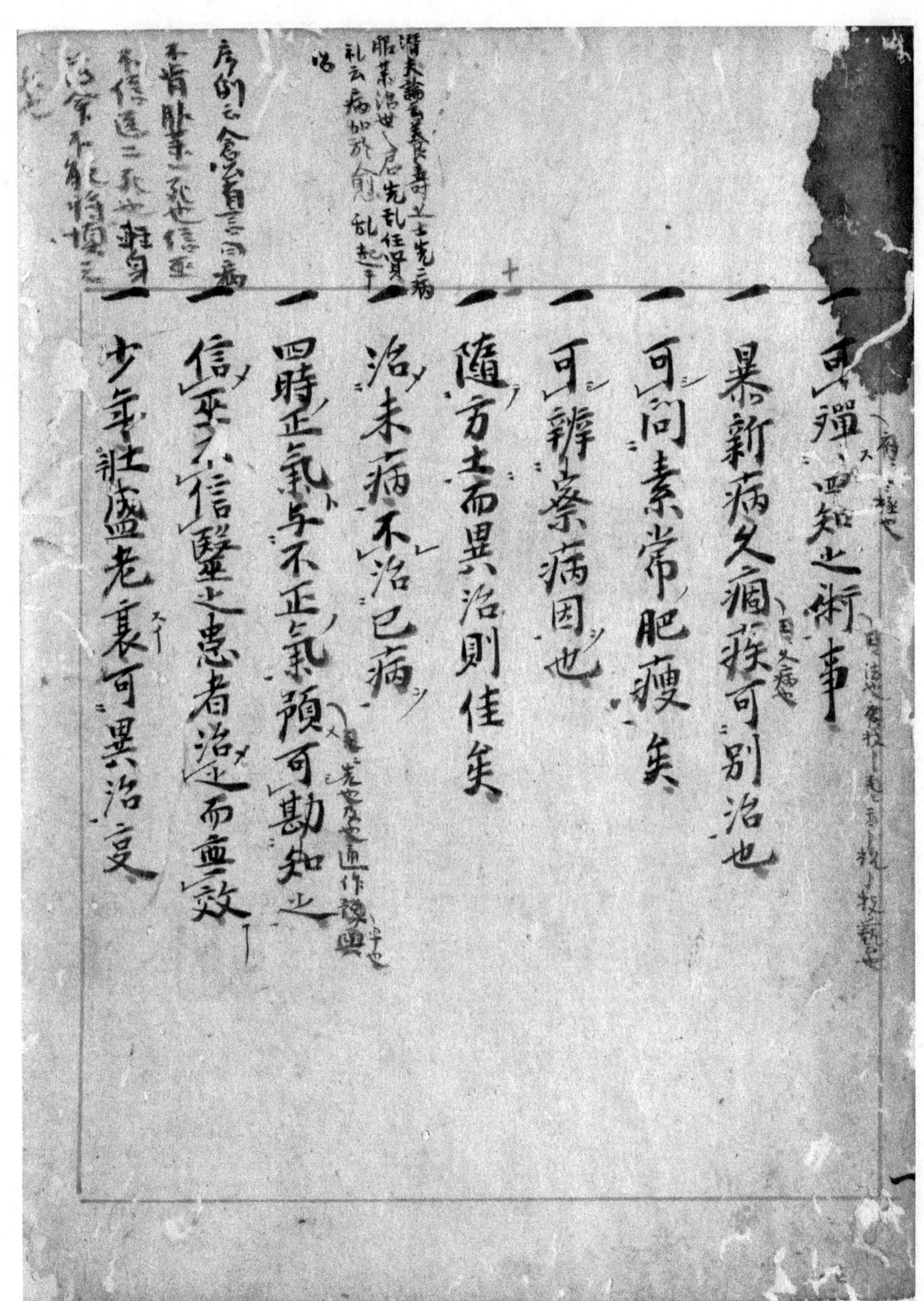

一諸證先必可定血氣之裏脏也

一男婦有尺寸之別診氣血之異治也

一諸治有三向矣是療疾之規矩也

一上焦頑痞　飲食多少　膈疾通否

二中焦強弱　剋化遲速　膨脹緩急

三下焦通塞　二便澁秘　元精強羸

一治腎虛則診兩尺而可弁水火別補也

一診女脉則必先可決胎姙有無矣

一諸病先明八要　虛實冷熱　邪正內外也

一諸疾皆因陰陽偏勝其治不過守中

傭[illegible]也詩昊天不傭[illegible]
音庸傭也[illegible]
諸之[illegible]
庸[illegible]
傭亦作庸

是當流之奥義也

一 兵者凶器也薬者攻邪物也
雖無毒平味之薬無可攻之病則必不
可用之況於有毒偏氣之薬乎

一 諸熱即可弁燥濕
潔古曰熱而尿不利湿熱 熱而尿利燥熱

一 諸疾平愈而後再發之時 或依初治 或依他療

一 傭醫悉重貴薬軽賤味當流不然
以中病貴之以不中病賤之

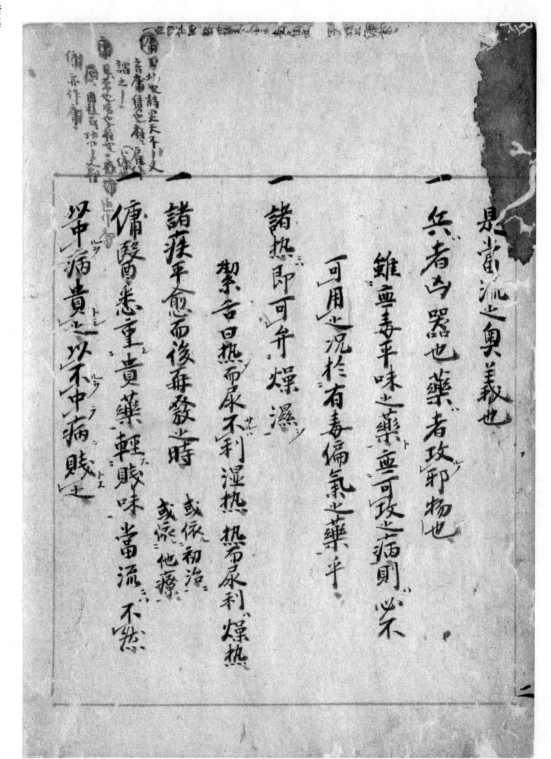

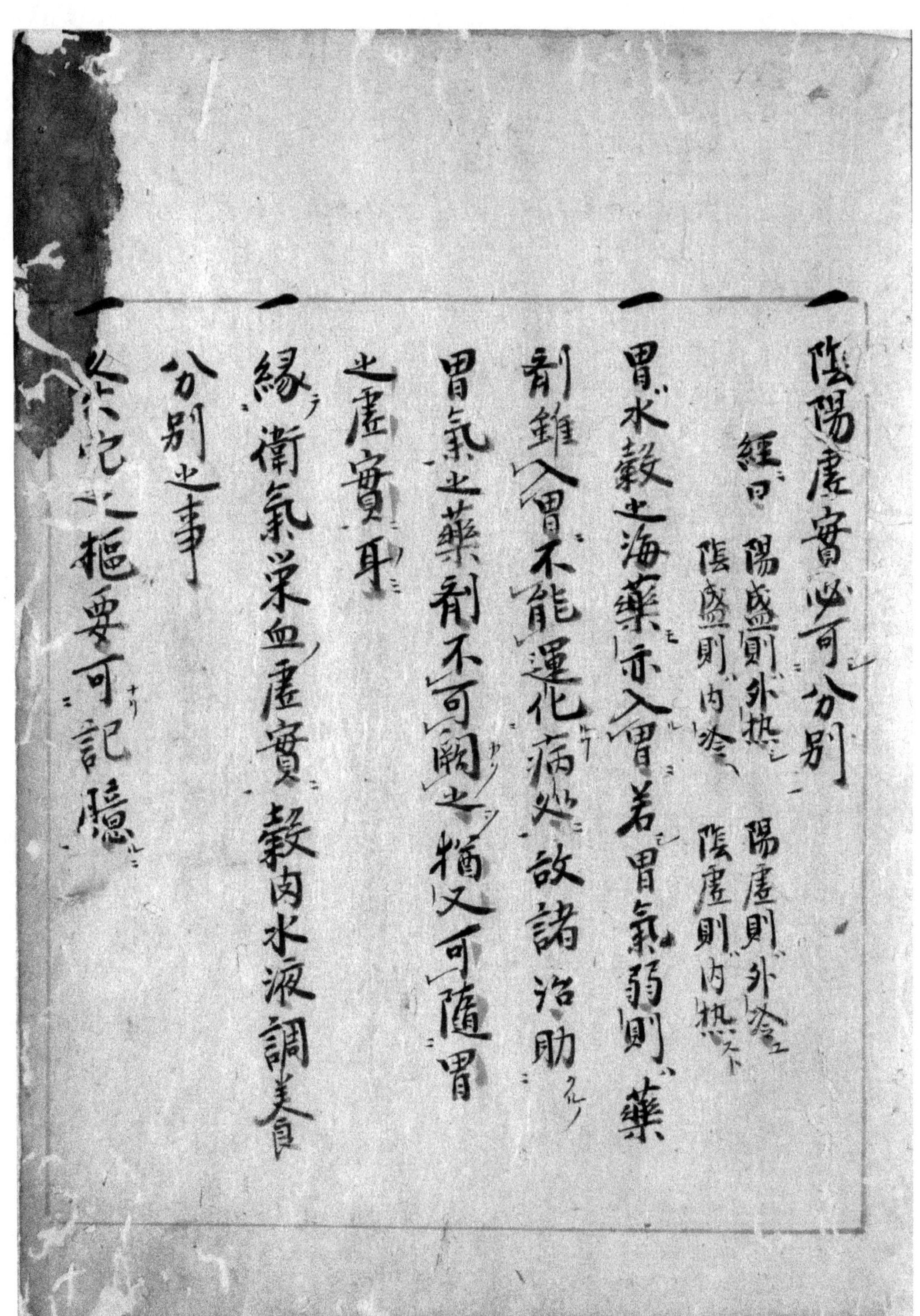

一 陰陽虛實必可分別

經曰 陽盛則外热 陰盛則内冷 陽虛則外冷 陰虛則内热

一 胃水穀之海藥亦入胃若胃氣弱則藥剤雖入胃不能運化病必故諸治助胃氣之藥剤不可闕之猶又可隨胃之虛實耳

一 縁衛氣榮血虛實穀肉水液調美食分別之事

一 參伍之樞要可記臆

一 諸病ノ治之證不煩之脈

一 誤施診治則莫憚改之

一 小児諸疾不可定得効之可否也

一 久病沈痼癖積癥瘕之類頓不可求効之変

一 卒病暴患之丸散須蓄薬剤兼可調和変

一 湯散丸之分別（湯盪也 散散也 丸緩也）

一 薬剤七情之分別（単行 相須 相使 相畏 相悪 相反 相殺）

氣薄陽中之陰　氣薄則發泄
氣厚陽中之陽　氣厚則發熱
味薄則陰中之陽
味薄則通酸苦鹹平是也
味厚陰中之陰
味厚則泄酸苦鹹寒是也

一　藥劑氣味之弁察

一　生熟炮製不越法則

凡熟升生降

一　銅鉄之禁忌不可侮之

一　姙婦禁忌之藥味并飲食之忌戒

一　三停之病食前食後之用藥

一　峻加峻減是下工也

一　服藥之須要用同性同氣之飲食

一　單行奇方不能治大病痼疾

一　治諸以湯丸自朔至五之須而已用之

一 湯方之題銘以藥名不可記之以治德〻可
記臣
一 宜禁諸傍〻藥禁之飲食可記之并月
禁不可闕之
一 七方之分別
大小緩急奇耦複
一 十二劑之異治
宣通補泄輕重
澁滑燥濕寒熱
一 貴賤苦樂同病異治
一 諸痰平愈即戒沐浴酒色矣
一 當年司天在泉運氣之虛實六氣之

客親可記臆事

一 秦定美養生曰〇岐黄向善醫之法也 臨機應變醫之意也

一 以醫意用聖法非妄意也

一 醫家大法曰治上必妨下治下必妨上

一 病脉相及聖規

一 病热脉静
泄而脉大
脱血脉實
汗後脉躁
此皆難治

一 秤量之分別 廣秤与半秤
以十銖半為二兩半
二銖半爭為一分四分为一兩
十錢也

火分心分止黑

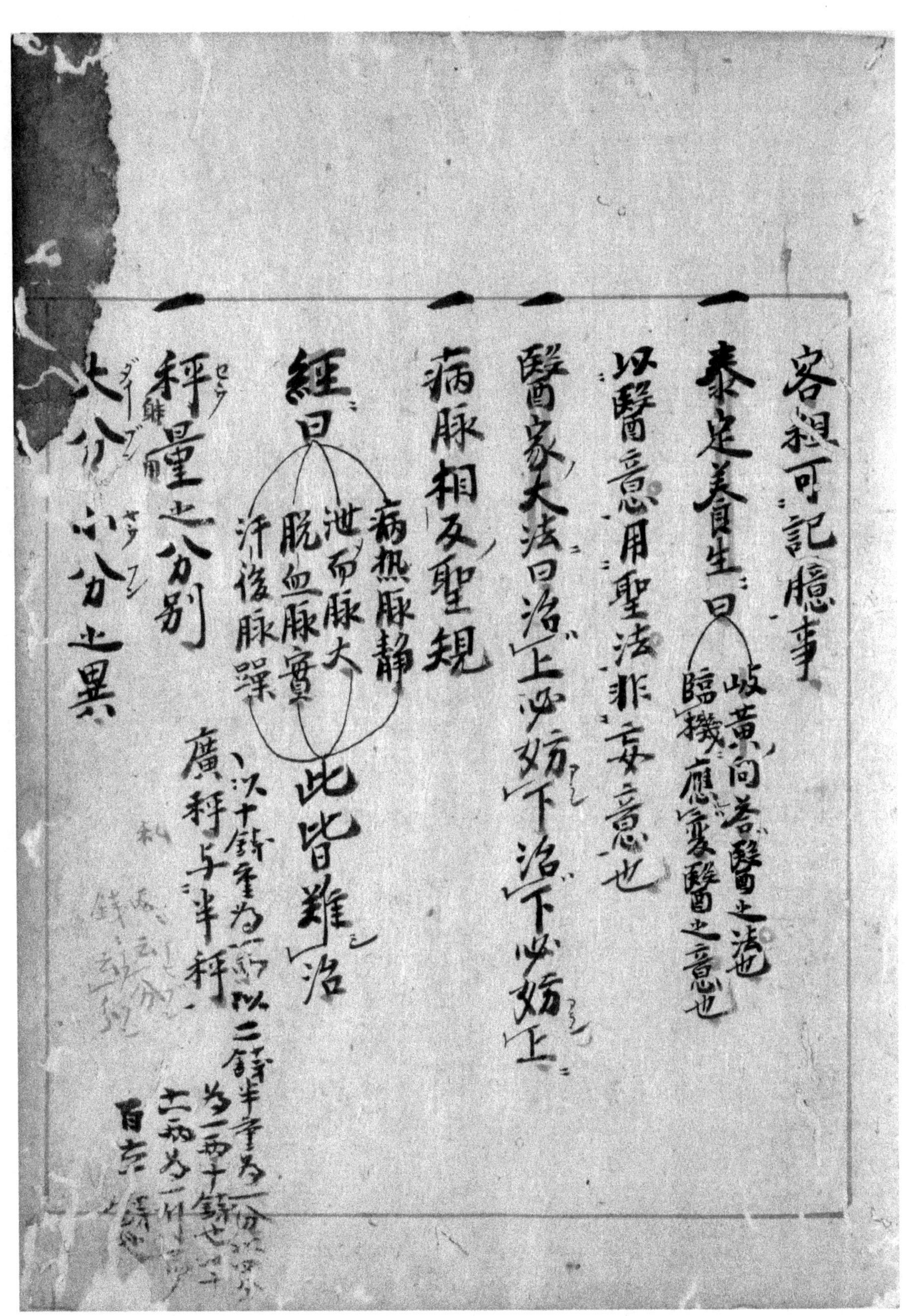

折合之分別

尺寸之定

以上五十七事者指南醫工之規矩愚者之隱栝也不為當流之門弟者雖一言不可許之誠治人之玄微治世之階梯也非師弟相對授受之不得其妙旨矣

元亀第二年未年九月十三日 六十五歳 書之

洛下雖知苦斎 盍静翁 道三

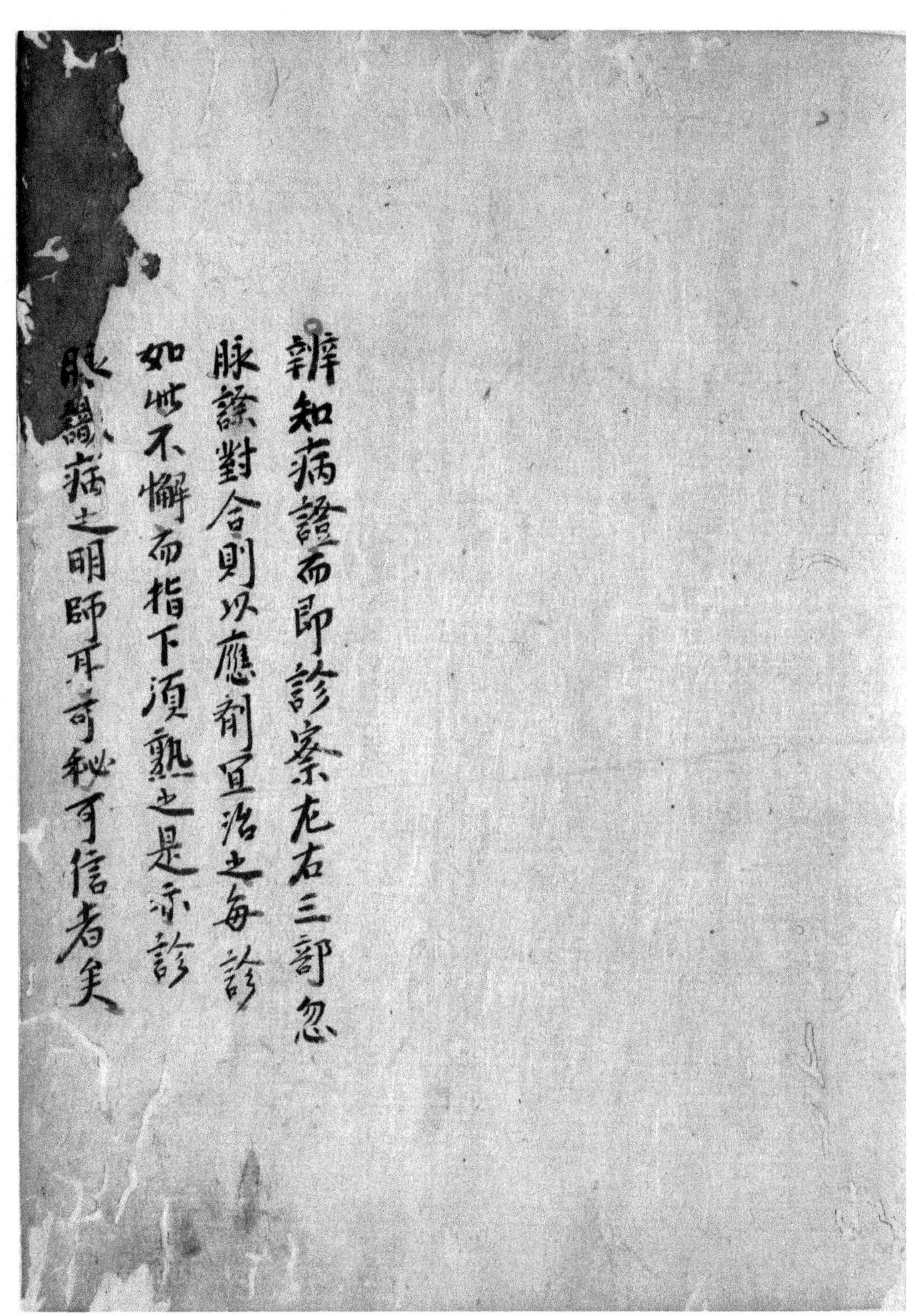

辨知病證而即診察左右三部忽

脉證對合則以應劑宜治之每診

如此不懈而指下須熟之是亦診

脉識病之明師耳可秘可信者矣

診候藥註一紙之約術

脈	七表陽脈					
脈	浮		芤		滑	
脈病主	有力風 無力虚 為在表		失血		多血少氣 主吐逆	
兩手	左	右	左	右	左	右
寸口 法天而主上部之病	風热頭痛 風痰目眩（芥芩 薄荷 芸芎 芸菊）	喘嗽鼻塞清涕 咽喉乾（蘇杏梔芩 梔奴独门姜）	吐血衄血胸中積血（牡 茅 牡）	胸痛 瘀積（桂 牡）	心热舌強 驚（連 芄 生地 门冬）	嘔逆 皮毛焦瞞 痰涕粘（麦门 芸半 目 梔）
關上 法人而主中部之病	眼昏痛目眩筋痰脇脹脹（柴 莎 柴 芸 薏 前 青 朴）	腹滿不食 食而不消 脾虚消中（芍 朴 葛 朴 縮 麴 服 老 芍）	瘀血腹鳴吐血目暗（鞭 湯 连 芎 门 紫 紅 青）	瘀血腹痛腸癰 畜血（牡 载 桂 芍 鞭 歸尾 芩 榆）	患頭目（芎 紫 荼）	脾热口臭嘈鹿不食吐逆（葛门 莎 黄 芸 薏 芩 全 姜 半）
尺中 法地而主下部之病	尿赤齒耳聾耳瞎 膀胱風热（梔 車 六 羌 梔）	大便堅 足熱 在下焦（朴 芒 荛 知 虎 牡）	尿血淋瀝（瞿 鞭 汉 茅 膠 月）	下血 痢（牡 芄 荛）	腎熱 尿澀 莖中痛 肢痿（梔 虎 芩 目 通 寸 乙）	下焦熱 渴 飲水停 下焦（虎 梔 知 芩 車 車）

主脈之圖

实		弦		緊		洪	
病在内		主拘急		寒傷栄	主痛	主熱	三部洪主五熱
左	右	左	右	左	右	左	右
胸熱心悶面赤頭風 奴連门升芥	咽乾キ有テ傷癰喘咳ス 门梔合忍桑桔芩枳苓	頭痛胸急痛盜汗肢瘦々 柴薑奴苻桂芍桂已	皮燥 桂门	頭痛 桂細麻蘊	欬嗽 麻蘊貴	頭痛胸煩脹 沙連门奴	毛髮焦蕩啼粘咽喉乾喘 芩梔门目梔
腹痛目赤昏痛 朴紫蒡秦皮	脾虛少食消中口躁肢倦 烏茴茅梔羌已	痃癖脇痛 莪柴青柴芎	胃寒有痛食 姜莪麴朴腹	筋急心腹滿痛 瓜紅柴枳朴芍桂	脾痛腹助拘急嘔悶腹脹 芍青芎生姜朴	肝熱手足浮熱身痛 柴芍已䏮桂羌貴	胃熱及胃口乾 升葛貴门生姜
尿澁赤 伏柳	下痢 檳枳羌貴梔	少腹急痛腰脚痛 檳膝羌已膝苡	少腹拘急下焦停水 檳薏苡澤車羌	腈下并腰脚痛 檳六膝已通	下焦痛 梔通知	溺澁足瘦々 通已桂紅	大便澁 虎芩亂檳

八裏隱脈

脈	微		沈		緩		濇	
病主	主氣〻疮		冷氣水痛　瀉泄	為在裏	主風結	氣不足	少血多氣	主〻傷虛
三焦	左	右	左	右	左	右	左	右
上焦 主胸已上至頭之病	心虛憂惕，胸痞惡寒勞汗；遠 茯神 茸 桂 茯 白芍	上焦寒結；貴 桂 參 沈	胸痞氣短，胸脹痛，有水；微 桂 丁子 茸 參	咳嗽皮膚，臂不舉；玄 數 茯 桂 楂	脊項急，攣痛；獨 桂 紅 桂 巴	氣促，皮痺不仁；參 茯 桂	榮不足，無心力，主不多言，心痛；桂 芥 地 杜 丁子 合 義	上焦冷，陽衛虛，痞氣促，膊痛；朴 參 茯 芍 黃 參 玄 獨
中焦 主胸已下至臍之病	目暗生花，肢急；桂 芥 紅 瓜	胃寒，食不化，脹厥，冷急；義 良 朴 茸 檀 朴 香附 紅 圭	心腹脹痛，氣促，肢冷，痃癖腸痛；青 朴 丁子 參 桂 芥 義 良 桂 茸	心下脹，吞酸；義 朴 莎 茸 朮	腹內結痛，眩暈；義 朴 丁子 桂 芸	胃虛不食，風寒入肉；朮 縮 芸 姜 桂	血失，脇滿，有胎痛，無胎敗血；桂 芥 芎 義 縮 雜 芍	脾虛痛，不食嘔；白芍 朮 縮 蔻 黃 生姜
下焦 主臍已下至足之病	敗血，男；泄血，女；崩中；龍 牡 蛇 六 地 膝 蛇 雅 芍	少腹寒積，鳴痛，泄；義 梹 木香 茴	腰冷痛，尿數，如河餘淋澀痒；姜 芥 蛇 參 巻 芍 蘋	水病，腰腳重弱；生姜 姜 膝 蓄 蛇	腎虛耳鳴，夢隨鬼，冷淋；蛇 地 桂 斛 遠 戟 桂 參	下寒，足弱，風氣，常腫；桂 梹 斛 膝 壹 芸 姜	腎虛夢泄，尿數，漏精，疝氣；地 蛇 芥 參 茴 桂	小腹冷鳴，下痢，睡冷；桂 梹 義 朮 芥 桂 斛

主為之圖

遲		伏		濡		弱	
腎虛惡寒 氣寒脹		主積聚		主虛損 為惡寒		主虛而筋痿 為風氣	
左	右	左	右	左	右	左	右
上焦虛寒 芥歸桂	上焦有寒 桂朮參苓	胸有聚物 桂義枳	氣滯胸痰噎不通 貴把半朴義生姜	虛盜汗五心熱 桂蛎芍地六芥	元氣敗乏力 桂參耆茂膠	虛汗出心悸陽氣虛 白芍桂辰丁子芪	陽虛衛不足 參芪芍
中焦冷痛 姜芥縮桂義芎	胃冷不食吞酸吐水 朮縮良生姜蔲義	堕痛月閉 芥紅桂莱桃	中脘聚物水氣溏泄 義青良生姜白朮參	骸重精神離散氣衰 芥姜蛇遠桂丁子	脾氣冷弱下痢 芥朮蓮蔻尾生姜	筋痿目昏產後面風腫 化光桂紫姜貴瞿	胃虛有客熱不可大攻 朮芪芍六
腎虛泄瀉多驚少寐 蛇把脂神桂姜云	下焦寒腰脚疼 附杜姜杜斛	疝瘕少腹痛 茴桂楝木	宿食不化 縮服義麴	腎虛髓不溫由不差骨腿轉耳鳴 蛇云桂芥杓把	發熱惡寒下元冷極 六桂蛇蓯	骨内痠痛 姜巳膝云	下焦冷無力 附蛇桂五戟斛

九道主

長	短	虛	促	結
渾身壯熱生時不安 芩連石知甘六柴苓 陽邪居三焦宜汗解 梔芍六升藴葛芍知	三焦氣痞痛食不消 苓半羌後朴麦論六桂 陽中伏陽且浮腸胃 坂兔蒿地棗兔朴	心虛驚惚煩熱健忘 桂遠茱六门茯神芥 傷暑氣血虛補三焦 茂门萬丁子參桂玄蛇六	積聚氣血飲食痰 義精半地牡參縮朴半 留滯不行血斑退生加死 貴赤蒿沉射地芍门六膠络	因氣血痰飲積胸滿煩躁 桂半紅半參栽朴芥门梔 大腸痛宜寫瀉三焦 兔棠牡桂行升甘膝络

諸證順逆吉

傷寒熱病	下痢	水病	心痛	嘔血	金瘡
洪大生 沈小細死	微小生 浮洪死	浮洪實生 虛微沈細死	沈細生 浮大弦長死	滑弱沈生 實大堅強死	沈小虛細生 浮大實死
頭痛	**癲狂**	**霍乱**	**中風**	**上氣浮腫**	**欬嗽**
浮滑大生 短澀死	實大生 沈細死	微細浮洪生 微遲不言死	遲浮生 急實大數死	浮滑生 微細死	浮濡生 沈伏死
腹脹	**消渴**	**鼻衄吐血**	**上氣喘促**	**卒中惡**	**泄瀉**
浮大生 虛小死	数大生 細小浮短死	滑小弱生 實躁死	浮滑肢温生 細澀肢寒死	大緩生 堅浮死	微細生 浮大死

屬之圖

牢	代	動	細
喘促胸壅骨肉痛膚紅腫	臟絶中止形瘦少言	四肢發痠崩中血痢此脉	脛瘦髓冷乏力世精
婦人半產男人失精	老生婦與少年死姙三月約	居陰陽動汗陰動熱	陰陽痛氣血屬世神労

凶之圖

癆瘵	嘔吐	諸失血	內外虛
沈滑生 / 緊大死	虛細順 / 実大逆	沈細弱生 / 浮洪実死	実滑吉 / 沈濇凶
積聚	新產	內實	腸澼
牢堅沈伏生 / 虛弱浮逆	緩滑生 / 実大弦急死	洪実吉 / 沈細凶	沈小滑大生 / 數大懸濇死
多汗	產後熱病	內虛	欬逆胸氣
虛小吉 / 以洪凶	脉細四肢煖生 / 脉大肢逆冷死	沈細吉 / 浮大凶	脉大死 / 小浮滑生

右一紙者診脉察證之捷徑先賢記之猶指掌也惜哉患證具而頗闕療藥之方今於病名側傍而且錄治劑唯是要迪膺下初学蒙士也

于時日東元亀第四癸酉年上元月洛下雖知苦齋道三 六十七歲

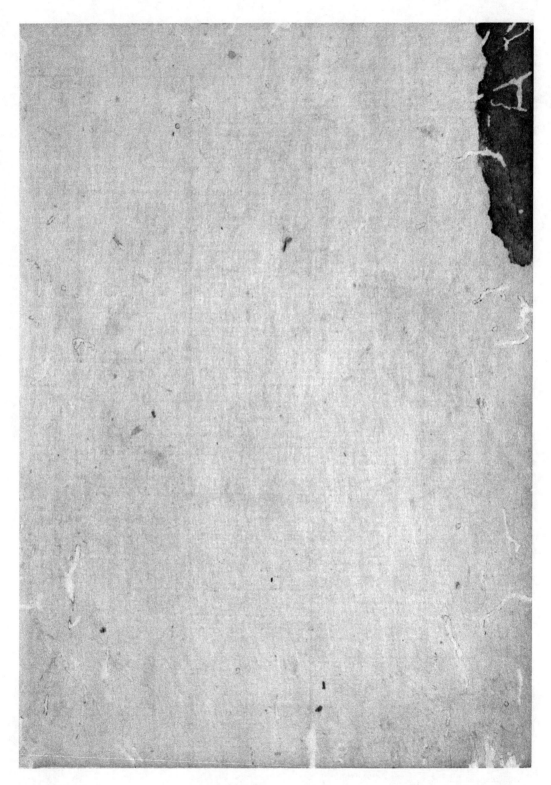

三

脈對分別之捷径　右今二途

浮　表　按不足

沈　裏　挙不足

緊　尖而力甚　榮有甚邪

芤　脈中失血　凹也ニテモアツテ中ナシ

滑　多血少氣主旺　三部如玉動

濇　滞而不順流　少血多氣

實　氣血実満　挙而実満　脈中有邪力主

虛　血氣倶虛　挙而虛按亦虛　脈中乏力有風邪

弦　揑急如弓強シキ　浮大也如洪水来

弱　来往細小氣血不及　脈中亚乏力有風邪

洪　主熱血氣過也

細　往来細小氣血不及

長　往来長シテ　三焦太過

短　往来短ニタケミシカシ　三焦不足

促　氣熱結　息阳至寸来ツヾク

結　氣虛結　シツクニ動ぢゝづゝ

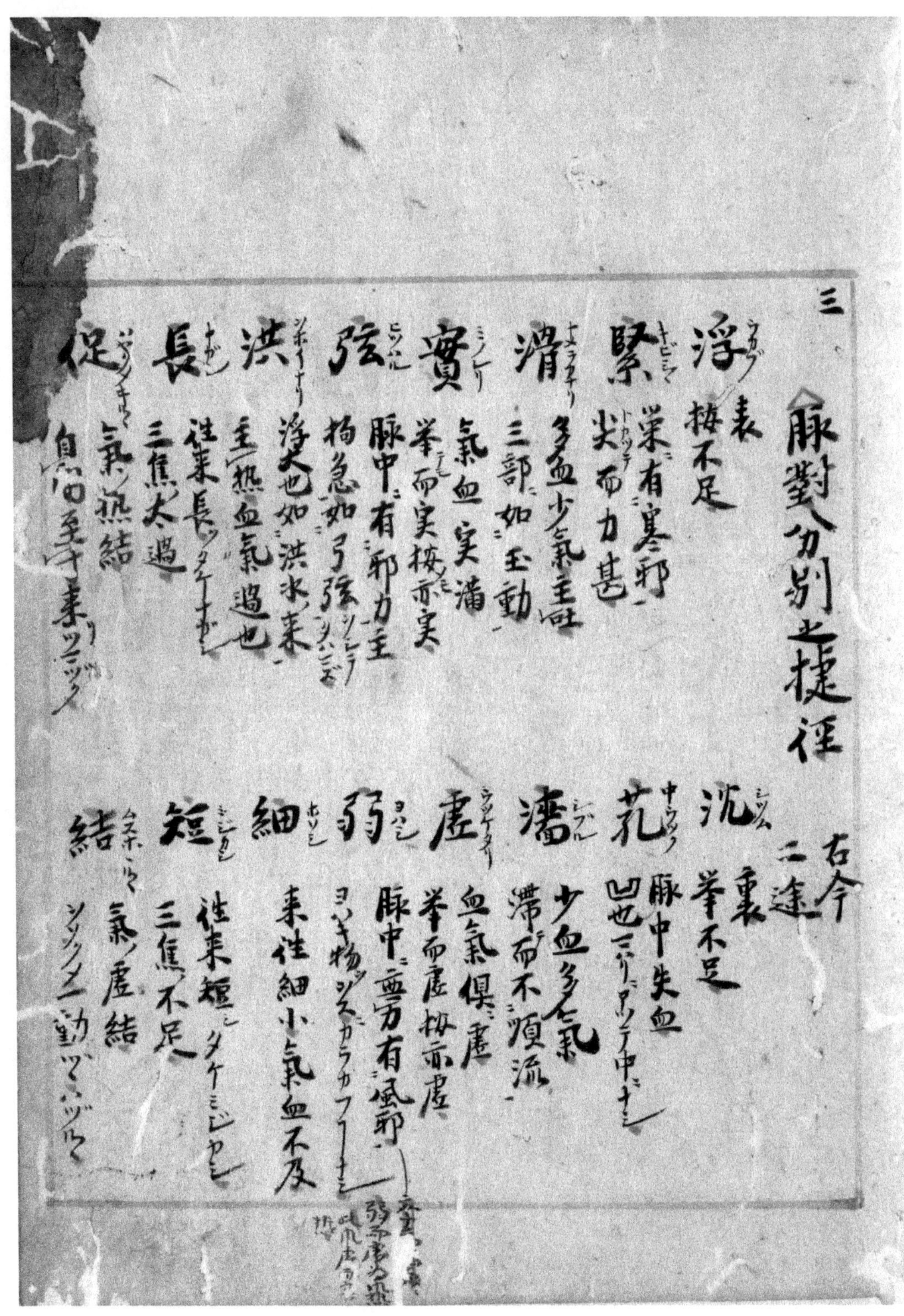

牢（カタシ）　骨中痛ム　ハゞヒロク極ドモ久ニテ

動（ウゴク）　在ア關ニ不往来　陰陽搏也

遲（オソシ）　一息ニ三至　寒氣血冷

微（カスカナリ）　有ニ乎無ニ乎　陽氣已虚氣痞

濡（ヤハラカナリ）　元氣虚力衰　挙則無按則如有

伏（筋下ニカクル）　食癖聚物カクサル

緩（ユルシ）　四動ヨリシソソ三動ホドニハ　股向息怠忽結也

代（トムルト云）　五至十至之間留止ル　又依前来也一勝絶　極ミ止脈也

右診候捷徑之分別也雖窺百家診術無如斯口傳之易明非其仁者莫授焉

天文十一壬寅年上元日　雖知苦斎　道三

豁如师古曰豁然開大之皃 音呼活反

辨脉躰名狀

丹溪脉訣

浮者 按之不足 舉之有餘 應人迎風在經 應氣口榮血虛

沉者 舉之不足 按之有餘 應人迎寒伏陰經 應氣口血凝腸

遲者 應動極緩 按之盡牢 應人迎濕寒凝滯 應氣口冷積

數者 去來促急 一息數至 應人迎風燥熱煩 應氣口陰虛陽盛

虛者 遲大而軟 按之豁然 應人迎暑傷經 應氣口榮衛走奔

實者 按舉有力 不疾不遲 應人迎風寒貫經 應氣口氣血壅脉

緩者 浮大而軟 去來微遲 應人迎風熱入藏 應氣口怒極傷筋

緊者 動轉無常 如紉簞線 應人迎經絡傷寒 應氣口藏府作痛

脉	形	人迎	主	氣口	主
洪者	來來至大 去去且長	[illegible]人迎	寒壅 諸陽	應氣口	氣攻 百脉
細者	指下尋之 來往如線	應人迎	諸經 中濕	應氣口	五藏 凝涎
滑者	往來流利 有如貫珠	應人迎	風痰 潮溢	應氣口	涎飲 凝滯
濇者	參伍不調 如雨沾沙	應人迎	風濕 寒痺	應氣口	津汗 血拈
弦者	端緊徑急 如張弓弦	應人迎	風走 注痛	應氣口	飲積 溢痰
弱者	按之欲絶 輕軟無力	應人迎	風濕 緩縱	應氣口	筋絶 痿弛
結者	往來遲緩 時止更來	應人迎	脹散 陽生	應氣口	積阻 氣節
促者	往來急數 時止復來	應人迎	痰壅 陽經	應氣口	積留 胃府
芤者	中空傍實 如按慈葱	應人迎	邪壅 吐衄	應氣口	榮虚 妄行

微者　極細而軟似有若無　應人迎　風暑自汗　應氣口　微陽脫泄

動者　在關如豆厥厥不行　應人迎　寒疼冷痛　應氣口　心驚膽寒

伏者　沉伏不出著骨乃得　應人迎　寒濕痼閉　應氣口　凝思凝神

長者　往來流利出於三關　應人迎　微邪自愈　應氣口　藏氣平治

短者　按舉似數不及本部　應人迎　邪閉經脈　應氣口　積遏藏氣

濡者　按之不見輕手乃得　應人迎　寒濕散漫　應氣口　飧泄緩弱

革者　沉伏實大如按鼓皮　應人迎　中風暑濕　應氣口　半產脫精

散者　有陽無陰按之滿指　應人迎　淫邪脫泄　應氣口　精血敗耗

代者　藏絕中止餘藏代動　無問內外所因得此必死

于時元亀第二辛未年九月十四日

洛下雖知苦斎盍静翁道三 六十五歳

於冊鎔脉訣抄寫畢

剤葉調進法則

四
当流薬剤調進之法則

一 小紙ナラベ配スルニ我前膝ノキハヨリ向ヘ 万物下ヨリ生スル也 易爻モ下ヨリ書ス

治方ニナラブル也 キワウツギニナラブ文ヤウニト云心ナリ

我左ヨリ右ヘナラベカサヌル也

假令七包時ハ前四ツ向ニ三ツ也 天軽地重ニ像ル

一 小包ツヽム時打合目我衣裳ノ打合ノ如ニ
ツヽム也 左前ニナラヌ様ニト也
一 煎藥之銘ハ必裹紙ノ内ニ書之三字五字
可然也
一 大裹之時紙二枚ナレハ内ノ紙ノ紙面ニ銘ヲ書也
紙一枚ナレハ左端ヲ折返シテ銘ヲカクベシ
一 七包時ハ我前ノ方ニ四包向ニ三包ナラブル也
左ノ方ヨリナラベ初ル 十五包ハ五包ツヽ三
トツリナラブル也 以上准之

一 銘ツハ煎ニ招ノトシリ喟ノ一寸五分バカリ
サゲテ可書包数モ銘ノハテヨリ一寸五分
バカリるツヘダテヽ渡べし

一 薬ノ様ハ

一 [illegible]天目可[illegible]合ハ小せんノ
[illegible]二[illegible]
[illegible]小可入[illegible]小せん一[illegible]

一 七歳ヨリ内ノ小児ヘハ剤包モコブクニ合スル也

一 [illegible]天目可合七分ニせん[illegible]けて

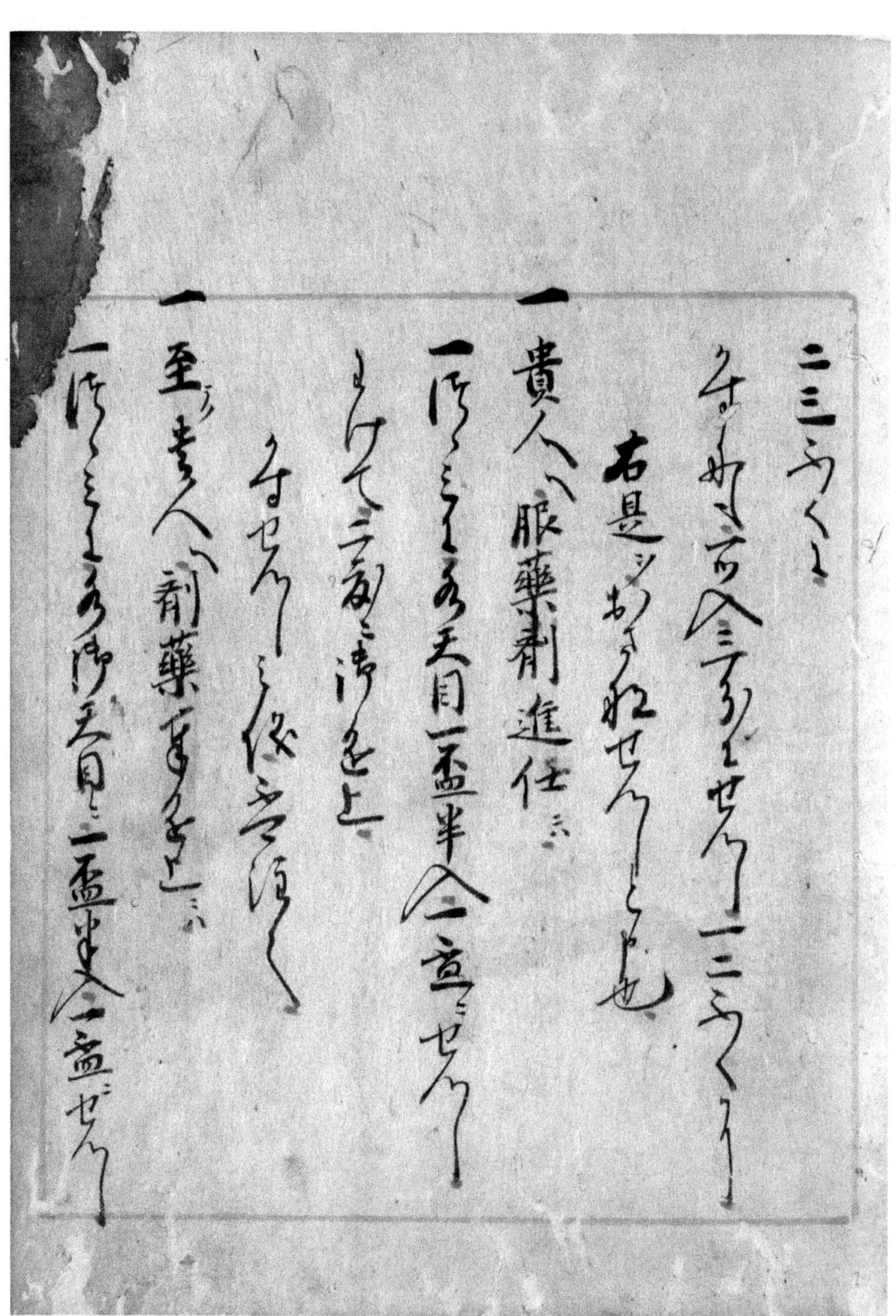

試とおさへれをけて三反に浮けるなし

一 生薑并竹葉生橘葉忍冬葉なとへいつ

も煎可浴く入らぬはまり法なし

一 大畏ノウラノフウジハ封ノ字ヲカクノト通法デ候

難産催生并胞衣遅滞ノ合薬ナトハ謎ノ

字ヲ可書　大便久秘結シ或小便不通ノ

療并ニ謎ノ字ヲモ一称候

一 合薬擣テ或病者或使者ホ時ノ

仕合銘ヲ我前ヘ傾ナヒ左手ニ擣テ口上ニ宣テ右ノ口へ

逆〻五亚〻波也 トリナシストラ 若詮也

一丹藥丸粒或通治ノ散薬ナトハ、錺ヲ裏紙ノ上ニ

書也、其病者〻療治〻調ルヲ〻散薬ナトハ裏

紙ノ内ニ治〻〻

一隔遠路調達〻合薬ハ大裏ノ上ニ後〻〻

〻〻封ノ上書ツスべシ

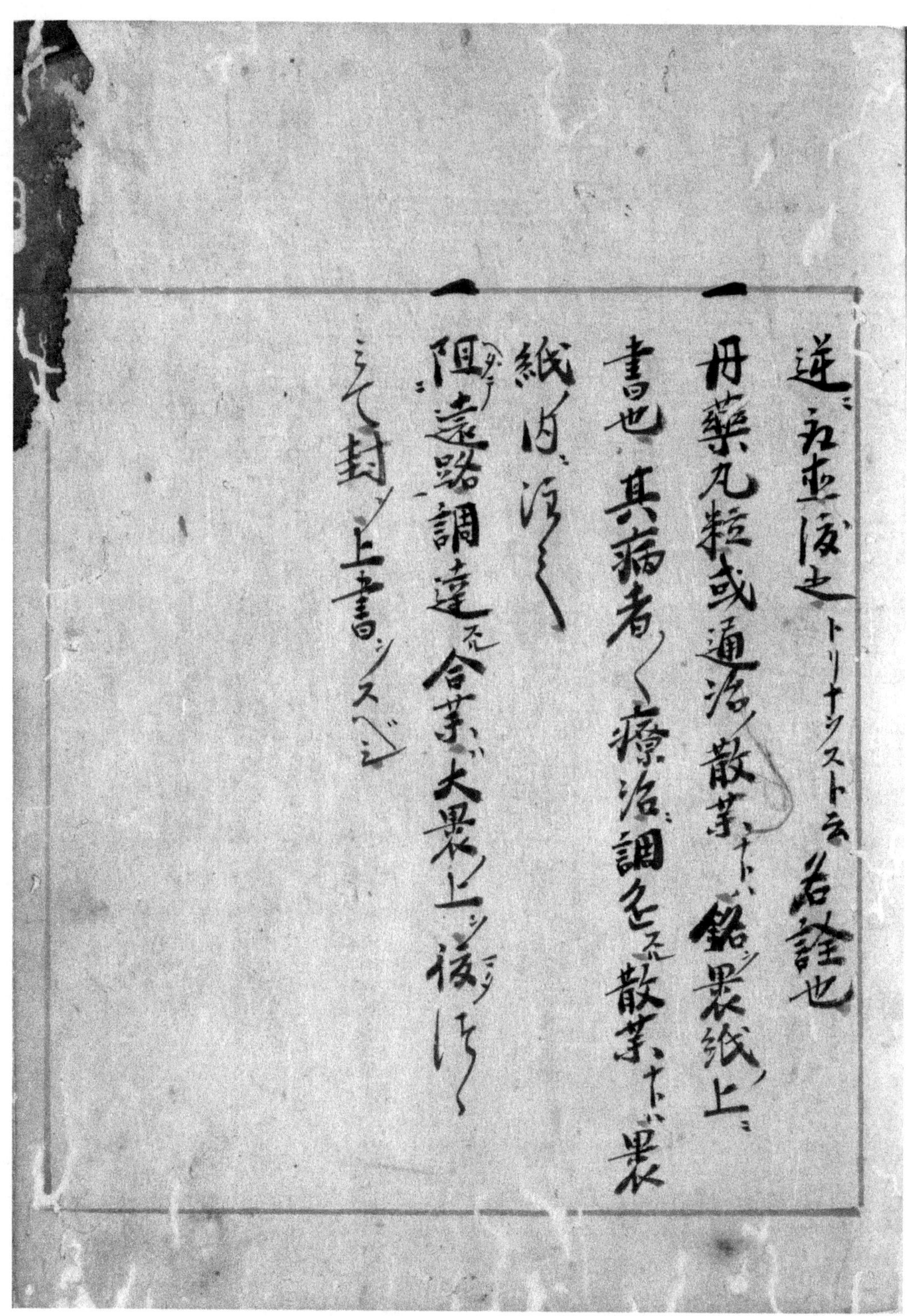

一二三ノ次第ハテモ左ニ三ニ付
ノ三ニ根日夜ノ服数モ此処ニテ意也

湯薬

三貼トモ二貼トモ
或湯丸両積トモ
或湯散丸ノ三貼トモ

病者ノ口ニテ処也

醫師ノ名

一 大裹紙ハ五分ハ六分ヨリ取ル　ウス紙ツヘシ
貼ト云名詮也

一 五色ヨリ内ハツニ三合也　大中小少々
口傳アリ

五色以上ハ銀合ガクニテ入ル合也　金大半小
ミ口傳アリ

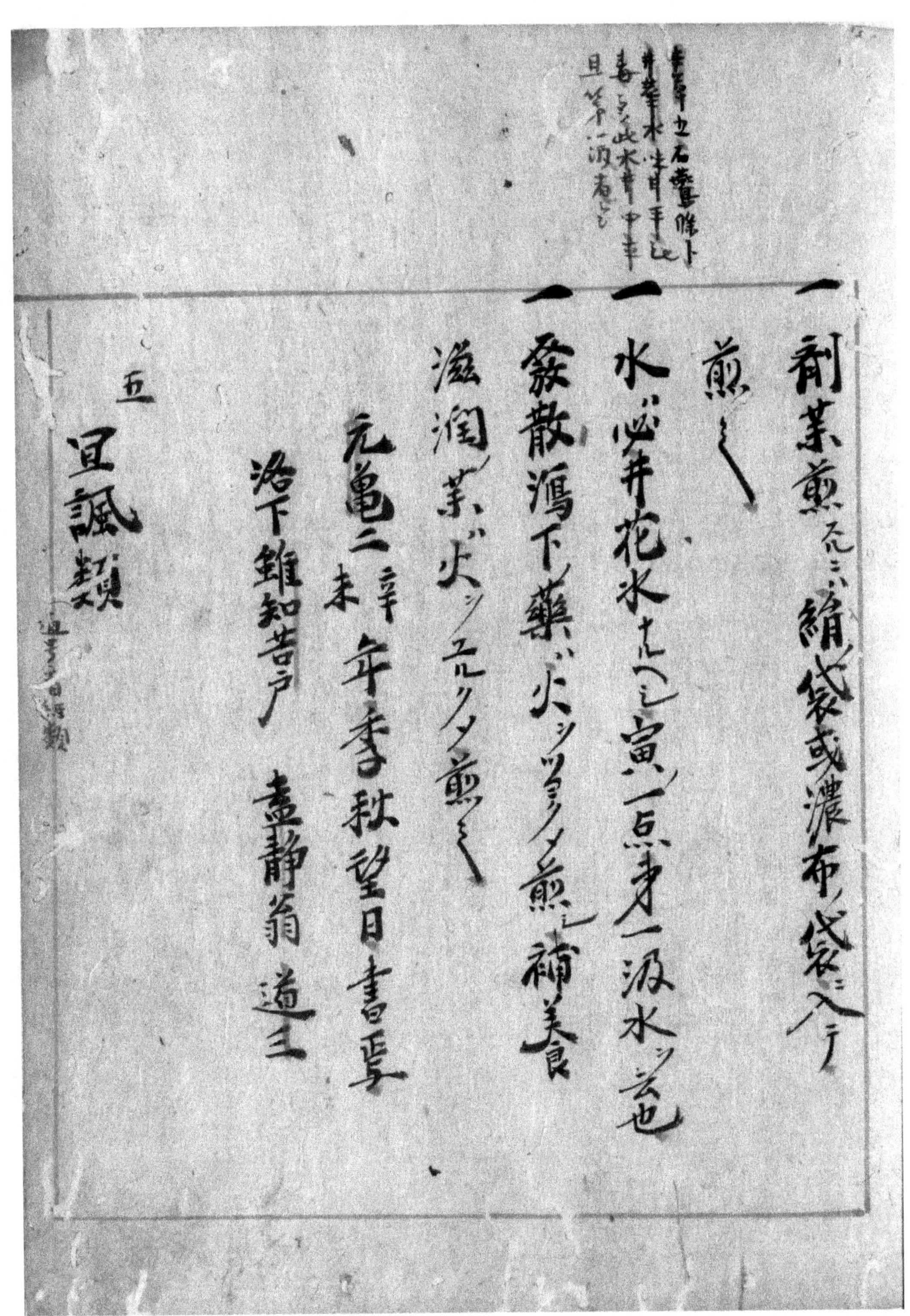

一剤薬煎之ニハ絹ノ袋或濃布ノ袋ニ入テ
煎之
一水ハ必井花水ナルヘシ寅ノ一点ノ初ニ汲水ヲ云也
一發散瀉下薬ハ火ヲツヨクシテ煎之補養
滋潤ノ薬ハ火ヲユルクシテ煎之
元亀二辛未年季秋望日書焉
洛下雖知苦斎盍静翁道三

五

宜諷類

良医医者為百工之長也 諺 金言誦也 譬喩也 [illegible] 疏也 徽於 [illegible] 徐採諸経注背 [illegible]

曰諷 諷誦 [illegible] 成也 毛ニ練也

毛熟 俗作熟 [illegible] 異者 [illegible] 押 揮ニ

醫工道諷熟

一 手之六経 手ニ有三陰三陽 足ニ有三陰三陽 合而為十二経也

経者一路也 径也 常也

十二経栄衛流注

次第

手太陰肺 手陽明大腸

足陽明胃 足太陰脾

手少陰心 手太陽小腸

足太陽膀胱 足少陰腎

手厥陰心包絡 手少陽三焦

足少陽膽 足厥陰肝

抄

手三陰従臓走至手

手三陽従手走至頭

足三陽従頭下走至足

足三陰従足上走入腹

十二経之長凡一十六丈二尺也 晝夜五十

返凡分八百十丈也

見手雑一雑十二

経之長 [illegible]

二十七絡十六丈二尺 [illegible] 督脈任脈二脈子陰蹻脈凡而十六丈二尺也

太陰拇指為肺経 手一 起中府穴而終少商穴 左右凡二十二穴

陽明頭指大腸経 手一 起商陽穴而終迎香穴 左右凡四十穴

厥陰中指心包絡 手一 起天池穴而終中衝穴 左右凡十八穴

少陽無名三焦経 手一 起関衝穴而終耳門穴 左右凡四十六穴

少陰小指為心経 手一 起極泉穴而終少衝穴 左右凡十八穴

太陽同背小腸経 手一 起少沢穴而終聴宮穴 左右凡三十八穴

一 足之六経

踇内太陰脾 足太一 起隠白穴而終大包 左右凡四十二穴

頭指陽明胃 足一 起頭維穴而終厲兌穴 左右凡九十穴

踇外厥陰肝 足厥一 起大敦穴而終期門穴 凡左右二十六穴

無名少陽膽 足少一 起瞳子髎穴而終竅陰 而左右凡八十六穴

足心少陰腎 足少一 起涌泉穴而終腧府穴 左右凡五十四穴

小指太陽膀胱 足太一 起睛明穴而終至陰 而左右凡百二十六穴

六十八難曰五藏六府各有井滎俞經合皆何所主然經言所出爲井所流爲滎

一

十五絡

二十三難曰經脈者行血氣通陰陽以榮於身者也其別絡十五皆因其原如環之無端經者徑也經脈流行血氣流通便路往來以榮其一身者也絡者經之旁出者也絡之條目

絡十二經即有十二絡條三絡者陽蹻陰蹻及脾之大絡也共成十五絡也總十五絡固通經也本而浹相流通血脈循環絡而復始灌溉經絡之中也

人身絡脈一十五

大腸偏歷肺列缺

偏歷、腕後三寸（手陽明也）

列缺、側腕上寸半（手太陰…寸半）

小腸支正心通里

支正、腕後五寸（手太陽別）

通里、掌後寸半（手少陰也）

胃絡豐隆脾公孫

豐隆、外踝上八寸

公孫、大趾節後一寸

膽絡光明肝蠡溝

光明、外踝上五寸

蠡溝、內踝上五寸

三焦外關命內關

外關、腕後二寸

內關、掌後二寸

膀胱飛揚腎大鐘

飛揚、踝上九寸

大鐘、在踝後大絡上

陽蹻申脈陰照海

申脈、外踝下　照海、內踝下微前

督絡長強任屏翳

長強、脊骶　屏翳、一名會陰、兩陰間

六十八難曰五藏六府

脾之大絡大包穴

大包、側腋下六寸

十二經之井滎俞經合

少商魚際俞太淵
經渠尺澤太陰肺

商陽二間及三間
合谷陽溪曲池大

中衝勞宮大陵俞
間使曲澤心包經

關衝液門中渚穴
陽池支溝天井三

少衝少府俞神門
靈道少海君火心

少澤前谷并後谿
腕骨陽谷少海小

隱白太都太白俞
商丘陰陵泉脾經

厲兌内庭及陷谷　衝陽解谿三里胃

大敦行间俞太衝　中封曲泉厥陰肝

竅陰俠谿足臨泣　丘墟陽輔陽陵膽

湧泉然谷太谿俞　復溜陰谷少陰腎

至陰通谷并束骨　京骨崑崙委中膀

一　十二經氣血多少異

多氣少血凡六經　心腎脾肺三焦膽

少氣多血合四經　小腸膀胱命门肝

氣血俱多胃大腸　足随血氣多少治

一 背部中行歌

大椎陶道三身柱　神道灵臺七至陽

筋縮脊中十三樞　命門陽關腰長強

一 脊椎無穴歌

四八十椎并二十一　十五十七八九廿

一 背部第二行歌

大杼風門三肺俞　厥陰心俞六督俞

膈俞肝俞十膽俞　脾胃三焦十四腎

氣海大腸十七關　小膓中膂膂白環

一 背部第三行歌

足太陽經過也

附分魄户膏肓神堂 譩譆膈關魂陽剛

意舍胃倉肓志室 胞肓秩边各六寸

一 督脉頭分歌

瘂门風府腦强間 後頂百會前頂顖

上星神庭素水溝 兑端斷交尽此处

一 任脉序流歌

任脉之行從胞中上注目凡廿四穴

承漿廉泉三天突 璇玑華蓋六紫宫

玉堂膻中九中庭 鳩尾巨闕十二上

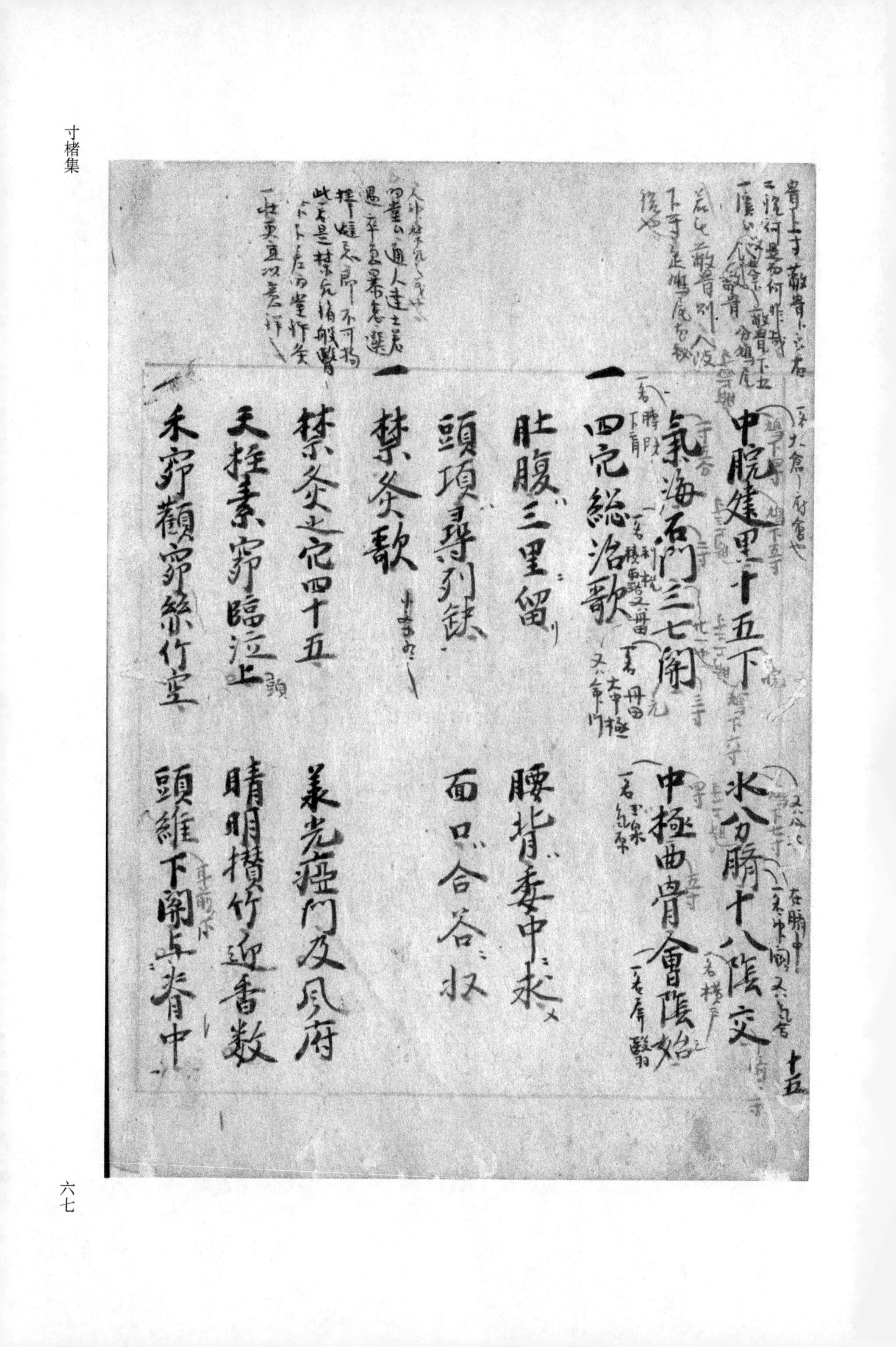

中脘建里十五下　水分膈十八隂交

氣海石門三七關　中極曲骨會隂始

一　四穴総洛歌

肚腹三里留　腰背委中求

頭項尋列缺　面口合谷収

一　禁灸歌

禁灸之穴四十五　承光瘂門及風府

天柱素窌臨泣上　睛明攢竹迎香数

禾窌顴窌絲竹空　頭維下關与脊中

十五

肩貞心俞白環俞　天牖人迎僕乳中
周栄淵腋并鳩尾　腹哀少商魚際位
經渠天府及中衝　陽關陽池地五會
隱白漏谷陰陵泉　條口犢鼻与陰市
伏兎髀關委中穴　殷門申脉兼柱忌

一禁鍼歌

二十二穴不可鍼　腦戸顖會及神庭
絡却玉枕角孫穴　顱顖兼泣与兼灵
神道灵臺膻中忌　水分神闕並會陰

十六

横骨氣衝手五里　箕門兼筋及青冢

更加臂上三陽絡

婦人常禁石門穴　合谷三陰交孕忌

莫深刺雲門鳩尾　缺盆並客主人穴

若深肩井人悶倒　補三里穴必平安

小字作刺

一宜灸不宜刺六俞

肺俞　心ー　膈ー　肝俞　脾ー　腎ー

一每月逆人神歎

丑未寅申卯酉辰戌巳亥午子血忌

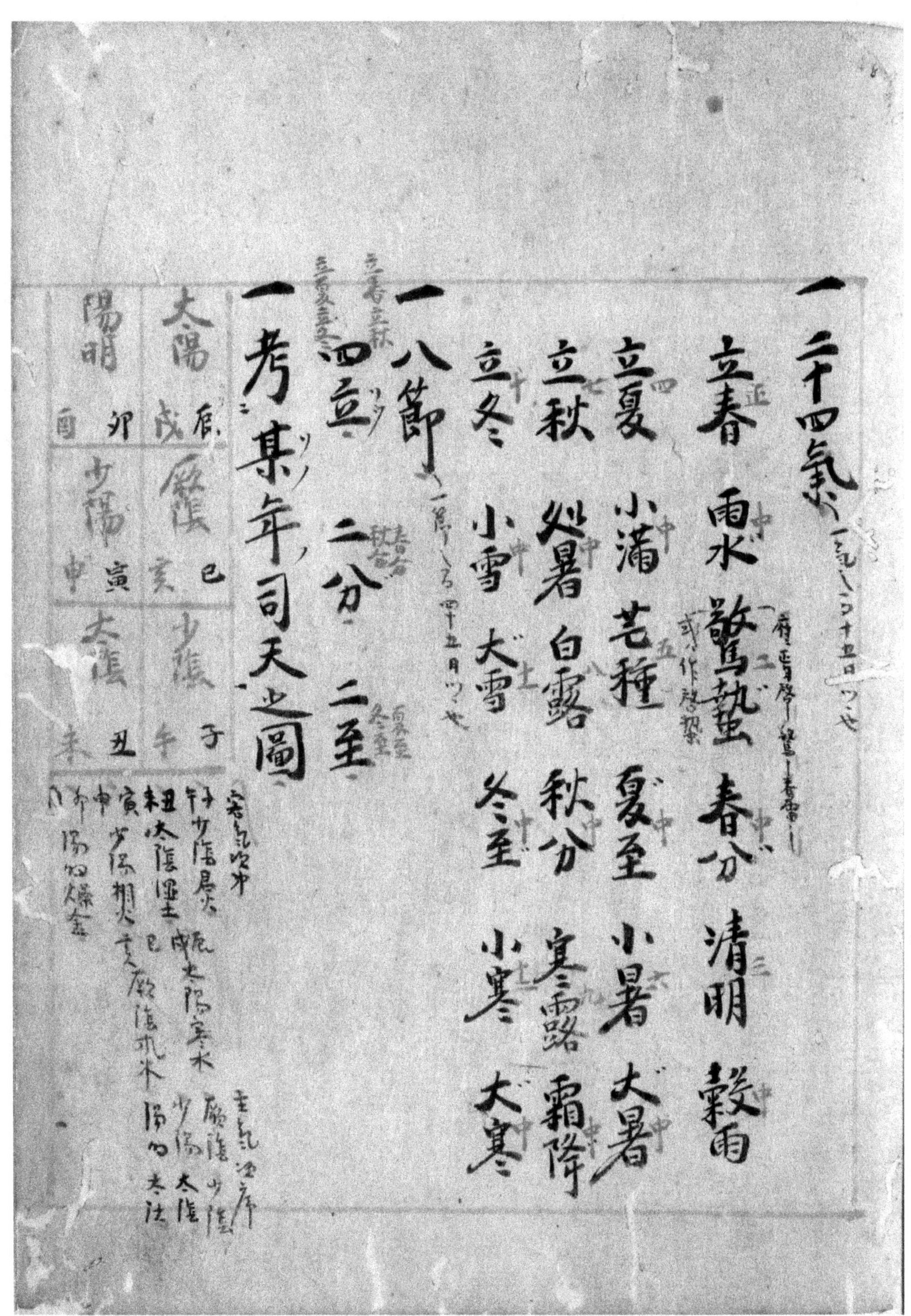

一 二十四氣 一氣ハ十五日ツツ也

立春 雨水 驚蟄 春分 清明 穀雨

立夏 小滿 芒種 夏至 小暑 大暑

立秋 處暑 白露 秋分 寒露 霜降

立冬 小雪 大雪 冬至 小寒 大寒

一 八節 一節ハ四十五日ツツ也

四立 二分 二至

一 考某年司天之圖

太陽	厥陰	少陰
辰 戌	巳 亥	子 午

陽明	少陽	太陰
卯 酉	寅 申	丑 未

一考其歳主運之圖

水辛	壬	癸	甲
金庚		土	
土巳	戌	癸丁	
			水酉

一六氣交廿之日

六中 四	八中 五	十中 終
雪中 初	二中 二	四中 三

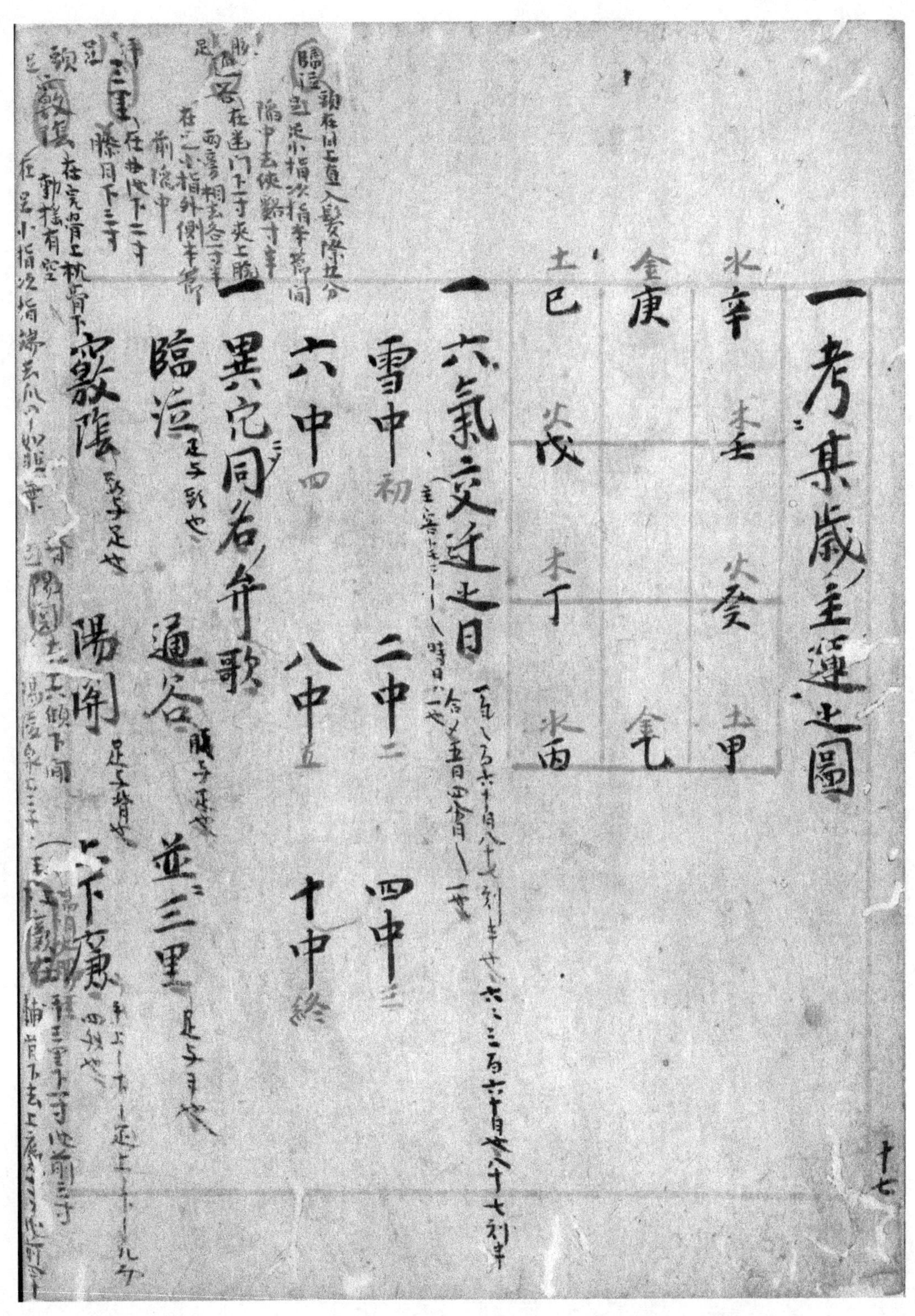

一虎口紋歌

紫風紅傷寒　青驚白色痢

黑時因中惡　黃即困脾端

一十二箇月之卦

復　臨　泰　大壯　夬　乾

姤　遯　否　觀　剝　坤

一異朝紹運　五ノ木火土金水ノ五運ノ

三皇　伏羲　神農　黃帝

五帝　少昊　顓頊　帝嚳　帝堯　帝舜

三代 三王 夏 殷 周

秦 漢 前後 魏 蜀 呉 晋 西東 南宋 齊 梁

陳 北朝 後魏 西魏 東魏 後梁 北齊 後周 隋

唐 五代 梁 唐 晋 漢 周 宋 趙 遼 金 元 明

一 九族 高（カウ） 曽（ソウ） 祖（ソ） 祢（デイ） 已（キ） 子（シ） 孫（ソン） 曽（ゾウ） 玄（ゲン）孫

一 九流 儒 道 陰 法 名 墨 縦 雑 農

一 四民 士 農 工 商

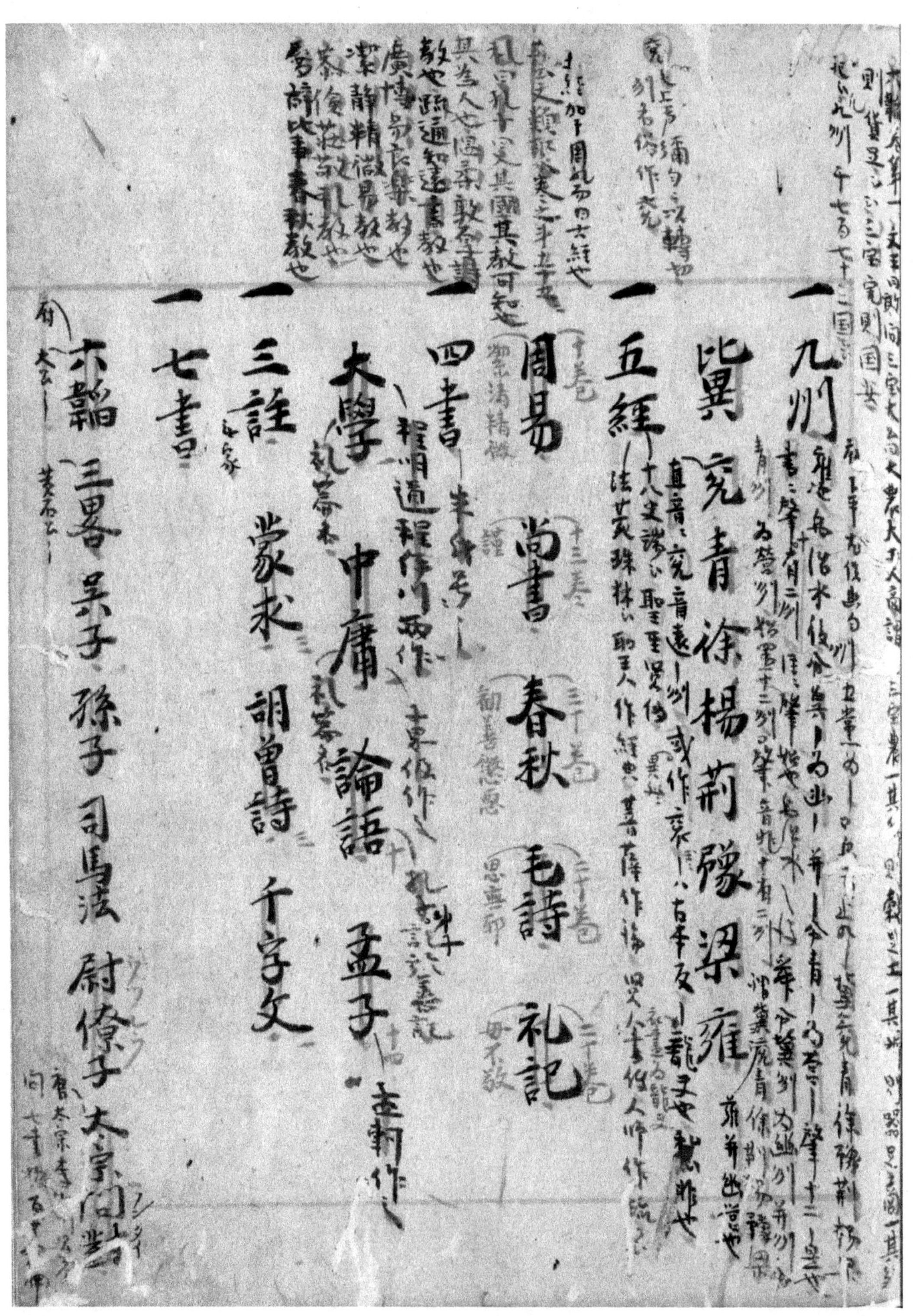

一 五岳 東泰 南衡 中嵩 西華 北恒

一 五星 歳星東 熒惑星南 鎮星中 太白星西 辰星北

東方木星十二年一周天 南方火星二年一周天 中央土星二十八年一周天 西方金星一年一周天 北方水星一年一周天

一 七星 貪狼 巨門 祿存 文曲 廉貞 武曲 破軍

一 二十八宿

角亢氐房心尾箕 東 斗牛女虚危室壁 南

奎婁胃昴畢觜參 西 井鬼柳星張翼軫 北

七政 日月五星

一五長

毛長麟　羽長鳳　倮長聖　鱗長龍　介長龜

一六陳歌

茱萸　半夏　橘皮　狼毒　枳實　麻黄

一八新歌

紫蘇　薄荷　菊花　蒐花　赤小豆　槐花　澤蘭　款冬花

一十八反歌

本草名言十八反　半蔞貝斂芨攻烏

藻戟遂芫俱戰草　諸參辛芍叛藜蘆

一 鉄銅禁剤

膽礬五味麻黄知母香附牡丹槐猪膏

桑寄白陸石雷角 忌銅鉄 玄肉 蘿蔔

一 十二律

壹越 断金 平調 勝絶 龍吟 下無 双調

鳧鐘 黄鐘 鸞鏡 盤渉 神仙 鳳音 上無

素問五藏別論第十一 五穀為養 注謂粳米小豆麦大豆黍米也

一 五穀ハ 為養

是ハ五味ヲ中ニ青白穀ハ五味ヲ得内ヲ伯高ニ請盡ヲ言ヘ
右五穀 粳米甘 麻酸 大豆鹹 麦苦 黍辛 五果 棗甘 李酸 栗鹹
杏苦 桃辛 五畜 牛甘 犬酸 猪鹹 羊苦 鶏辛 五菜 葵甘
韮酸 藿鹹 薤苦 葱辛

一 粟黍類 二稲糯類 三豆類 四麻類 五麦類

同 五果為助 注謂桃李杏栗棗也

一 五菓ハ 為助

李 杏 棗 桃 栗

一 五菜、爲充

韭 薤 葵 葱 藿

一 五畜、爲益

雞 羊 牛 馬 豕

一 七情

喜 怒 憂 思 悲 恐 驚

一 八邪

風 寒 暑 濕、外

飢 飽 勞 逸、内

邪也

醫統云：五勞者，人作勞傷於五藏，五藏之氣因傷成病，故曰之。心勞肺勞之狀，短氣面腫，不聞香臭；肝勞之狀，面目乾黑，口苦，精神不守，恐畏不能獨卧，目視不明；心勞之狀，忽忽喜忘，大便難，或時溏利，口內生瘡；脾勞之狀，舌根苦直，不得嚥唾；腎勞之狀，背難俛仰，小便不利，赤黃而有餘瀝，莖裏濕生瘡，小腹滿急。治法：肝勞補心氣，心勞補脾氣，脾勞補肺氣，肺勞補腎氣，腎勞補肝氣，此療子以益母也。

經曰：聖人春夏養陽，秋冬養陰，從以補其根本。肝心爲陽，脾肺腎爲陰，夫五藏宜求成勞，虛則補之，實則瀉之。

素問宣明五氣篇第二十三：五勞所傷：久視傷血（勞於心也），久卧傷氣（勞於肺也），久坐傷肉（勞於脾也），久立傷骨（勞於腎也），久行傷筋（勞於肝也），是五勞所傷。

醫統：七傷者，一曰大怒逆氣傷肝，二曰憂愁思慮傷心，三曰飲食大飽傷脾，四曰形寒飲冷傷肺，五曰久坐濕地傷腎，六曰風雨寒暑傷形，七傷曰大恐懼傷志。

一 五志

怒木 喜火 思土 憂金 恐水

總錄云：虛勞之病，感五藏則爲五勞，因七情則爲七傷云云

小本云：久視傷。又一說：志思憂心瘦勞爲五勞也云

一 五勞

志勞 思勞 憂勞 心勞 瘦勞

一 又一說

久視勞血 久卧勞氣 久坐勞肉 久立勞骨 久行勞筋

一 六極

總錄云：勞傷之甚，身體疲極，則爲六極也。氣血筋骨肌精也云云

醫統：病重於勞也，治法與治勞同

（上）小本云：五勞七傷之下，二傷勞爲六極，氣血筋骨髓精病也

醫統云：

氣 血 筋 骨 肉 精

一 七傷

總錄云：虛勞之病，因七情則爲七傷云云

二十一

肝傷則少血目暗，心傷則苦驚喜忘，脾傷則面黄善卧，肺傷則短氣咳嗽，腎傷則短氣腫痛厥逆下冷，形傷則皮膚枯槁，志傷則恍惚不樂，……善忘，肝傷善怒，心傷善驚，脾傷善飲，肺傷善咳，腎傷善恐，骨傷善……脉傷善嗽，爲七傷也。

一 五藏傷并骨傷脉傷也

一 四海 氣海、膻中 血海、衝脉 髓海、腦 水穀海、胃

靈樞云：人有四海，十二經水，……人亦有四海、十二經水。……人有髓海，有血海，有氣海，有水穀之海。……胃者爲水穀之海，衝脉者爲十二經之海，膻中者爲氣之海，腦爲髓之海……

一 三氣海 背氣海、在十五椎左右各一寸五分 腹氣海、在臍下一寸五分 四海氣海、膻中

一 五鬱 木鬱達之 火鬱發之 土鬱奪之 金鬱泄之 水鬱折之

素問卷之十一六元正紀大論第七十一：帝曰：鬱之甚者治之奈何？岐伯曰：木鬱達之，火鬱發之，土鬱奪之，金鬱泄之，水鬱折之。然調其氣。達謂吐之，令其條達也；發謂汗之，令其疏散也；奪謂下之，令無壅礙也；泄謂滲泄，解表利小便也；折謂抑之，制其衝逆也。通是五法，乃氣可平調，後乃觀其虛盛而調理之也。過者折之，以其畏也，所謂瀉之。過太半也……

出本六鬱随丹溪越鞠丸加減用之　氣丨　参　蒼朮　湿丨　蒼朮　痰丨　海石　参　[illegible]
湿丨　川芎　蒼朮　丹[illegible]
血丨　桃仁　紅花
食丨　蒼朮　[illegible]　砂仁

一　六欝　氣　湿　热　痰　血　食
丨前因鬱甚[illegible]

一　七癥　暴丨　鼈丨　虱丨　米丨　食丨　腹内有人声　髪丨

明醫方六之有婦人八瘕方稱其以
其八瘕　青黄瘕　青丨
燥丨　血丨　脂丨　狐丨　蛇丨
鼈丨　是千金外臺
言之詳矣

一　八瘕　蛟龍丨　鼈丨　魚丨　蛇丨　肉丨　酒丨　穀丨　腹中有毛

一　七方　大　小　緩　急　奇　偶　複
丨丨[illegible]　医家大法第三巻

一　業剤七情　單行　相須　相使　相畏　相悪　相反　相殺

元亀二辛未年九月下澣　盍静子　道三

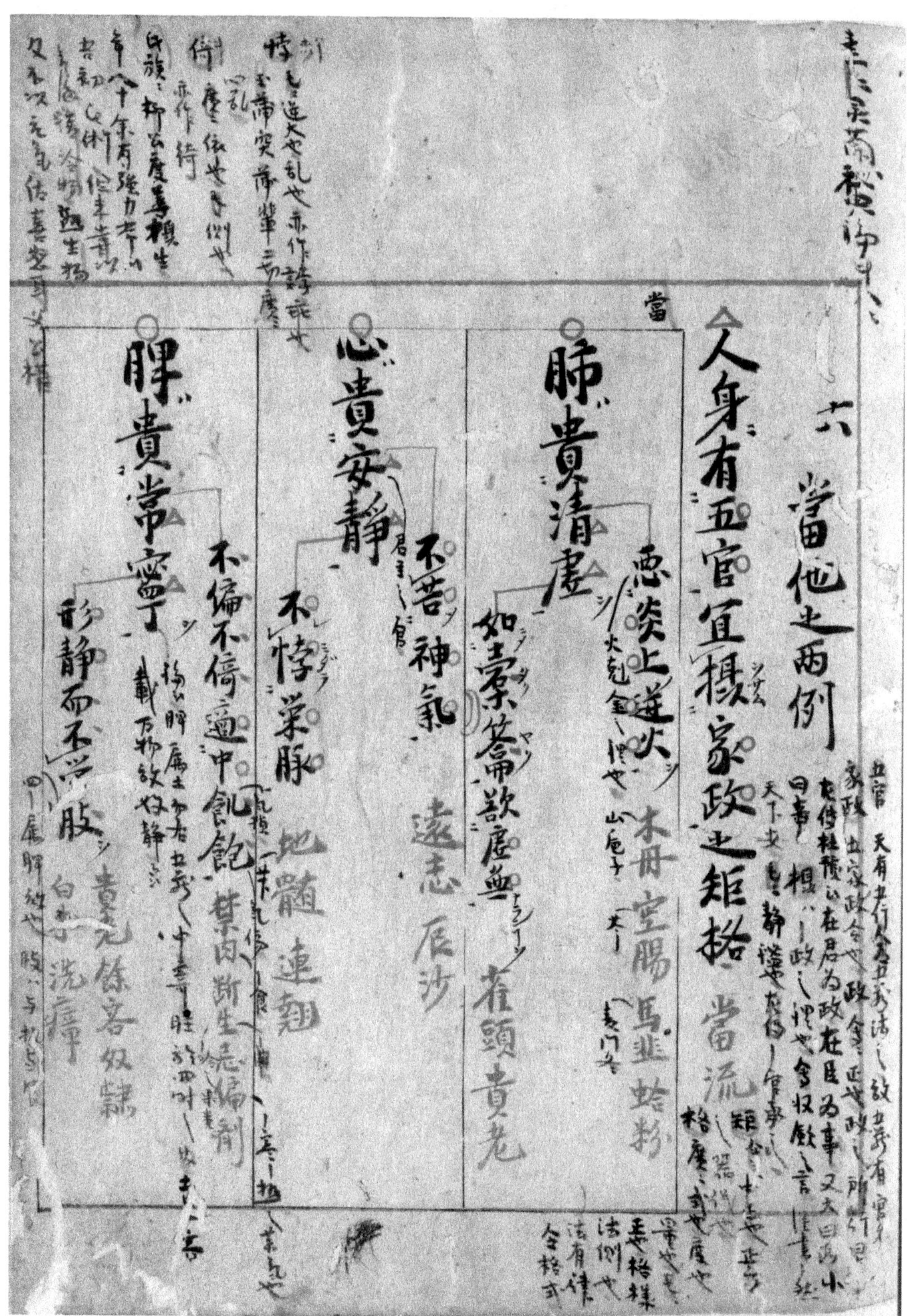
六
當他之兩例
人身有五官宜攝家政之矩格
肺貴清虚
心貴安静
脾貴常寧

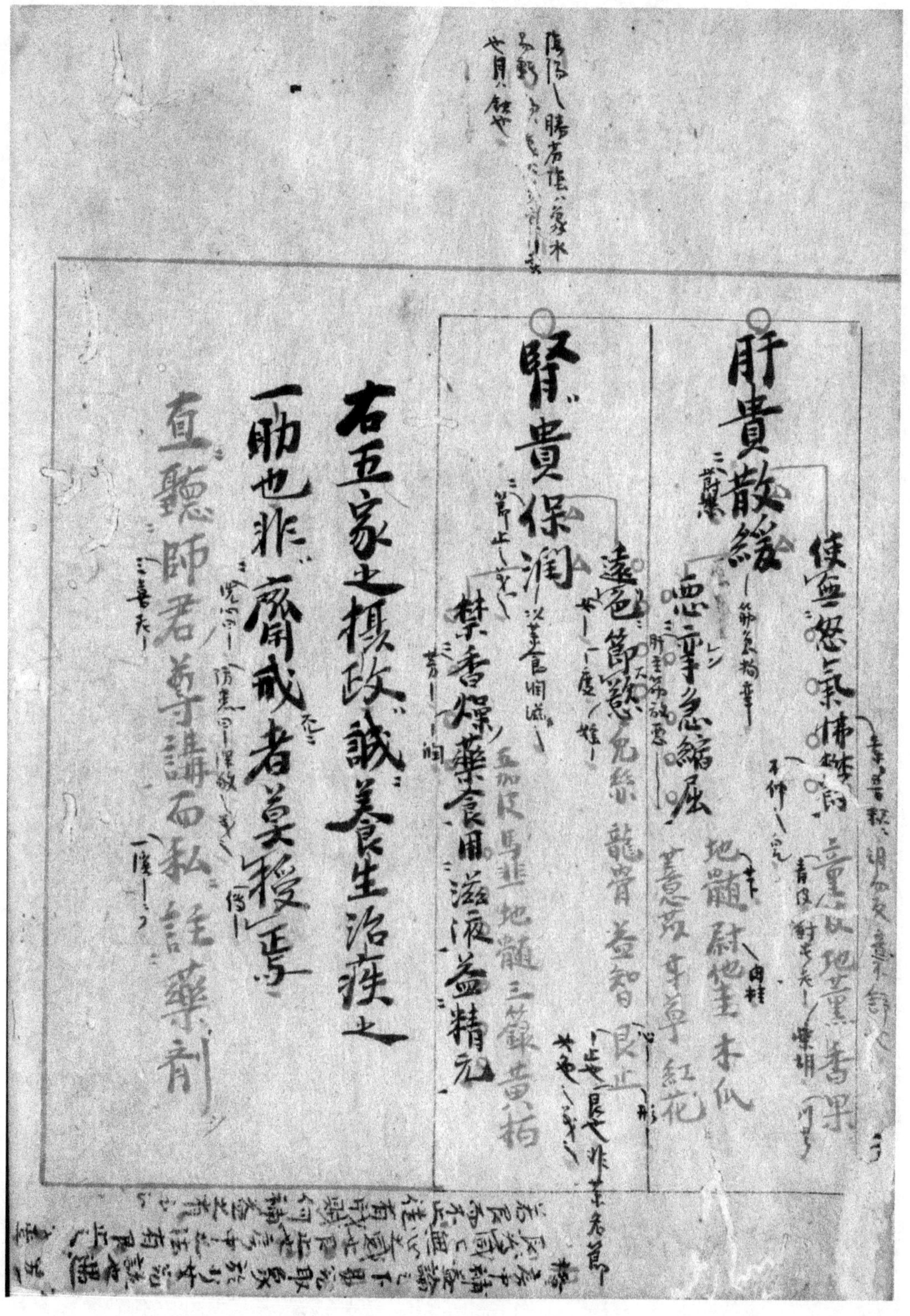

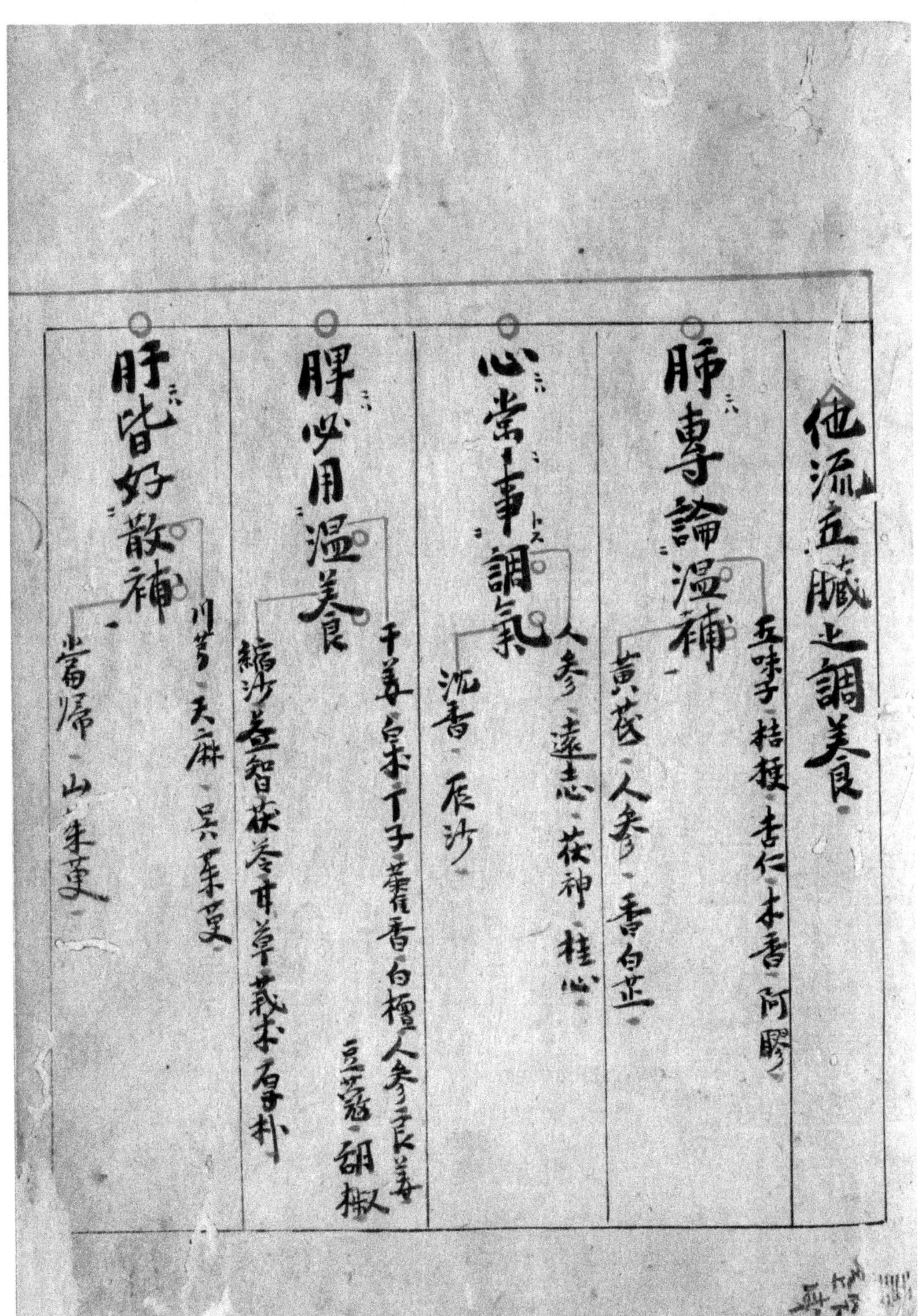

他流五臓之調養

肺専論温補
五味子 桔梗 杏仁 木香 阿膠
黄芪 人参 香白芷

心常事調氣
人参 遠志 茯神 桂心
沉香 辰沙

脾必用温養
干姜 白朮 丁子 藿香 白檀 人参 良姜 豆蔲 胡椒
縮沙 益智 茯苓 甘草 莪朮 厚朴

肝皆好散補
川芎 天麻 呉茱萸
當帰 山茱萸

腎悉与補腰

兎絲　茯苓　山薬　蛇床　鹿茸　茴香
附子　肉桂　杜仲　陽起石

右他流之治例用剤ニ大法如此
而尚謂強進穀肉補胃氣以
俟手復矣
是非譏他流之処方欲使知与
當流ニ用薬各別之謂也深制
他見慎之

元亀二辛未年季秋十六日

六十五歳　道三

陰陽西經

七

臟腑之規矩陰陽西經之奇剤

脾太陰濕土　芍藥収濕益液足太陰經藥也

胃陽明燥金　白朮除濕益燥足陽明經藥也

肝厥陰風木　青皮除滯氣止脹痛足厥陰經藥也

膽少陽相火　柴胡除弦去寒熱往來足少陽經藥也

心少陰君火　桂枝通血脉補虛手少陰經藥也

小腸太陽寒水　木通去熱利水手太陽經藥也

肺太陰濕土　黃芩除熱消痰手太陰經藥也

大腸陽明燥金　升麻散邪出汗升氣手陽明經藥也

腎少陰君火　地黄滋陰血補腎足少陰經藥也

膀胱太陽寒水　黄柏瀉龍火治痿足太陽經藥也

命門厥陰風木　沈香養諸氣上至天下至泉手厥陰經藥也

三焦少陽相火　地骨皮去五内邪氣益精氣手少陽經藥

俗醫治病視飲食減少而謂宜補脾胃

調中焦矣然欲用干薑良姜丁子豆蔻之

類視勞倦虛煩而謂當補氣血調心肺

矣然欲用沈香丁子參芪桂姜視下虛

元羸而謂須溫下焦補元氣矣然欲

用五味子蓯蓉山藥鹿茸之輩凡皆如斯

豈知脾脹血胃陽氣血主心氣主肺尨

腎水右腎火而各異乎

今歎無陰陽昏糅水火混雜故具著陰

陽各經之本藥廣幾要察脉弁證以本

經之藥爲主尚明佐使之用然則可謂十

全之上工也

脾

芍藥　當歸　益智　寸中

黄芩　柴胡　地黄

胃

白朮　陳皮　人參　縮砂

枳実　香附　厚朴

臟	主藥	佐藥
肝	青皮	陳皮、香附、川芎、枸杞、柴胡、前胡
心	桂枝	遠志、茯神、當歸、辰砂、地黃、黃連
脾	黃芩	梔子、桔梗、紫菀、門冬、桑白、前胡
腎	地黃	肉桂、三籙、五加皮、知母、黃柏、枸杞子
命門	沈香	遠志、生薑、巴戟、山茱、兔絲、石斛

腑	主藥	佐藥
膽	柴胡	酸棗、川芎、芍藥、前胡、龍膽、青黛
小腸	木通	地骨、牡丹、瞿麥、連翹、知母、射干
大腸	升麻	葛根、檳榔、桃仁、枳殼、厚朴、黃芩
膀胱	黃柏	地黃、兔絲、龍骨、澤瀉、木通、知母
三焦	地骨	香薷、陳皮、杏仁、栝樓、枳殼、柴胡

二六

天台云今生疾苦皆由己業現在修福報在將來

右療疾處方之神規也非其仁人敢莫犢之慎焉云云

先儒云大凡作此事必謹以猶制 制處方者猶制方 人也

垣書云古人處方者自有意義

元亀二辛未歳九月十六日

日東洛下 雖知苦戸 六十五歳 道三

禮記曲禮下曰君有疾飲藥臣先嘗之親有疾飲藥子先嘗之醫不三世不服其藥 二十七

藥慎物也 …… 凡人病疾蓋以筋血不調 …… 故服藥以治 …… 其藥不慎於物必無其徵故宜戒之擇其父子相承至三世也是慎物調齊也

又按……三世者一曰黃帝針灸二曰神農本草三曰素女脈訣 ……

八

三治棱之義也

三世治療之神授

緣飲食不節起居不常而諸疾生謂之過去不謹

榮衛失常三焦否塞形躰腫痛精神昏悶謂之現在疾苦

審診候与湯丸施鍼灸雖患者輕令不肯保養諸治不効謂之未来增劇

若以因過去不謹而雖有現在疾

若患人重身信醫從往戒棄則必

有効者也

若患食積之人雖加治而不禁灸膾

則徒費藥而已

若腎虚精脱之人雖服滋補房色不

已則何以復舊乎

若思想憊心勞神而榮血逆竭療

疾漸生雖用神灸聖藥不改

志則必不得効矣

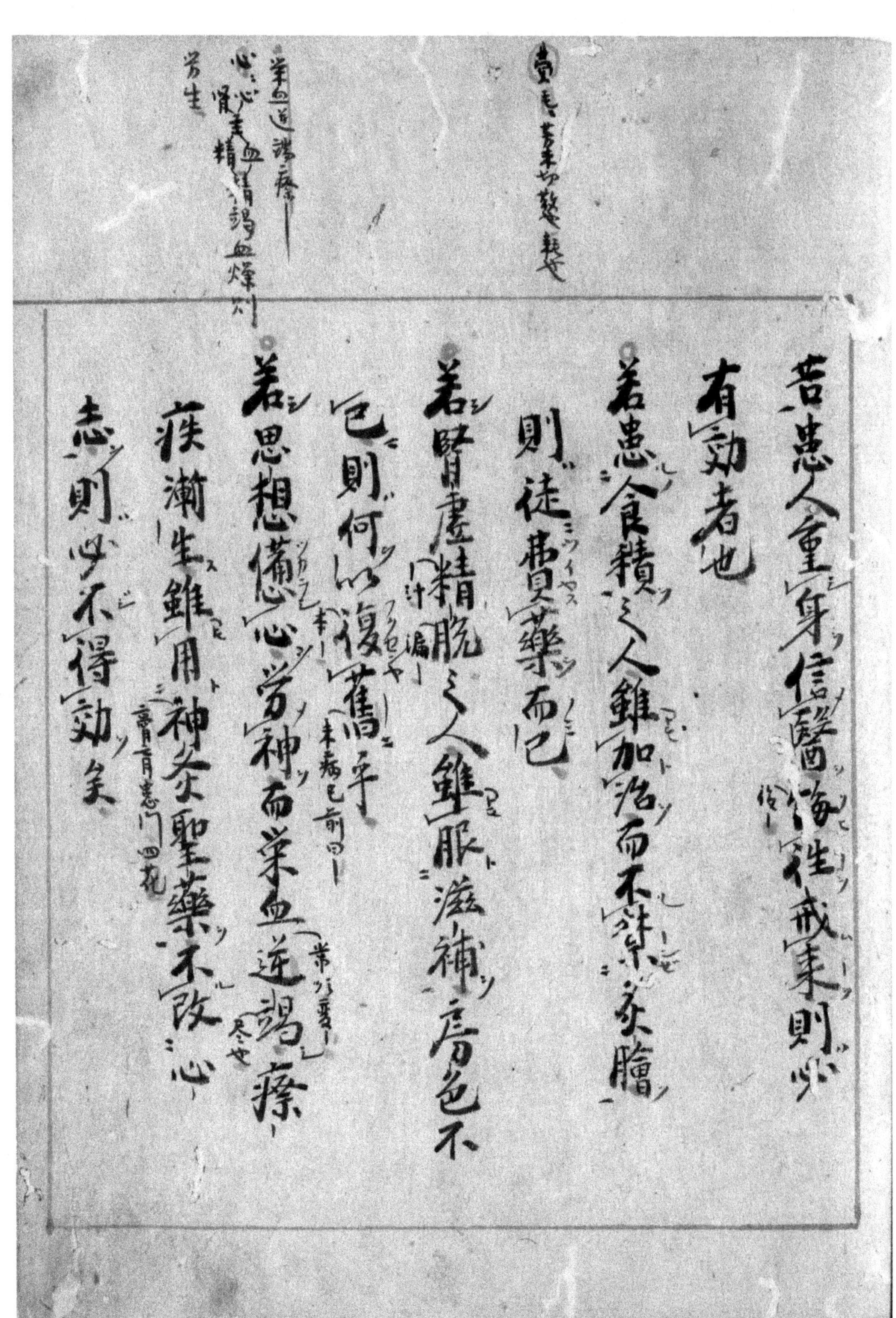

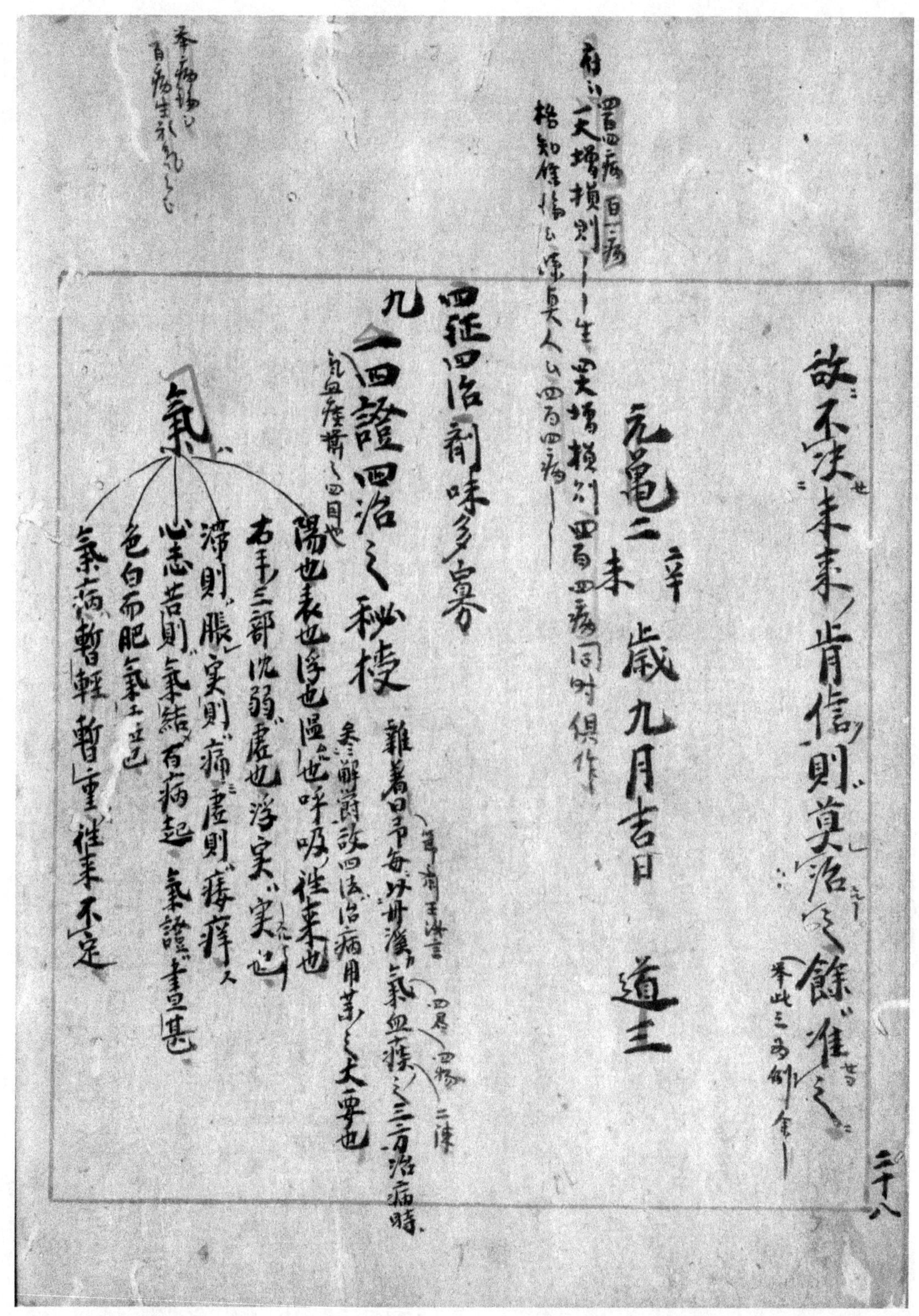

痿痺ハ白淫謂白物淫衍如精ハ
男子ハ隨溲ニ下ル女子ハ陰器中綿々
而下ルヤ
心ニ痛ぬ血㱙不痛為赤白

血

陰也重也沈也潤也流通營液也
左手ノ三部沈滑ハ実也細浮濡ハ虚也
凝則痛ス実則脹虚則燥痒ス
形倦労則血乱煩諸疾生血證ハ夜甚
色黒而痩血虚也
血病ハ其證静緩不変

痰

水也有熱痰有冷痰有湿痰有燥痰有
上ニ痰下痰中痰有表痰重裏痰
上ニ滞則雍息或喘或咳或噎或目歯痒
或鼻塞或頭痛或口粘或咽閉ツ喉痺
中ニ滞則妨食ヲ或吐或嘔或脹或満或痛或嘈
或噫酸或吐涎沫或臂痛或臥芒刺
下ニ滞則二便不常或瀉或結或赤表急後重
或淋歯或遺尿或尿血白濁或歴節疼痛
或両脚結核

右為病之源ト無過此三證假令氣證

蓋要之氣血冲和百病不生一有怫鬱諸病生焉

用氣藥血證用血劑痰證用痰藥

氣　補　人參　黃耆　散　生薑　陳皮　紫蘇　升麻　升麻　柴胡

白檀　藿香　降　枳殼　香附　降　檳榔　枳實　厚朴

通　防已　木通　青皮　茯苓

血　補　肉桂　地黃　當歸　益母　熱　芍藥　生地黃

地骨　鱉甲　降　蘇木　桃仁　紅花　牡丹　大黃

痰　散　前胡　陳皮　燥　半夏　南星　降　枳殼　檳榔

牽牛　潤　栝樓　柴胡　門冬

三證之外有鬱之一證

假如氣血痰之三病久而兼鬱或鬱從而生

氣血痰病治之法者或治氣血痰藥中

加解鬱之劑或治鬱之劑中加氣血痰

藥耳

二十九

六鬱

氣〻〻胸脇痛脉沈濇 香附 陳皮 白朮 川芎

血〻〻四肢無力能食便紅脉沈 桃仁 紅花 青黛 香附 川芎

濕〻〻關節痛遇陰濕則發脉沈細 白朮 茯苓 白芷

熱〻〻昏瞀尿赤脉沈數 山梔 青黛 香附

痰〻〻動則喘寸脉沈滑 香附 栝樓 海石 南星

食〻〻左寸平右寸緊盛噯酸飽不食 香附 枳殼 白朮 麯 大黃

一 藥味多寡之分別

明察藥性之緩急而復弁病證之變異

則用藥材或多或寡

多味則自八九種至十味漸及十餘種

寡味則自二三味至六七種

劑方之法當流ニ不傚東垣二十餘味之類言未明藥性徹旨而用藥多味則雜乱之患生而已深意尚在口傳矣

于時元亀二辛未年季秋中澣

洛下雖知苦斎　盍静叟　道三

明理論曰潮熱潮者潮水之潮其來不失其時也一日一發指時而發者謂之潮熱若日三五發者即是發熱非潮熱也潮熱屬陽明必於日晡時發者乃爲潮熱陽明者胃屬土應時則王於四季應日則在於未申之云又權度曰潮熱申酉時也胃家實宜下秦艽養生曰潮熱者日晡一作夜時而至

十五矩

以潮熱時刻知在陰在陽之論

每平旦發熱其熱在行陽分肺

主之石膏　知母　芩

每日晡潮熱其熱在行陰分腎

主之地骨　柴胡　枳殼　知母　秦艽

一三焦寒熱主治凡例

上焦寒　葱白　白芷　川芎　藿香　細辛

上焦熱　黄芩　梔子　升麻　香附　門冬

中焦寒　白朮　干姜　當飯　縮沙　肉桂

中焦熱　芍藥　黄連　柴胡　葛根　石膏

精医、夫医者人〻司命也脉医〻大業也

下焦

寒〻：桂枝　茴香　五味子　蓮肉　石斛

热〻：地骨　地黄　牡丹　黄栢　知母

一 内外傷〻弁察

○外傷〻渾身热先太陽従外而〻内

○内傷〻四肢不和服热如火先少陽従内而〻外

○内外倶傷〻人迎氣口倶盛举按皆実大

表热悪寒〻腹不和口液アリ

凡診則先捫手心手背（手心热〻内傷　手背热〻外感）

次診脉也　凡脉爲人司命故以脉

爲主多〻従脉而以〻従證也

廿二

傷暑大抵靜而得之者為中暑熱而無汗是陰証也動而得之者為中熱煩熱渴汗出是陽証也

一 氣血寒熱療治之弁剤

氣分
- 熱：門 柴 知 翹 通 茵 桑 栢
- 寒：芷 生姜 細 附 藿 參 朴

血分
- 熱：芩 芍 牡 蘇 虎 生地 難 瞿
- 寒：桂 芎 芎 莪 紅 續

氣血俱
- 熱：梔 栢 前 芍 知 翹 蘇
- 寒：附 桂 沈 芷 芎 姜

一
- 中暑之陽
- 暑病之陰

若行人或農夫於日中勞役得之是動而得之陽證也證必苦頭痛熱發躁悪熱捫之肌膚大熱必大渴引飲汗大泄無氣以動乃天熱外傷元氣

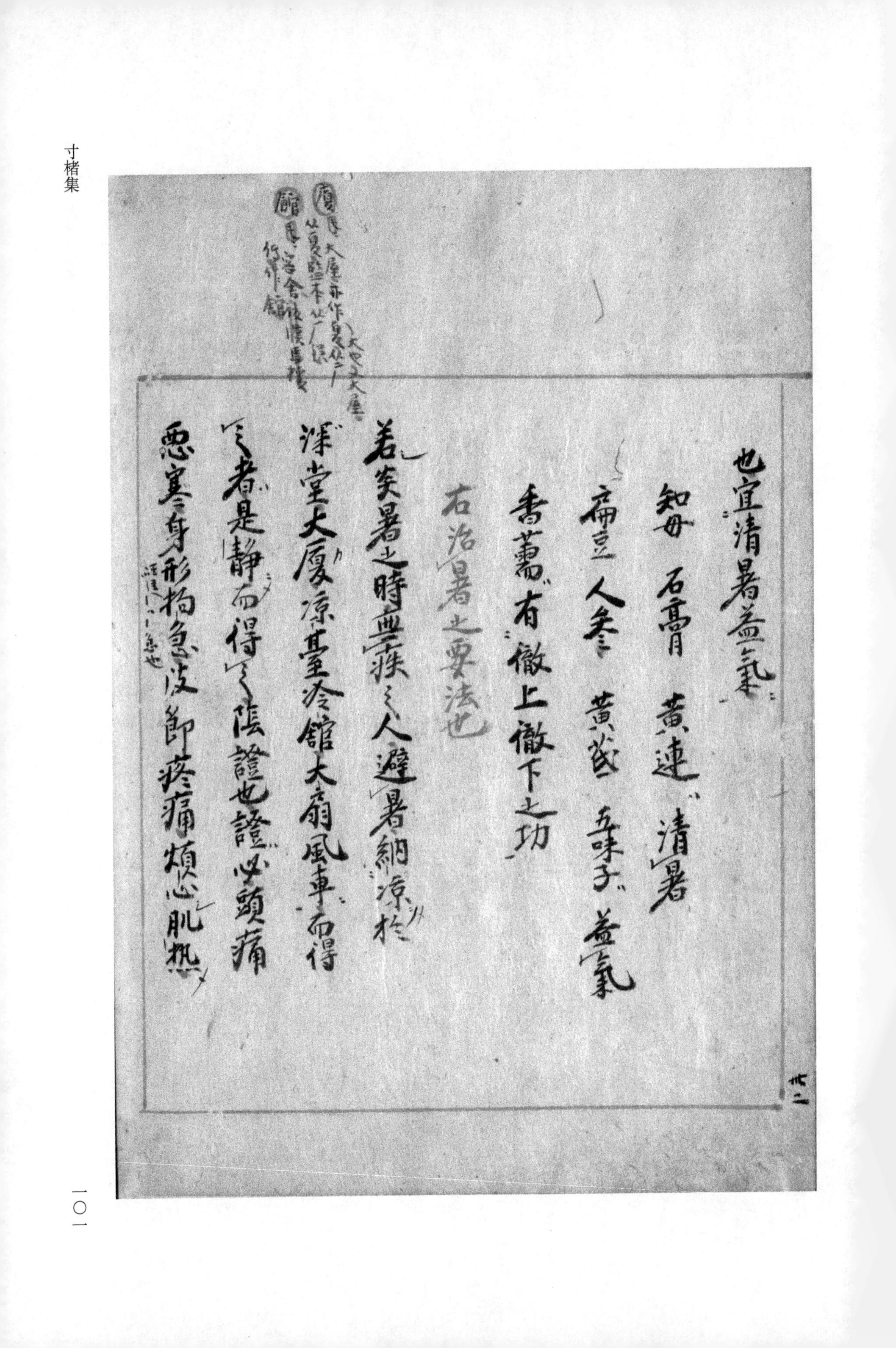

廈：大屋亦作[illegible]

館：客舍[illegible]

也宜清暑益氣

知母　石膏　黃連　清暑

扁豆　人參　黃芪　五味子　益氣

香薷有徹上徹下之功

右治暑之要法也

若夫暑之時無疾之人避暑納涼於

深堂大廈涼臺冷館大扇風車而得

之者是靜而得之之陰證也證必頭痛

惡寒身形拘急皮節痠痛煩心肌熱

無汗此爲陰寒所遏使周身陽氣不得伸越

宜辛溫解表散寒

紫蘇　葛根　羌活　解表

厚朴　蒼朮　藿香　散寒

若外既受寒內復傷冰水生冷瓜果之類則前藥加干姜縮沙之類也

右此非治暑因暑而致之病治法也

九五箇之樞要者臨療之明
矩也謹學之之

元亀第二辛未年九月吉日
日東洛下 雖知苦斎 盍静翁道三

廿三

十七ケ條弁剤

諸治奥儀口訣　七ケ条弁剤

一　五臟寒熱兩治弁剤

肝：柴胡　川芎

心：黄連　肉桂

脾：芍薬　干姜縮

肺：黄芩梔门　五味子

腎：知母栢地　桂心

一　三焦流通氣血弁剤

上焦滞：気　香附　陳皮　紫蘇；血　香附　川芎

中焦結：気　香附　枳殻　厚朴；血　牡丹　紅花

下焦留：気　檳榔　枳実　杏仁；血　桃仁　大黄

一 表裏散攻輕重弁剤

表 輕 紫蘇少 陳皮 香附 升麻 葛根
　 重 麻黄 紫蘇多 葱白

中 輕 前胡 葛根
　 重 芍薬 黄芩

裏 輕 柴胡少 黄芩 芍薬 枳殼
　 重 柴胡多 大黄 枳実 芒消

一 十二引經弁剤 正宗

脾 手太陰 芷 升 葱
心 手少陰 独活
包 手厥陰 柴胡
肺 足太陰 升 芍
腎 足少陰 独活 桂少
肝 足厥陰 柴胡

大腸 手陽明 葛 芷 升
小腸 手太陽 藁 羌
三焦 手少陽 柴胡
胃 足陽明 升 葛 芷
膀胱 足太陽 羌 藁
膽 足少陽 藁 羌 柴胡

一 三焦燥潤輕重弁剤

卅三

上湿（表、裏）独 蘊 芸 陳 苪 柔 半

中湿（表、裏）朮 陳 苪 朴 苓 半 奴

下湿（表、裏）羌 柏 通 已 車 伏 瞿 章 膝 瓜

上燥（血、液）肉桂 芷 门 薑 云

中燥（血、液）紅 芷 芍 薑 苻 茅

下燥（血、液）地 桂 兎 紅 蘇 五加 菟 云

一 三停風證驅邪弁剤

上風 菊 芸 独 蘊 苛 芎 苪 芷

中風 升 葛 陳 苪 羌 柴 前

下風籙已羌実檳紫 五加

一 患後攝養前後弁剤 著

大病退後先服甘温以扶元氣而後

服滋血生津潤燥之薬預防二便秘

渋之證云云

凡七支之辨剤者當流調合奥

儀爲諸子姪貽紙面者也

元亀第二辛未年九月廿一日

書載之無功興也遺也疑也

曲直瀬道三

卅五

十二同

[illegible]知其要者一言而終不知其要流散無窮此之謂也

二七句

夫治諸病有捷徑之弁察豈假於充棟汗牛之書乎王永輔惠濟方序曰會其全者失之煩撮其要者失之略後学乃候於人迎氣口以明内外之因診於寸関尺而知三焦病处察於左右虚実弁于氣血盈虧審於浮沈遅數分于表裏寒热如斯施之於患人則豈有不識之病乎

风

发散三六 蘓陈防葛升独麻荆
吐达六三三 桔细防前半陈茶
攻里
小便三六 巴泽通车胨
大便三六 朴实虎卷桹
内消六三六 羌胨陈前巳尤簶蒡

寒

温散三六 麻桂陈生姜
内消六三六 芎姜桂良

传二

温肾御寒二 姜附
温血散寒二 桂归

暑烦

温散三六 陈桂生姜
清暑二 知膏连
益气二 参二 芪玄扁豆
利尿二 通苓知
内消二 门梔芍簶茅
彻上彻下二 黄
调筋二 仙红

廿六

濕
外 湿表散 蒼陳独芸桑荊
内 湿滲 苓苡已沢知通車
上 湿降解 蒼芩芎羌朮
下 湿通燥 [illegible]已通柏膝沢
中 湿消補 朮朴陳苓縮目

宿食
吐 達 塩湯薑汁探吐
下 巴虎実朴
内 消 枳陳朮麹縮莪蒼梹

痰
吐 常前半茶生薑芎
利 巴苓目
下 枳梹実芩虎巴
内 消 朮目蒼苓貝蔞半生薑

瘀血
下 乖鞭牡多紅帰尾蘇木膝没
内 消 膝乖牡桂紅少鞭蒼没莪

氣結
- 降々 枳 荊 椇 杏 实 枳 藕子 吴茱
- 順々 荊 陳 莪 稜 双 烏 沈
- 散々々 生姜 荊 陳 藕 莪
- 升々々 升 柴 芸 桔 木 檀 沈
- 內消々 稜 荊 陳 椇 薏葉

酒過 濕飲
- 發散々 陳 藕 荊 葛
- 利尿 梔 苓 通 茶目
- 內消 地骨 前 荊 门 朮 葛花 縮 連

過房 虛煩
- 利尿 通 梔
- 清涼 桔 门 竹 籙 牡 栢 芍 茅
- 發散 藕 少 陳 葱白
- 補陰 尿 门 地 籙 栢 枸子 茅 蛇

- 咽痛 桔 甘 射 升 半 通 梔 梅 蓬 沙
- 歯々 丁子 芎 巴 荊 韮子 薈
- 眉痛 荊 蛤 粉 升

卌七

諸痛

胃痛芩連甘柴膽栢独芸菊秦艽

頭ー膏細芎芍芷苛独升柴

心ー連芍半奴延

腹ー芎芍連桂縮栢姜地莪

脇ー青柴前芍陳橘葉膽

腰ー膝独羌虎巳栢梹紅

肢ー膝巳通羌梹瓜蔵艽

膊ー奴芍独陳

瘡ー巳麴独射升連芎通栢桂芩虎知乳忍

節ー瓜薏桂紅柴艽

脹痛朴腹奴芍梹目木青陳

虫ー莪蕪稜史君芍前栢梹楝木連薏根

瘀ー莪牡鞭芍漆虎紅花蘓木没

積ー朴莪芍鱉廣巳奴青稜章

諸腫

水腫丨已薏目苓通知蓄桑腹陸

氣実丨痛升実芎藿青檳奴

氣虚丨脹朮参陳芍

痰丨芎陳前檳目苓

乳丨伏通陳桔门蒲公

皮丨芎陳藿桑荆冬瓜皮

瘡丨已伏荆通升合牛忍

痒丨麴通升萍芍

風丨已芸荆独藿

暑丨知猪瞿伏章苓麻藿

久丨参朮瞿目陳伏歩車縮

労役丨陳奴檳苓姜

疝丨乖芎紅虎難

卌八

大便
- 攻下　牽巴虎実朴
- 弁通　杏麁虎少奴梹多
- 潤腸　紅牡麁芥尾
- 順快　陳麁多梹少帰

小便
- 清　猪门苓梔芍苓少
- 利　芍门蔞桑梔苓中目已
- 通　瞿牽猪呉通苓多滑目灯
- 滋補　括龍益達遠柏子蛇

右所著之十有四局者弁剤処治之妙法也若弁病因知邪之所在而或用驅逐之剤或施内消之薬而使無虚々実々之誤者誠可謂十全之上工矣

吴枢ニ上工十全九ニ
補注難経注ニ上工ハ猶好ニ言妙達病源者也
奧ニ工者万举万全ナリ问工也

元亀第二辛未年九月吉日

見東平安城　雖知吾戸　盡靜翁

道三

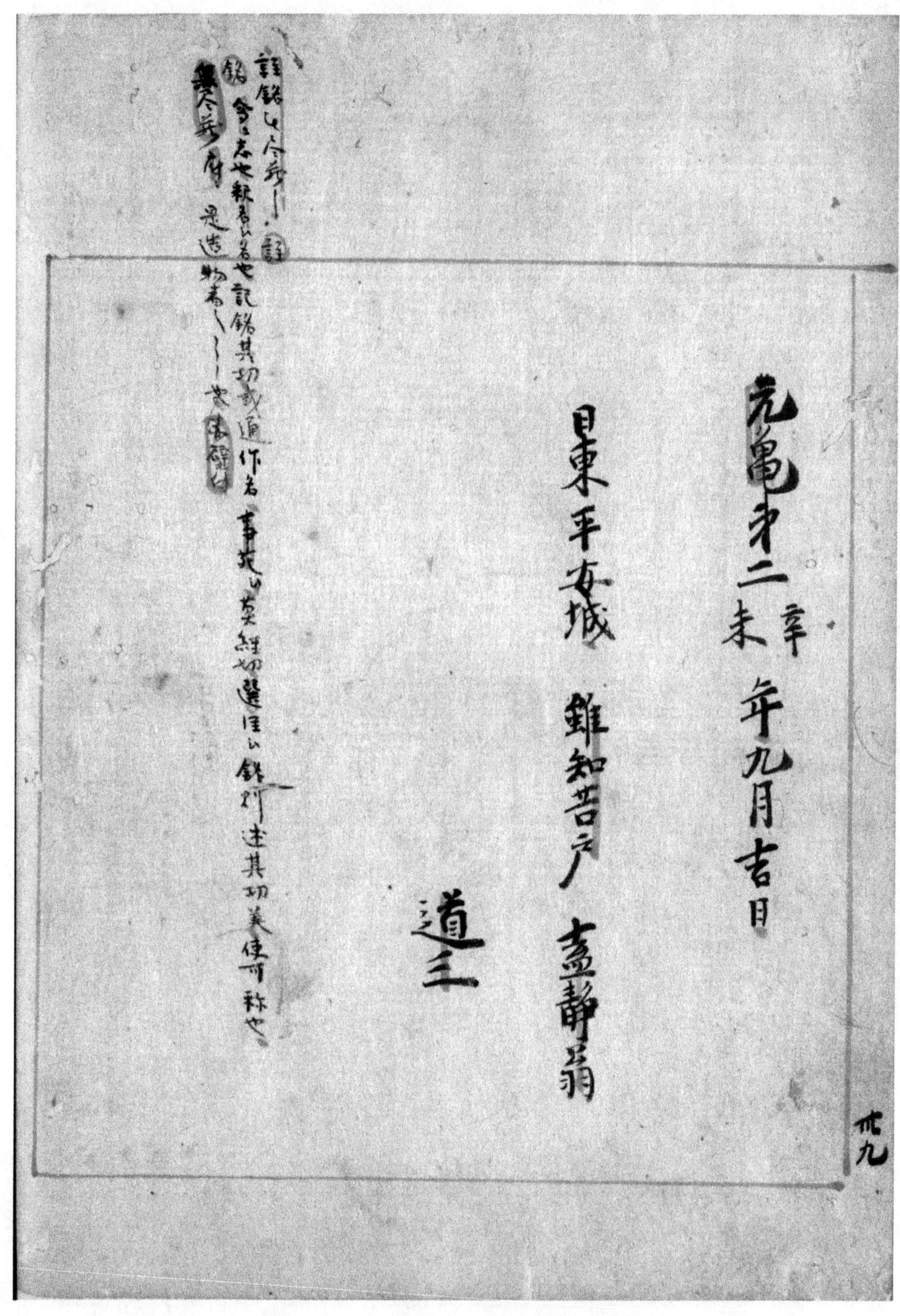

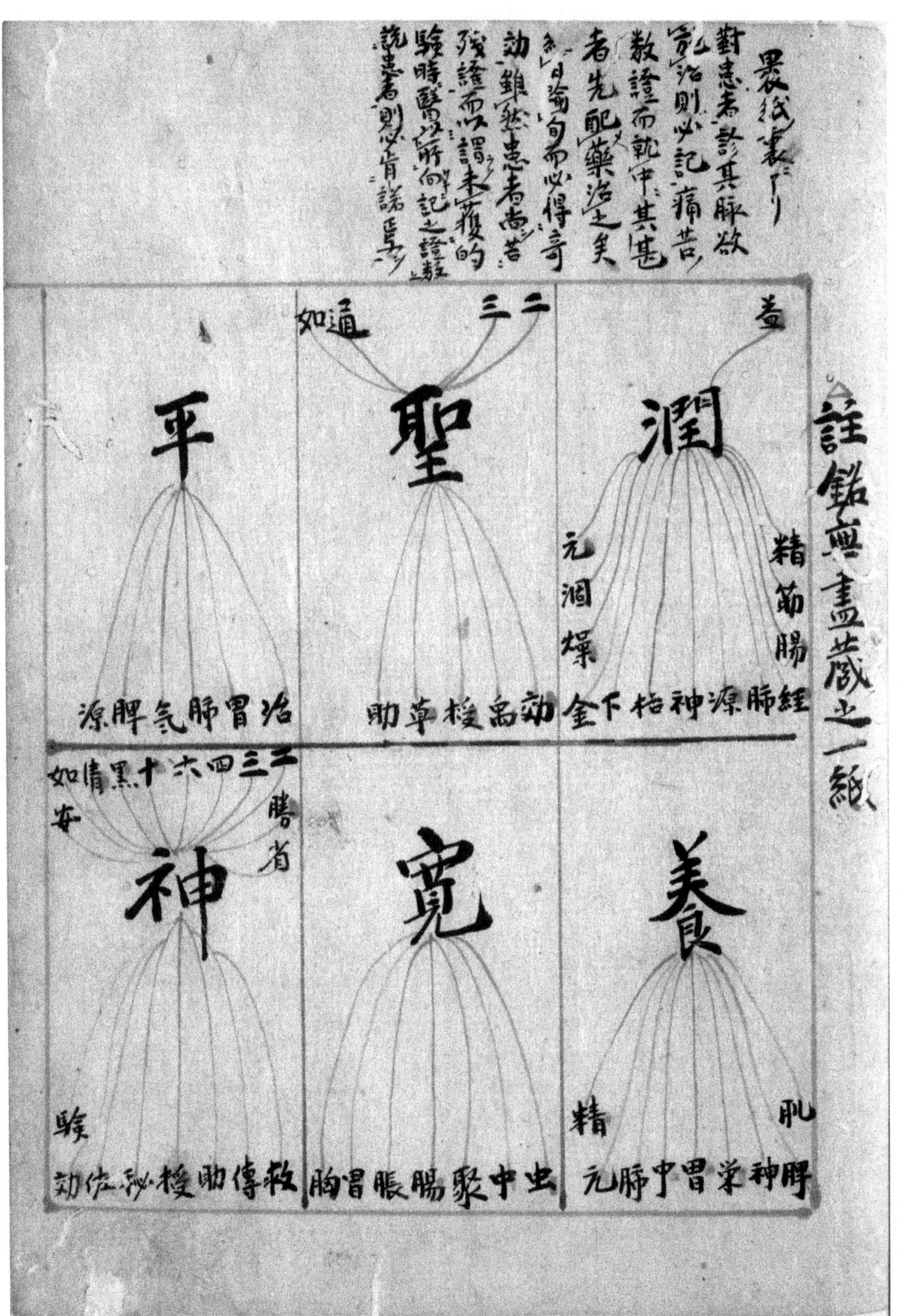
註銘與畫蔵之一紙
平
聖
潤
神
寛
養
源脾気肺胃治
助草桜剤効
金下枯神源肺経
精
節
腸
元
涸
燥
如通
二三
益
如清黒十六四三二
安
勝
省
験
効佐秘桜助傳救
胸胃脹腸聚中虫
元肺中胃栄神脾
精
肌

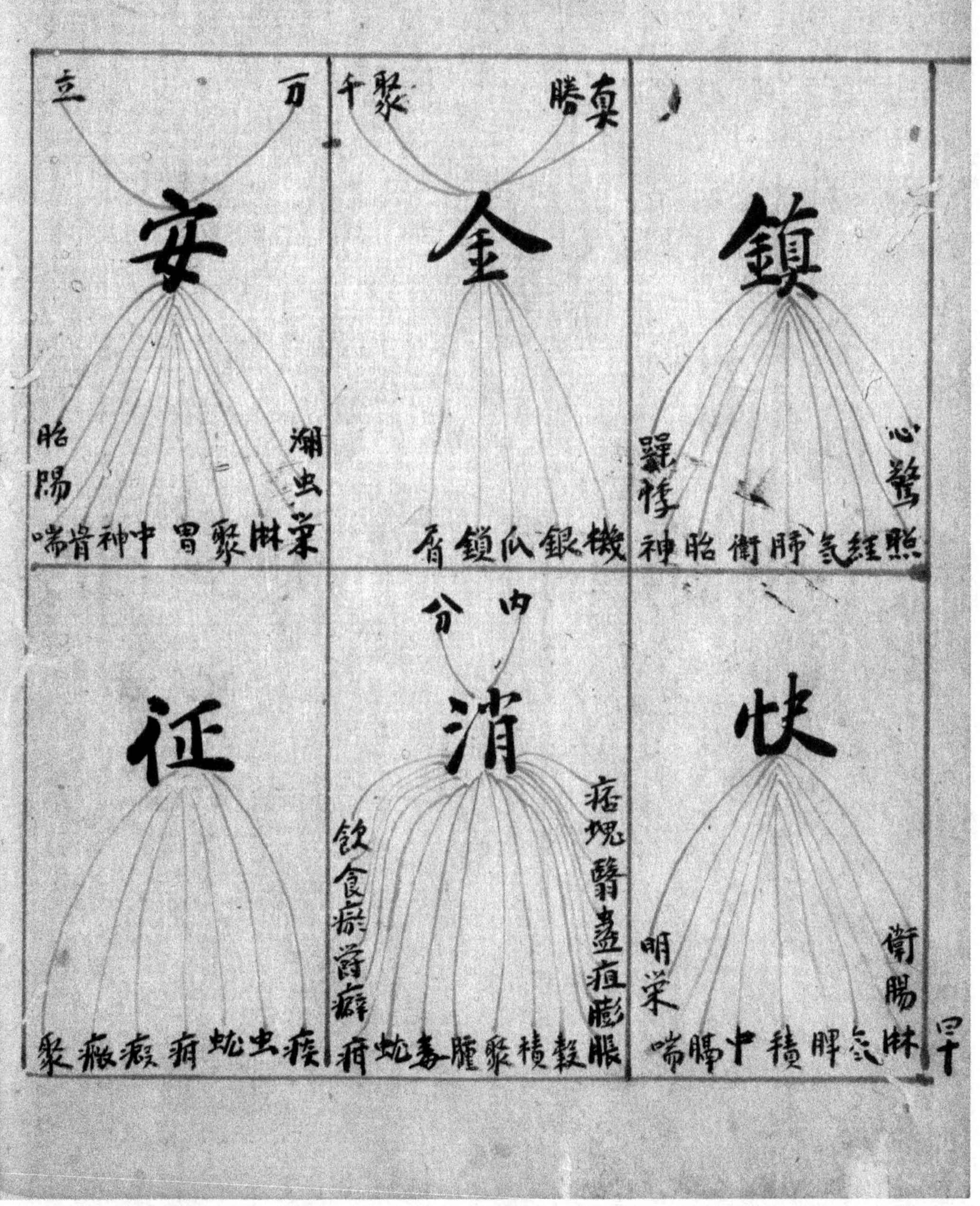
安
金
鎮
征
消
快
分
内

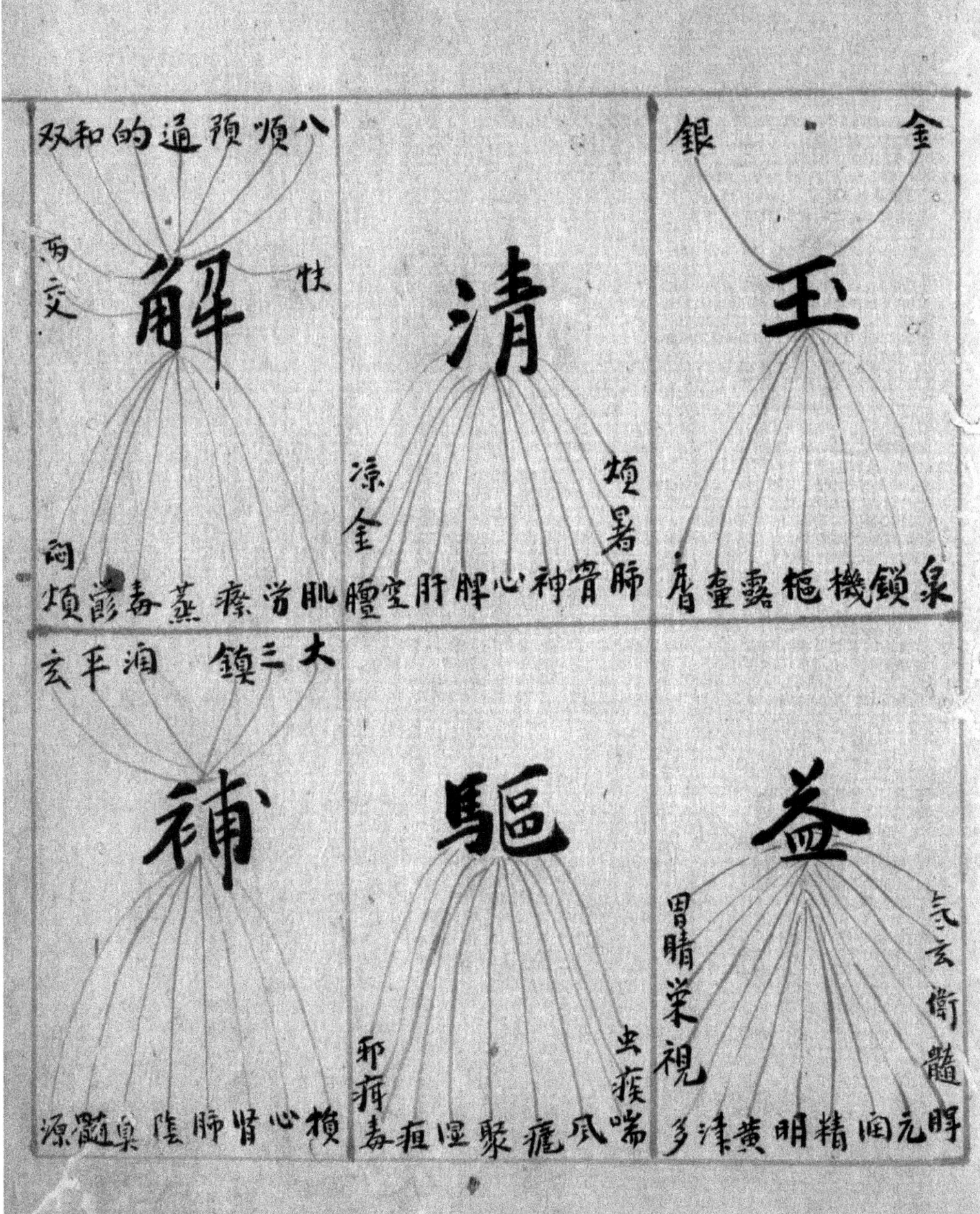

銀
金
解
清
玉
補
驅
益

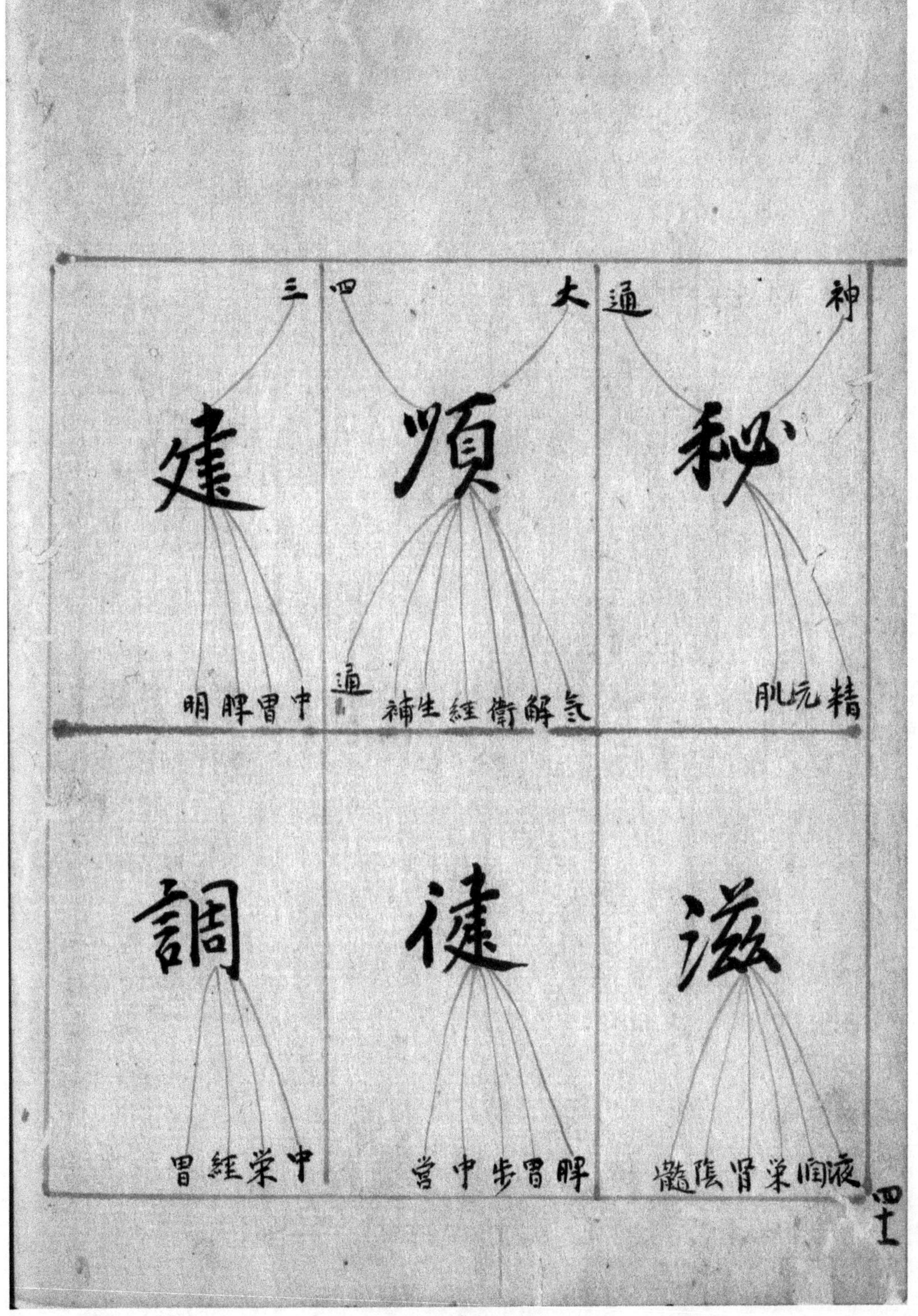
三
建
明
脾
胃
中
四
大
顺
通
補
生
經
衛
解
氣
通
神
秘
精
四十
調
胃
經
榮
中
中

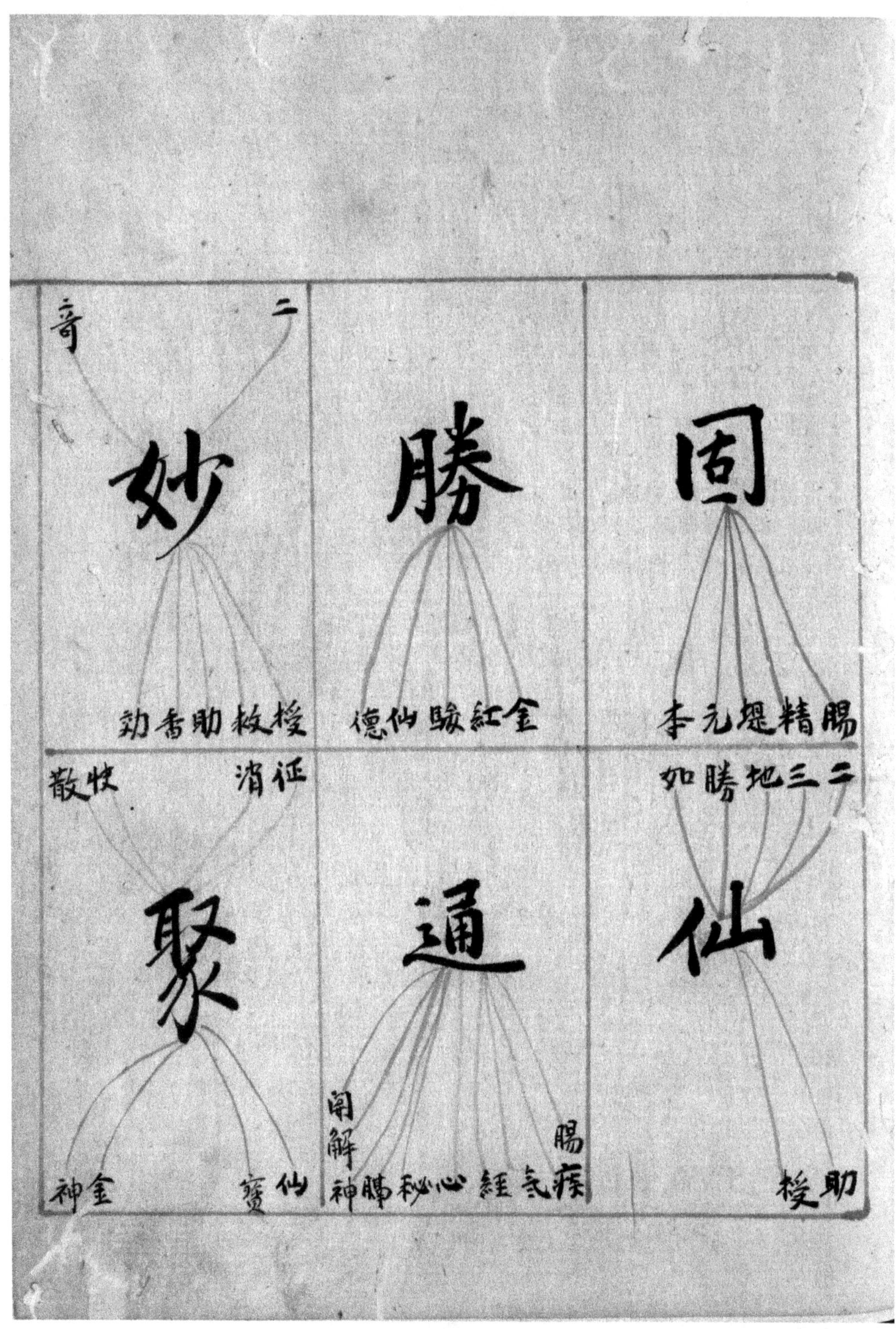
奇
二
妙
劲香助救授
勝
德仙驗紅金
固
李元堤精賜
聚
散快
消征
神金
寶仙
通
開解
神勝秘心
經氣痊
賜
仙
如勝地三二
授助

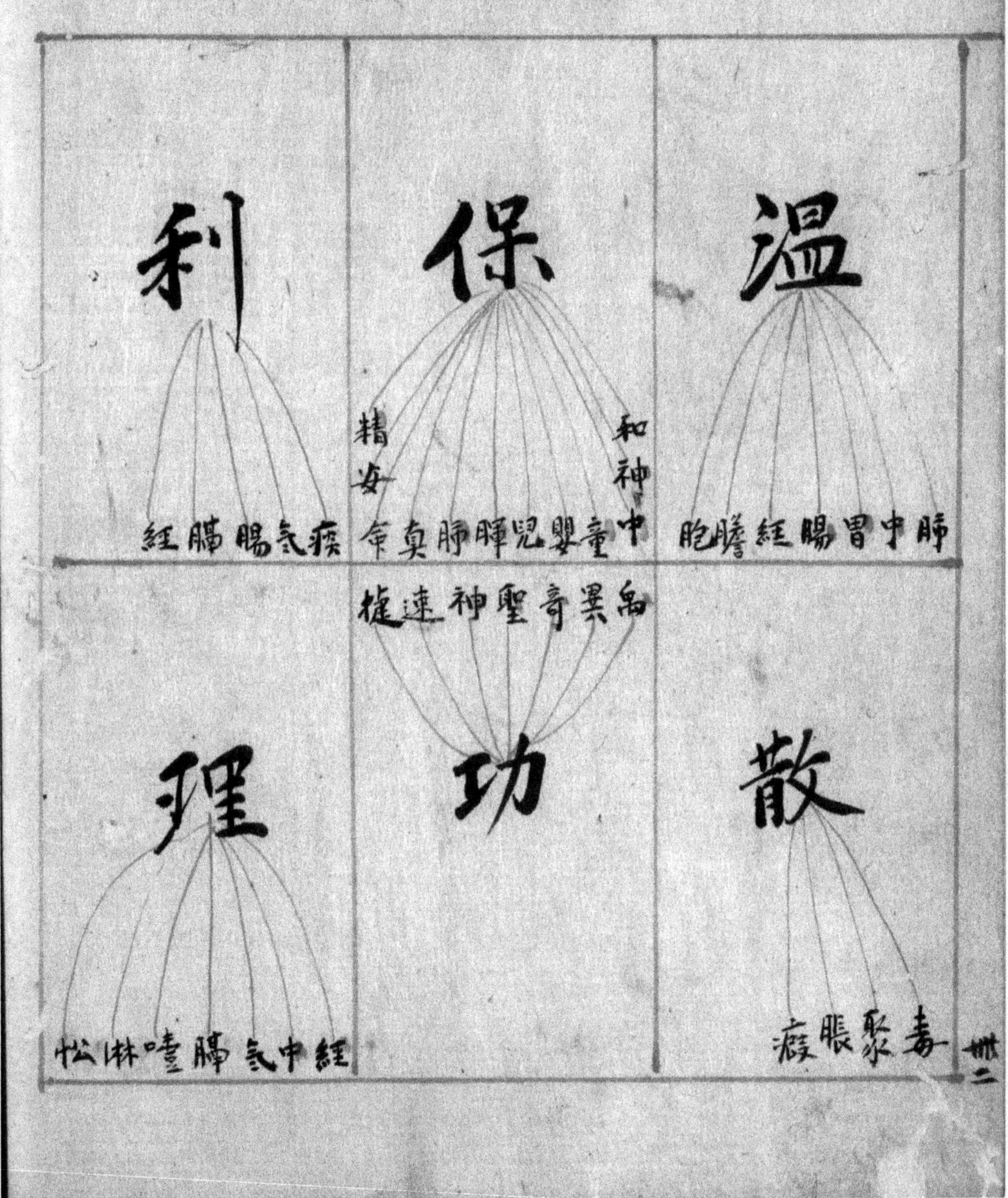
脾玉于郡切
膜也
利
保
溫
精
安
和
神
中
經
膀
腸
氣
痰
命
真
腑
脾
兒
嬰
童
脑
膈
經
腸
胃
中
肺
德
速
神
聖
奇
異
奇
理
功
散
松
淋
噎
膈
氣
中
經
瘕
脹
聚
毒
卅二

治證同前則進劑雖同前宜註別銘
或文加于加減之二字
治證得効則進藥雖有加減須記
前銘或復改同銘之二字

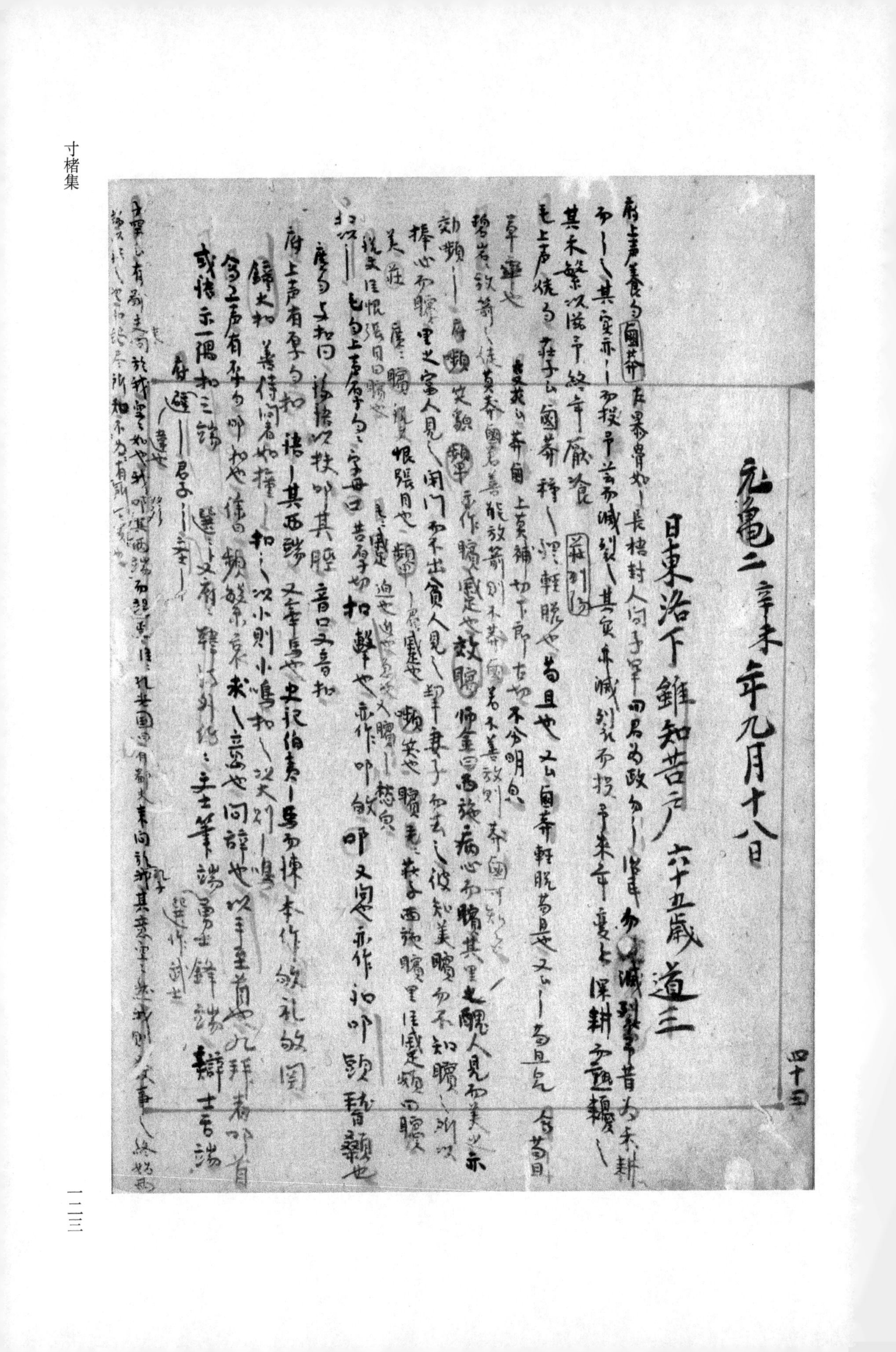

元亀二辛未年九月十八日

日東洛下 雖知苦斎 六十五歳 道三

四十四

[illegible]

宋寧宗嘉定

七方大小緩急奇耦複

不明大法之生

十四 製方鑑

明醫雖著續醫論曰東垣丹溪治病多自製方蓋二公深明本草藥性洞究內經處方要法故能自製自宋以來局方盛行人皆遵用不敢輕率自爲局方論證治病雖多差誤丹溪曾論辨之然方皆名醫所製其君臣佐使輕重緩急大小多寡之法則不差也近因東垣丹溪之書大行世醫見其不用古方也率皆効嚬治病輒自製方然藥性不明處方之法莫究鹵莽亂雜反致生無甚有變證多端遂難識治且夫藥之氣味厚薄不同

如五味子味厚東垣方（少者五粒多者十数粒）今世醫用二三錢石膏味薄白虎湯用半两今世醫不敢多用補上治上剤宜輕少今不論上下率用大剤丸散湯液各有所宜今不論緩急率用湯煎如此類者多矣今之醫者若非熟讀本草深究内經而輕自製方鮮不誤人也

四十四

揣園彦三千取彦三千撰
人名也動也

惠濟方序曰摘古人之意而不遺古人之方而不泥知以會其時案以知其變云云

丹溪心法頭痛論云方者体也法者用也徒知体而不知用者弊体用不失可謂上工矣

格致餘論云

非素問本草無以立論方

元亀二辛未年端午日　盍靜翁撰焉

日東平安城　雖知苦斎　道三

十五　學習記

訖以標本先天發則強通而寔寫……

喘之新病猛瀉火痰 寔治

寒方用畧註

一中風遺尿氣虛也　参芪補之

一久喘未發常扶正氣爲主　阿膠　参芪　欵芳苑杞　五味子之類　已發時攻邪爲主　桑　陳　半　亭　目　枳　朴　蔞之類

一瘧無汗要有汗散邪爲主帶補　有汗要無汗扶正氣爲主帶散

一允脾泄瀉用术芍久去芍

一血氣痢小大腸各濕熱爲本元氣未虛大黃枳殼厚朴之類須通之而後氣参术血芍桃陳皮寸草之類或参縮紅壯

四十五

劣虛ヽ少必熱痢歟

一痢病初發腹痛用生姜肉桂陳皮棗
参朮言貴温散忌澁補也
一痢發熱不止脹虛也用寒参而兼升温
芩栢芍升桂
一痢下血毛牡紅芩脉浮而有風邪升
芸陳　血痢久不愈帰地芍紅甘
或益母鼠尾
一痢不食力倦氣省此虛證也朮帰陳
甘之類用之其虛復而後　止痢芍朮
蓮鼠姜甘
一小兒熱痢三黄加甘為主

一熱痢（赤者加乖紅牡芍橘　白者加苓沢目車橘）用芍栢芩虎而後腹微痛加桂陳而愈也

一嘔吐膈有痰冒有熱二陳加生姜梔連或生姜汁探吐而佳也

一嘔吐而出血黑鉛炒㮚　右為末米湯下

一益血之凡例帰地芍桂加陳皮紅花所以然欲令血菜不滞中手中焦上也

一補氣之凡例参芪加茯陳所以然欲令氣不滞於胸膈也

一分両之秘授

四十六

湯液用藥各定分兩為君者最多為臣者次之佐者又次之藥之於証所主同者則等分之

或手痛或標證之所甚苦之療劑多用之称之君
次用之助君藥之力謂之臣
次少加之或扶胃氣或緩捷功或借升勢或賴降力或引經或因用之類号之佐使
或等分和劑之者患人之数證無勝劣則用藥亦無多少也
以上十六复受師翁之慷講而即
日東預州一鷗齋　学習記之
元亀才二辛未歳季秋十九日
雖知苦斎　道三

十六　經常養生之仙術

假令固真飲子治中年已上陰陽兩虛血氣俱衰頭每痛晡微熱食少力倦精氣脫腰痛腑酸

藥名	分量	性味	主治
山茱萸	三分	酸 微溫	溫中逐寒濕痹強力去三蟲 益精強陰止小便利
五味子	一分	酸 溫	益男精強陰補不足 治肺寒
黃蘗	一兩	苦 寒	主腸胃中結熱止洩痢 治蚘主陰瘡
白朮	一兩	苦甘 溫	除濕消食逐虛痰 溫胃嗜食
熟地黃	二兩	甘苦 微寒	填骨髓長肌肉 通血脈利耳目
甘草	一分	甘 平	長肌肉通血脈 和諸藥
黃耆	二分	甘 微溫	益氣止渴補男子虛損 補肺止汗主久敗癰瘡

琳方醫林叢人 四十七

杜[illegible]

人参一兩 甘微寒 補五藏安七神益氣

薯蕷一兩 甘温平 補中長肌肉主羸瘦止腰痛强陰

白茯苓二分 甘平 逐膈中痰水治心下結痛主恐悸利小便

當歸三分 甘辛大温 温中生肌肉補女子諸不足

杜仲一分 辛甘平温 補中益精主腰痛堅筋骨

陳皮一兩 辛温 下氣止嘔咳消穀利小便

補骨脂一分 辛大温 主腎冷精流腰疼膝冷囊濕治五勞七傷風冷骨髓傷敗

澤瀉一分 甘鹹寒 逐膀胱三焦停水止淋瀝起陰

右細剉，於器内煎，空心食前服。

按仙經云：服餌不備五味，久則腑臟偏傾，而反生病矣。

如服金石之劑久則陽躁或致消渴癰癤病變不可勝記

服固本丸瓊玉膏皆天麥門冬生熟地黃之類雖本滋陰而胃弱者必滯隔反食少或經脈滯而生癰腫

服養氣丹安腎丸皆茴香巴戟胡芦附子之類雖本於補陽久則積溫成熱必耗真陰肺痿氣虛痰熱火動不可易治

今此方庶幾近理大補原氣不足陰陽兩虛飲食減少備五味合血氣沖和無寒热偏倂過不及之失養氣血理脾胃充

四十八

滋腠理補五藏之真精益三焦之原氣飲食自信生津液充榮衛利機關矣猶於此方中私欲行加減之法必可准醫書大全上冊加減之例矣抑高揚低而庶幾免實々虛々之患也

日東　元亀二辛未年九月十九日

洛下　雖知苦斎　盍静翁　道三

陶隠居云薬有宣通補泄軽重渋滑燥湿此十種云云　寇氏寒熱二種加之

十七　二十四劑

一通塞之二劑

丹溪心法曰凡治病之法不可失其通塞

羌活愈風湯　一気微汗　一旬通利　本薬三両

加　麻黄一両　大黄一両　是欲通表裏而去邪氣也

又曰中風遺尿氣虚用參芪補元氣

一升降之二劑

正傳升陽益胃湯

紫胡　升麻　従　左　右　升少陽胃之氣

湯液沈香能養諸氣上而至天下而至泉

又云檳榔性如鉄石能墜諸薬至下極

四十九

又云牛膝能引諸薬下行ストト
又云桔梗ハ開提ノ氣血載ス諸薬ヲ不能下沈スルヿ
心法爾部ニ云壮実初病ハ宜下虚弱衰老久病ハ宜昇下
一散収之二劑
湯液ニ辛熱散気細辛川芎 酸寒収気五味子白芍之類
一潤燥之二劑
湯液ニ曰門冬五味子阿膠 由桂当帰地黄潤肺血
杏仁潤気血秘シ
桑白皮燥肺湿 半夏燥肺痰脾湿
白朮燥脾湿 防已燥下湿シ

如孟子浩然滔然之氣

一 動靜之二劑

正傳羌活愈風湯 空心 臨卧 一服 嚥下 二炙多冊 四白冊

動以安神 靜以清肺 云云

一 攻救之二劑

仲景曰 頭痛身熱耳聾三陽也葛根麻黄攻之 腹滿煩渴譫語舌卷縮三陰調胃承氣攻之

活人書曰救 裏 四逆 表 桂枝 湯

一 堅軟之二劑

湯液 腎欲堅食苦以堅之知母 心欲軟食鹹以軟之芒硝

一 補瀉之二劑

湯液曰

肝欲散 辛補細辛 酸瀉芍药

心欲軟 鹹補澤瀉 甘瀉参芪甘

脾欲緩 甘補人参 苦瀉黄連

肺欲收 酸補五味子 辛瀉桑白皮

腎欲堅　苦補黄栢　鹹瀉沢瀉

明醫雜著　甘温　甘寒苦寒　補　陽虚　陰虚

内經曰　汗下　浮　陽之有餘汗多亡陽　陰之実滿下多亡陰

一　寒熱之二剤

湯液曰　大黄芒消寒　附子干姜熱　剤也

一　走止之二剤

八味丸

心法附子走而不守取健悍走下之性以行

素問音旱人音汗猛也疾急貌湯注利也

地黄之滞可致遠

又干姜見火則止而不移

又龍腦其燥而輕浮飛揚

一　澁滑之二剤

心法曰御米殻味酸渋主収固（止痢　治嗽）

湯液曰渋可去脱龍骨縮（止也　束也　有也　経也　約束也）尿固大腸主泄

痢美食精神

又滑則利竅滑石通九竅治前陰不利

又冬葵子性滑利不益人（利小便　治乳難）

一　緩急之二剤

心法曰甘草味甘大緩下焦薬少用恐太

緩不能自達

雑著曰（気虚　血虚）用（四君　四物）虚甚者俱加熱附子

二方皆和平寛緩之剤也得附子健悍之性

而行之能成功矣

夫古人之製法有十二剤之弁異

予久治病窺諸家方法然而儲

二十四剤之異旨故貽捨上俟同

志者之求云

元亀二辛未年九月二十日

盍静叟　道三

十八　常經流注升降迎隨之圖

十二經脈榮衛流注迎隨順逆之圖

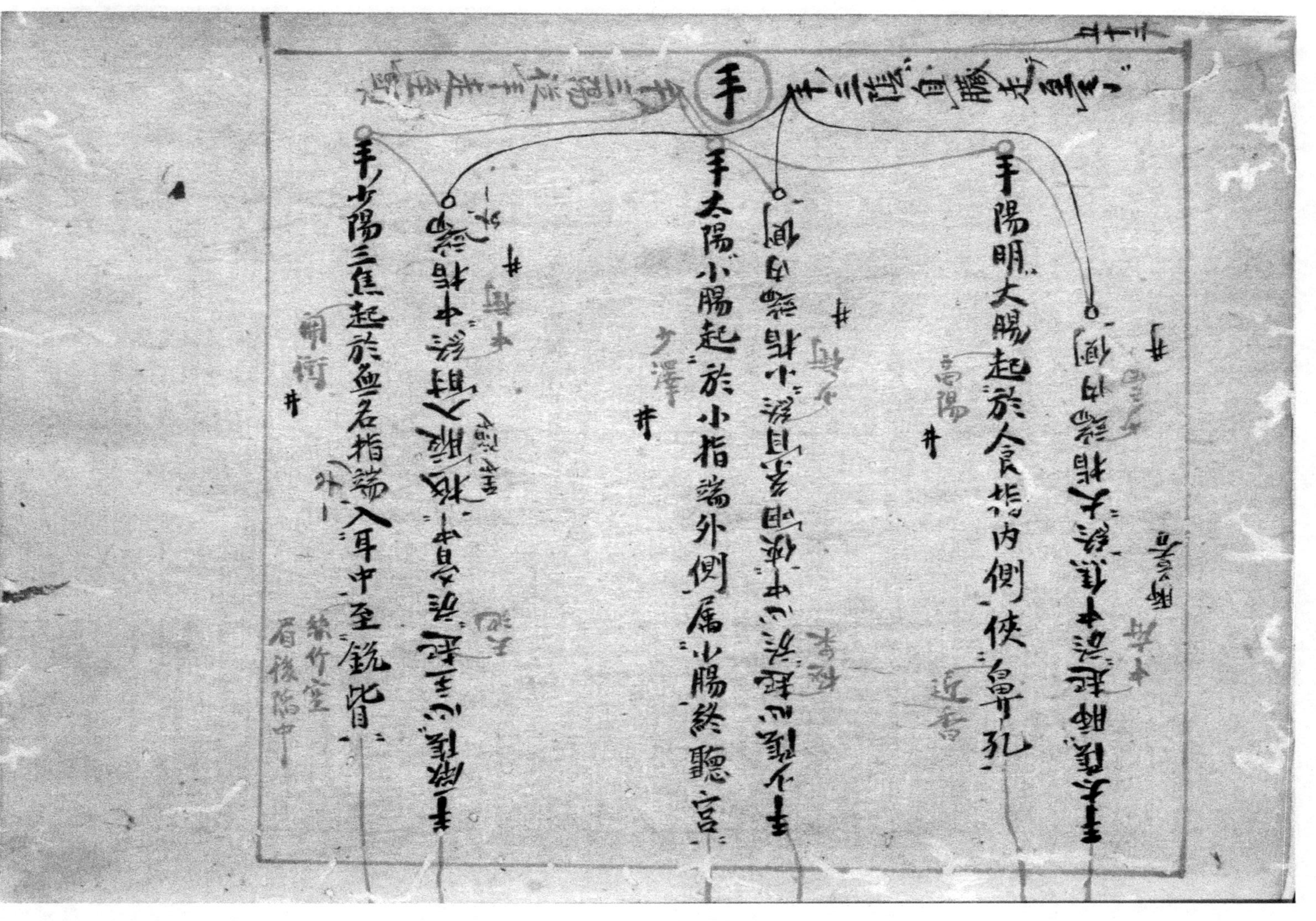
手三陰自臟走手
手陽明大腸起於食指内側俠鼻孔
手太陽小腸起於小指端外側屬小腸終聽宮
手少陽三焦起於無名指端入耳中至銳眥

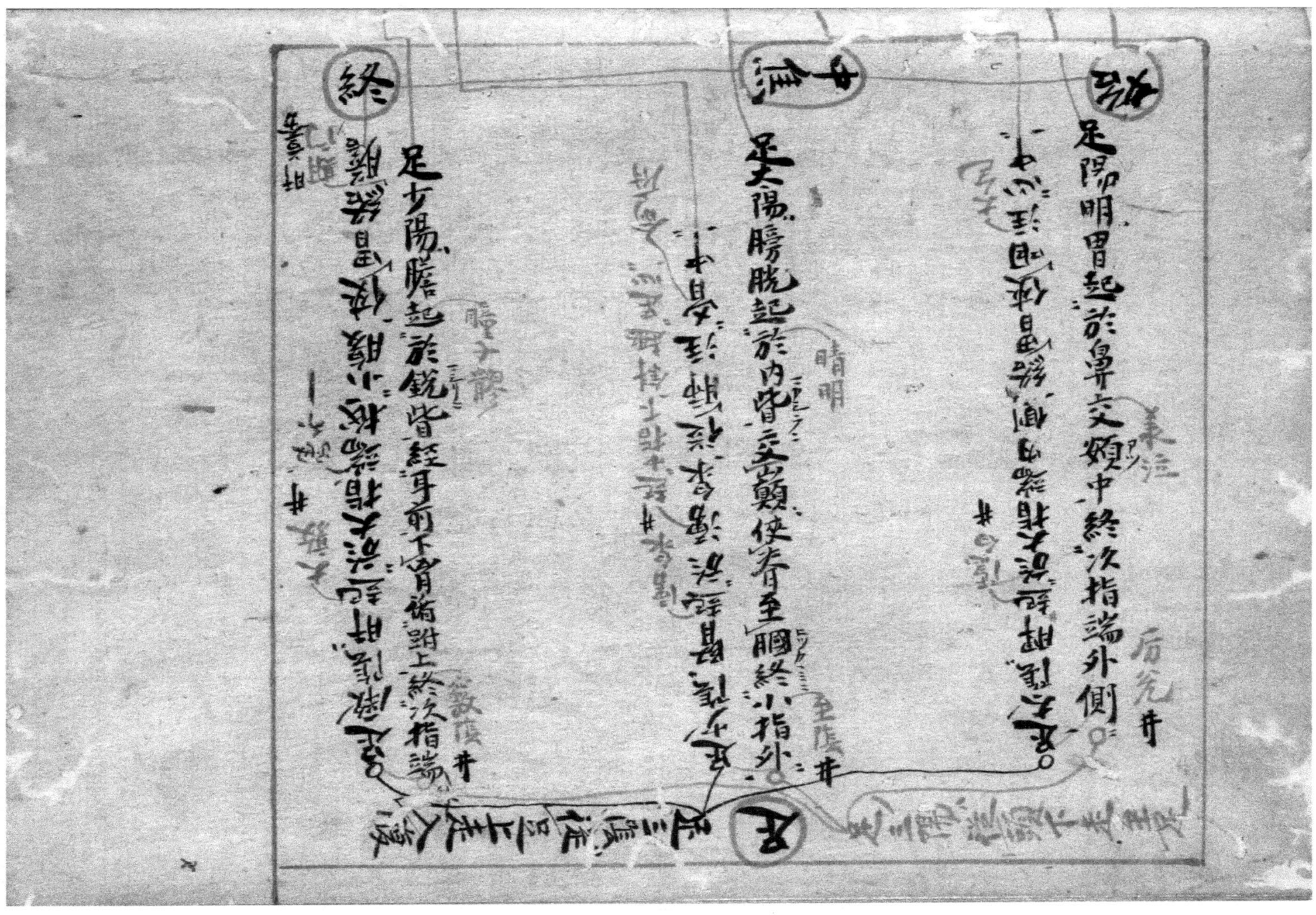
始
足陽明胃起於鼻交頞中終次指端外側
厉兑 井
中焦
足太陽膀胱起於内眥交巔使脊至膕終小指外
睛明
至陰 井
終
足少陽膽起於鋭眥經耳前下胸循脇上終次指端
瞳子髎
竅陰 井
足
足三陰從足上走入腹

十四經云下極之俞兩陰之間屏翳處也屏翳兩筋間為篡篡内深處為下極督脉之所始也

同云任與督一源而二岐督則由會陰而行背任則由會陰而行腹

任脉起於中極之下會陰之分也由是循曲骨上毛際至中極行腹裏上循關元

十四經發揮上

手 三陰從臟走至手
三陽從手走至頭

足 三陽從頭下走至足
三陰從足上走入腹

流注出入之機 逆之者為迎為瀉
順之者為隨為補

督任二經流注之始終

督都也行背部中行為陽脉之都綱起下極之腧至鼻柱終齗交

任妊也行腹部中行為人之生養本起中極之下屬陰脉之海終承漿

右明十四經發揮 徐氏明堂 聚英節要 聖惠等之流注即著此

五十三

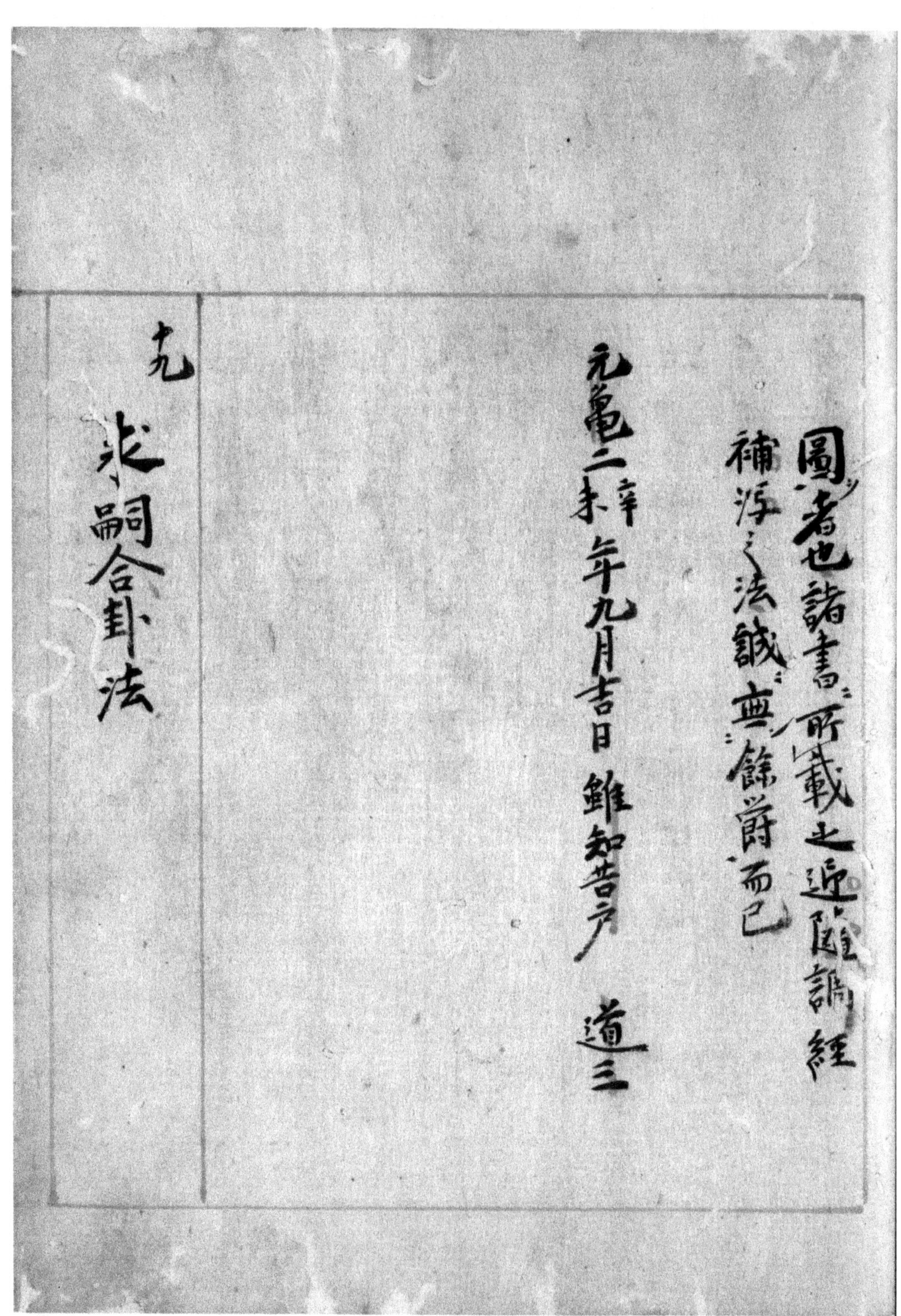

圖者也諸書所載之迎隨誦經
補瀉之法鍼灸無餘蔚而已
元亀二辛未年九月吉日　雖知苦斎　道三

十九
求嗣合卦法

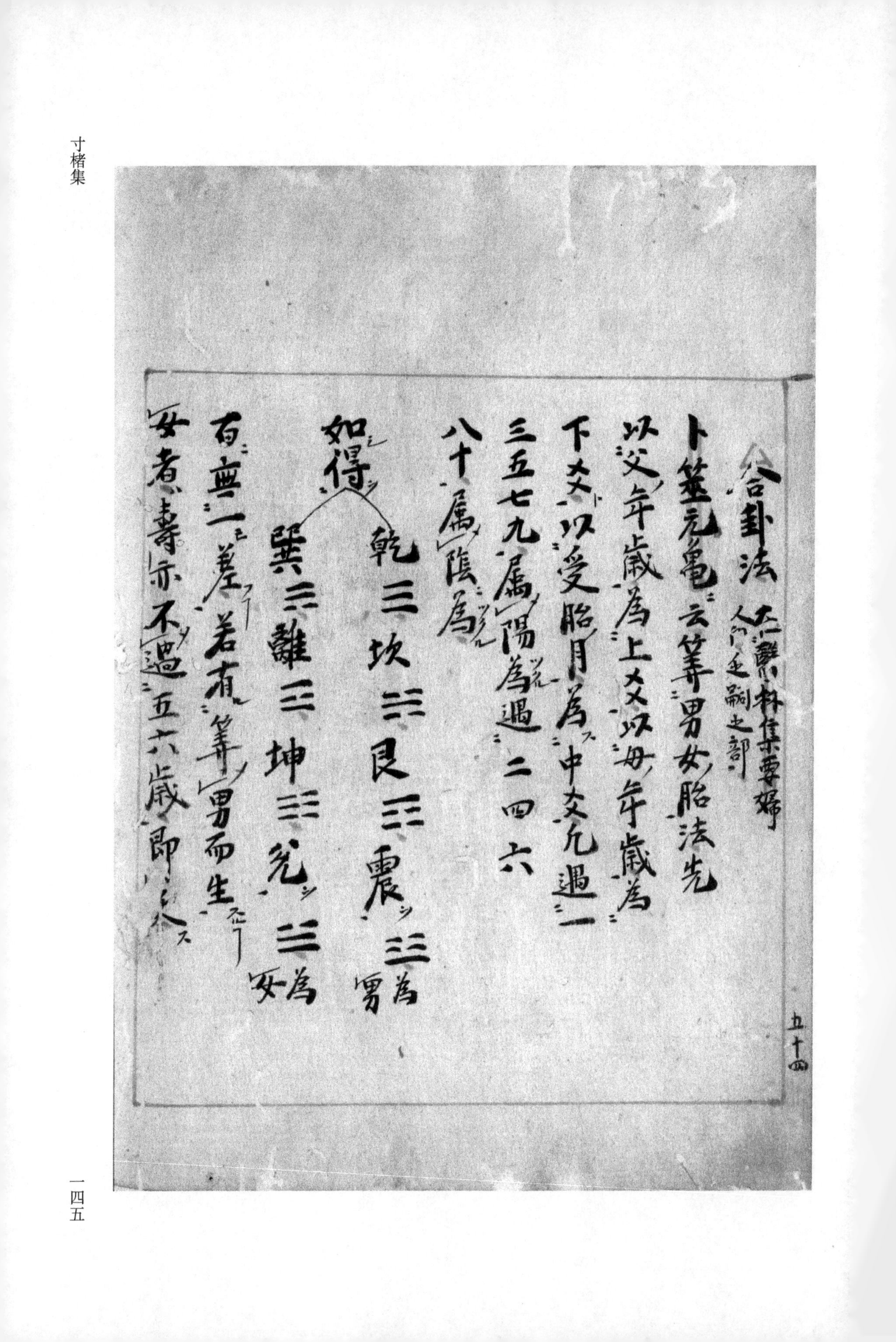

合卦法 出醫林集要婦人門産嗣之部

卜筮元龜云算男女胎法先以父年歲為上爻以母年歲為下爻以受胎月為中爻凡遇一三五七九屬陽為過二四六八十屬陰為

如得乾☰坎☵艮☶震☳為男

巽☴離☲坤☷兌☱為女

百無一差若有算男而生女者壽亦不過五六歲即亡

五十四

求男之法觀此見矣
元亀第二辛未年九月吉日
爲門下生著焉者也予既二十
餘年篝之誠神聖妙術也
曲直瀨　道三

五十五

也　△察胎

一論成娠之原

叔和曰肝為血肺為氣血為榮氣為衛血衰氣旺定無娠血旺氣衰應有胎

脉經曰心脉動甚者娠子也心主血脉故也腎脉按之不絶娠子也腎為胞门子户也

指南曰脉動入產門者有胎也（出尺脉外名曰產门）

關部脉滑者為有子（滑為多血少氣）

已上論三月内有胎之兆

一辨男女

脉經曰妊娠四月欲知男女法左疾為男右疾為女

正傳曰左手沈実男右手浮大女

左右尺偏大男女

指南曰左尺浮洪男右尺沈実女

一外候胎法

遣妊娠人面南行還復呼之

左右廻首者男女也

又上圊時夫從後呼之

左右廻首男女

又婦妊其夫左右乳房有核是男女也

元亀二辛未年九月吉日　翠竹庵　道三

廿一　建中　保胃

建中之機要　李氏脾胃論

腸胃為市無物不包無物不入

或感於四氣或傷于飲食

胃者十二經之源水穀之海也平則万

化安病則万化危

察脉而調脾胃之説

右関脾胃之所主其脉貴緩和　非遲緩之緩對急之緩也

見　弦　洪　濇　沈細　實　脩

為

風傷甘酸剤　甘芍

熱傷甘寒剤　甘三黄

燥熱甘潤剤　地黄甘

寒傷甘熱剤　冬朮姜甘

食傷苦寛剤　三黄奴

湿痰苦温苦寛剤　半奴朮陳

五十六

右常診右關晝異於五脉者用藥也
邪去正復而得和緩之平脉者也是誠
治未病之聖法也
案證而弁脾与胃之病說
胃氣盛則能食而不傷過時而不飢
脾胃俱旺則能食而肥
脾胃俱虚則不能食而瘦
或少食而肥雖肥而四肢不挙蓋脾實而
邪氣盛也
或善食而瘦胃伏火邪於氣分則能食
脾虚則肌肉削即食㑊也

元精胃精之説

真氣ハ名元氣先身ニ生スル之精氣也非胃
精之氣以不能滋

穀氣
運氣
主氣
栄氣
衛氣
清氣
陽氣
天氣
人氣
地氣
三焦氣

元胃氣也分而言之則異也其実
則一也

周易 乾坤
右是以資始以資生之謂也

内傷両辨

五十七

飲食傷

經曰水穀之寒熱感則害人之六腑

又曰飲食自倍腸胃乃傷

飲者水也無形之氣也因而大飲則氣逆

食者物也有形之血也因而飽食筋脉

横解腸澼為痔

如傷寒物　生薑良薑麴莪朴巴香桂

傷熱物　連虎陳实奴難

輕則內消　重則除下

然而不可已剋已剋則又傷脾胃蓋先因飲食

自傷又加之以藥過故腸胃復傷氣不能化

食愈難消漸至困羸矣

是喉以陰氣不足則內熱己亦有作則外熱也

勞役傷

經曰陰氣者靜則神藏躁則消亡

又曰陰虛生內熱

金匱要畧云平人脉大為勞脉極虛亦為勞矣

勞役所害脉々労々

右此一通者建立中焦攝養脾胃之捷徑醫中之王道也可仰可信者也

于時元亀第二辛未年九月吉日

日東平安城　雖知苦斎　六十五歳　道三

五十八

叉　玉：側加切，指相交也
毛：手相錯

廿二　辟（狐魅驚）

祟狐魅之狀

或叉手有礼見人

或於静処獨語

或躶形見人

或祇揖無度

或多語

或緊含口叉手坐礼度過常

尿屎乱放此之謂也

狐腸肚微宜作羹臛食之良

狐頭燒辟邪

日華子云狐心肝生服治狐魅
狐尾燒辟邪
右并案狐魅而曰辟治之
神術也可秘々莫使人知
之云々

▲禳小兒驚風之神法
燕窠中桑溫湯中攪濁治
小兒永除驚風
右禳驚風而使小兒無夭橫
成長之聖藥也妄莫傳之
以上二術以右用心着紙而書也

廿九

元亀二年辛未九月吉日　道三

一　廿三　老師口訣

老師當流口訣之奥儀

一諸治當分氣血

晝（輕・重）夜（重・輕）氣血病也

若氣血病補血氣　雖不中病亦無害　血愈虚耗然後氣血俱虚

一陰陽虚実之分别

内經曰　陽盛則外熱　陽虚則外冷　陰盛則内冷　陰虚則内熱

陽主外而温　陰主内而凉　是其旨也

一 無病而不可就偏寒偏熱

夫藥攻邪之物也
- 攻偏熱以寒
- 攻偏寒以熱

凡諸藥之用皆如此何無邪而好補耶

一 氣血兩虛之異候

凡診脉
- 按之則滑実此血実也
- 按之濇弱即血虛也
- 挙之則洪弦此氣実也
- 挙之則微濡即氣虛也

血
- 虛：当帰 熟地黄 或桂
- 実：生地 牡丹 赤芍

氣
- 虛：人参 黄耆之類
- 実：枳実 青皮 雀頭 厚朴之類

一 進食益飲依人隨證而青皮 枳殻

香附子 大黄 檳榔之類擇用

六十

當流ニハ木蔲縮 干姜 藿木香之類不用之

一 消渇ニハ分上中下

寸脉有力而渇ハ 二门冬 葛根

関脉有力而渇ハ 石膏 白芍

尺脉有力而渇ハ 知母 黄柏

一 久病ニハ備五虚五実之證則難治

素問注ニ曰 五実ハ邪気盛実 五虚ハ真気不足 也

瞀 音目 亂也

五虚ハ 脉細 心 皮寒 肺 飲食不入 脾 二泄利 腎 気少 肝

五実ハ 脉盛 心 皮热 肺 腹脹 脾 二不通 腎 悶瞀 肝

岐伯曰 漿粥入胃 泄注止則虚者モ活 得汗後利則実者モ活

一 百治先頼胃

人以脾胃為主胃氣傷則不能運化水穀氣以成功也凡先察飲食傷積消導之調脾胃然後用治病之藥尚加助中之藥

一 兩補之異

右尺實強而小便澁黃大便燥小腹熱脹則知腎水枯竭精源涸乾不矣地骨地黃門冬牡丹黃柏之類而滋下焦之火潤水源之涸則愈也若誤鹿茸蓯蓉兔絲遠志附子陽起石鍾乳之類而補右尺相火則如抱薪救火實實之虐之意也

右尺濡弱微細而遺溺失精大便滑小腹冷

六十一

膨即知相火衰微陽氣脫退矣五味遠志兎絲山茱桂之類而補之則愈也若誤苦寒甚冷之劑用之則眞陽耗竭死期迫矣

一水穀栄衛之分別

經曰
穀入衛行
水入栄通
人絶水穀則死胃氣盡也水去則栄散穀絶則衛亡

私曰
栄血虚人飲湯液米汁潤之
衛氣虚人噉穀肉菜果補之

一發熱悪寒之辨

治人書曰
陽微悪寒
陰微發熱
用
溫薬
涼劑

一寒〻熱二傷形氣之異

陰陽應象大論曰 寒〻傷〻形 熱傷氣 形傷腫 氣傷痛

故〻先痛而後腫者氣傷形也

先腫而後痛者形傷氣也

一三感之辨 素問曰

天之邪氣感則害人五藏

地之濕氣感則害皮肉筋脉

水穀之寒熱感則害於六府 熱傷胃膀 寒傷腸膽

于時元龜二辛未年九月下澣

曲直瀨 道三

六十二

廿四 戴眼

戴眼太陽經之絶證

瞳子為骨精

黑睛為勧精

白睛為脈精

上下目色土

內外赤眥火

白睛 金

烏睛 木

瞳人 水

氣

眼雖稟五氣三精之營而其要主惟太陽一
經之血気係束之故太陽之経絶則戴眼矣

直視上竄此絕之漸也

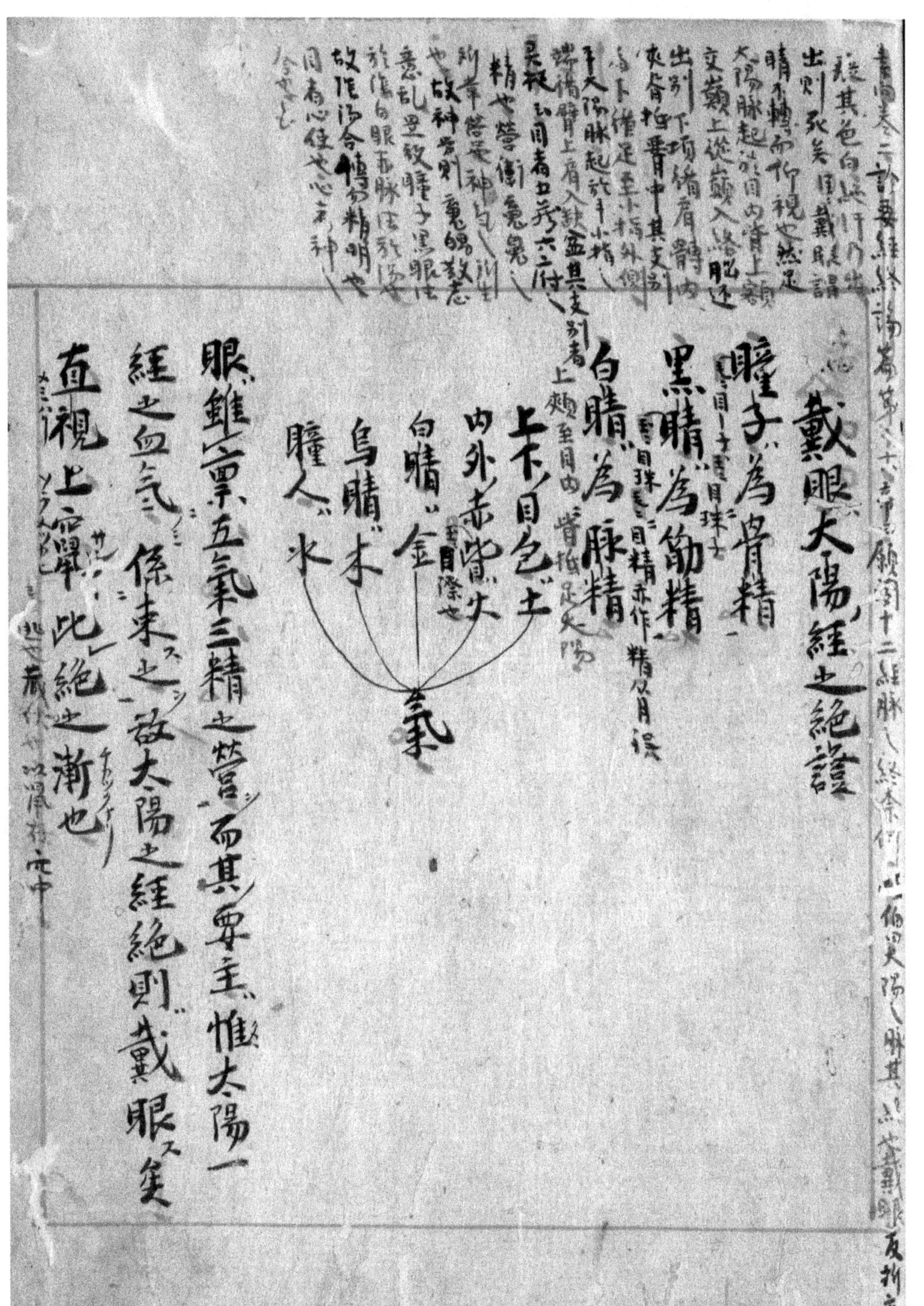

諸臓之榮衛調和則上営於目故
明察矣病甚則邪氣壅盛
正气已絶故先直視而漸劇則
及戴眼其死無疑者也

于時元亀第二辛未年九月吉日

日東洛下　雖知苦斎　盍静子　道三

廿五　摩訶覺

脉治之大悟

一　虚實ノ辨理

所有為實　所不有為虚

有力為実　無力為虚

一　太過不及ノ至辨

患人其證太過而脉亦數疾則浮指沈指詳審尋之

所有為實為邪住之所

所不有為虚為無邪之所

患人其證不足而脉亦遅緩則挙々按之

詳審浮之

所有為乎為未耗之所

所不有為虛為衰敗之所

一浮沈辨治

太過而浮則瀉表

太過而沈則瀉裏

不及而浮則補裏

不及而沈則補表

右三箇之辨例看誠診候之奥儀洋明之則雖不察七表八裏九道之煩而蹟雜之虛實寒熱知邪由淺深矣然無

六十四

有之表裏補瀉之差誤也切々戒之毋倦慎
寫之々

于時元亀第二辛未年九月下澣

日東洛畔　雖知苦戸　曲直瀬　道三

廿六
補瀉之配劑　大悟之扁

補瀉之配劑

瀉表之劑：微 陳皮 羌活；中 獨活 葛根；甚 麻黄 紫蘇

補表之劑：輕 芍藥 人参；重 黄芪 肉桂

瀉上之劑：氣 芍藥 芸蔔；血 芷 芍藥 細辛

補上之劑：氣 當 沈；血 桂 芎 首

瀉中之劑：微 蒼术 陳皮；中 芍藥 青 芩；甚 朴 膏

補中之劑：微 术 参 草；中 縮 蔘 生姜 棗；甚 姜 参 术 附；甘

瀉下之劑
- 氣　檳　奴　文
- 血　章　虎　芫

補下之劑
- 氣　兔　蘋　蓮　巴戟　蛇床
- 血　熟地　茯　五加　遠　枸子　桂

瀉裏之劑
- 微　奴　檳
- 中　連　芩
- 甚　虎　章　朴

補裏之劑
- 微　朮　參　姜　少　益　蓮　鼠　甘
- 甚　蔻　訶　姜　多　石脂　罌

瀉尿之劑
- 輕　通　苓　梔　車　梧　目
- 重　知　豬　只　瞿　燈　滑

止尿之劑
- 微　葦　茯　蓮　遠
- 甚　益　龍　参

不辨察表裏虛实三焦通塞氣血盛衰而宜施補瀉之各劑猶審病證標本而用輕重緩急之異味則須獲十全之功効矣

于時元亀第二辛未歳九月下澣

日東平安城 雖知苦斎 道三

六十六

廿七 察脈胃気

三折一華
月湖可秘也

胃気之口訣

平旦候脉之時察気口虚実而後食後診之気口之
脉少勝於食前則知其人有胃気若与食前其之
脉同則知無胃気不覇於寸口矣　畏紙アリ

〇定藏大胃絕之說

春六脈弦而按之則絕

夏六脈洪而按之則絕

秋六脈浮而按之則絕

冬六脈沈而舉之則絕

右胃中之穀氣絕敗而不營於五臟六腑者也

于時天文第七戊戌年重陽日記之

所以使師翁口傳敢不失隊耳

日東洛下　雖知苦广　道三

七八　男婦胃氣弁診

格致朱氏所着也是即李氏之奥
旨矣

男女胃氣辨診

男以氣成胎故氣為之主若男子久
病氣口充於人迎者有胃氣也病雖重
可治反此者逆
女以血成胎故血為之主若女子久病人迎
充於氣口者有胃気也病雖重可治反此
者逆

右是以充足為頼者也蔵之肝肺

六十七

敢莫泄之尚有口傳耳猶可受師說也

元亀二辛未年九月廿二日　道三

廿九　深察胃絶　兩辨

深察胃絶兩辨

脉經曰寸口脉微則衛濇則榮氣不足

久病之人諸虚證具而陽氣損耗而自汗

盗汗出其脉沈細而舉指則全絶矣即以

茯ニ參ニ甘温之類補氣虚閉腠理而舉指

候脉覺微動則知胃氣將復也如舉指脉絶

如先則須知胃氣既絶了矣
久病之人諸虚證具而陽氣脱絶也或尿
数或夢遺或大便自利其脉微弱按之則
全絶矣即以白朮蓮肉収補之類補胃氣
鎖下元而按候脉覚微動則知胃氣
将復也如重手脉絶同先則當知胃氣
既絶了矣

六十八

于旹元亀第二辛未年九月下澣

日東洛下 雖知苦斎 盍静翁 道三

二十 悪脉之爲案 彦脩所傳

悪脉之爲案

丹溪心法拾遺部曰

凡看脉始得悪脉當覆手取

如與正取同乃元氣絶

必難治矣

如與正取不同者乃陰

陽錯縱未必死

元龜二辛未年九月下澣

洛下雖知苦乂 盍静翁 曲直瀨道三

六十九

旧請求記号
賣 6-57

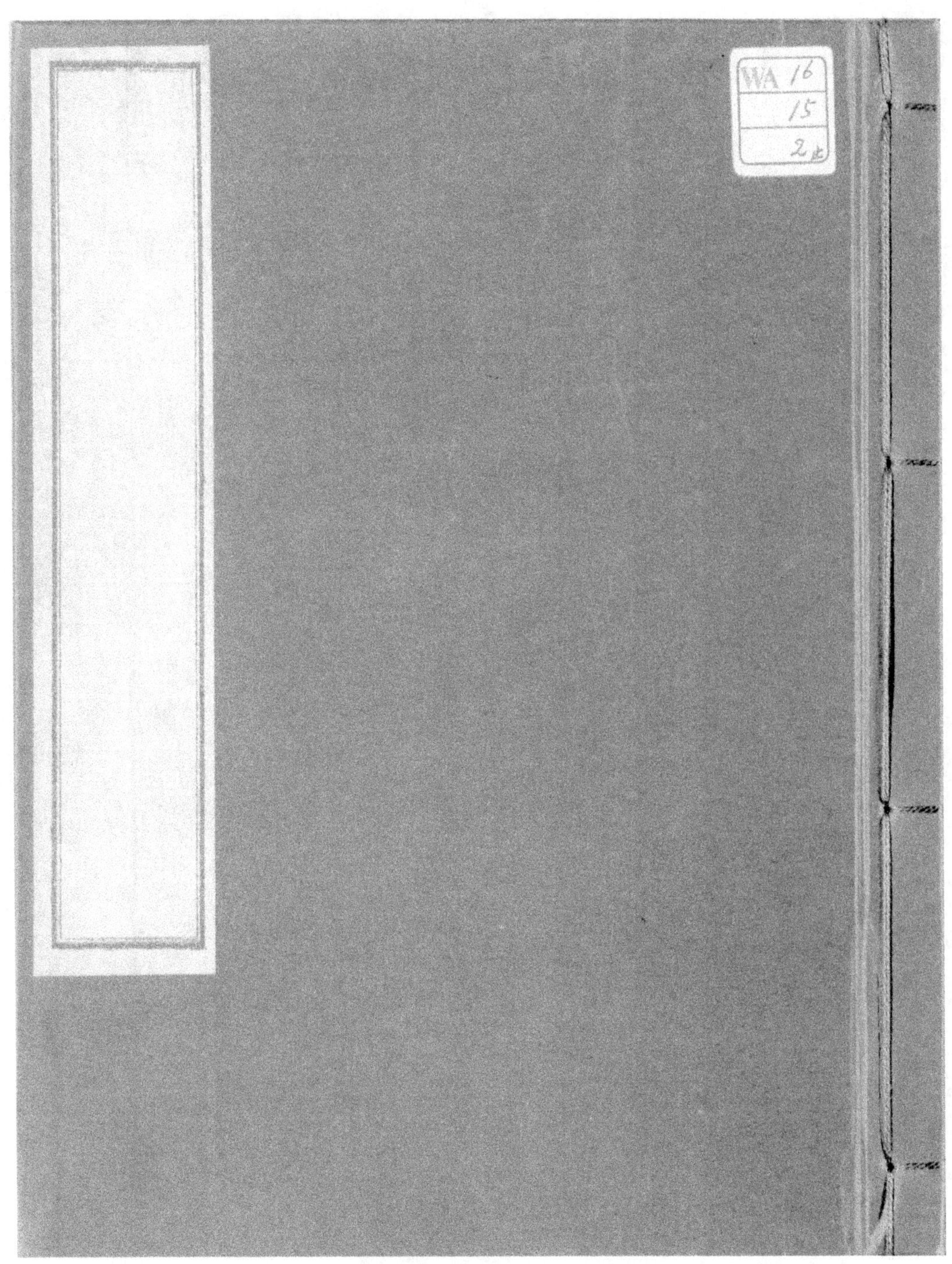
WA 16
15
2

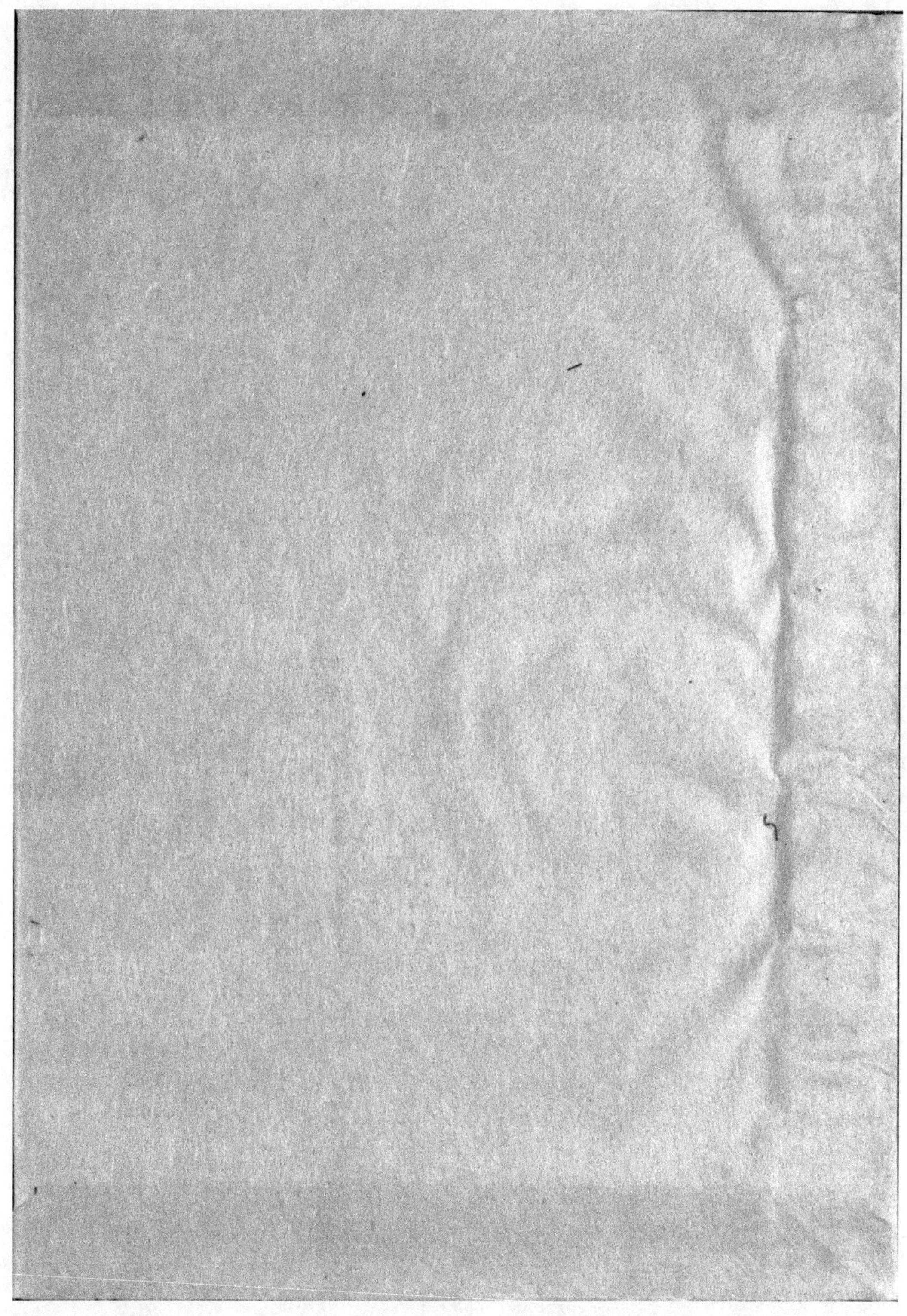

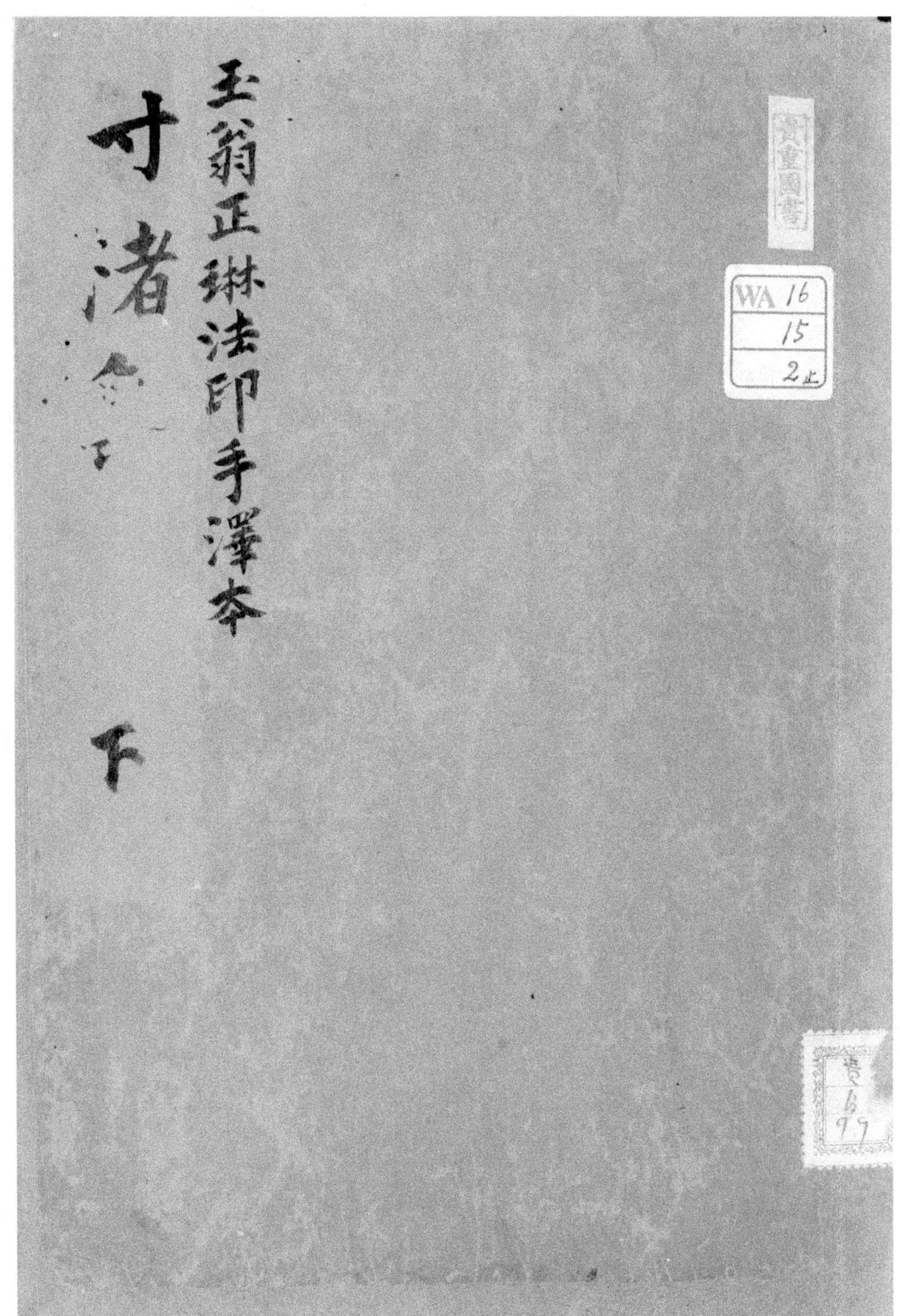
寸渚
玉翁正琳法印手澤本
下
貴重圖書
WA 16
15
2止

9. 3. 8

○蝶枇ド不失ートハ僧
生ル死ニラ処現スルハ分ノ
ノ長短ヲ吟トニ八ヒワ
ケレトモ是ハ世ニ生シ無
僧ノ本桐ハ不失トス文コリ
ミルニ我ノ本ハ父ガ
心好ム南ノ花東ノ葉ヲ味
ハウシトテ
心好之自是荘寄ノスクノ名
南花仙也。云セ二句
ニ野ー蝶人ト云ハ乍者
マー三ヨ山蝶一父ス不佳ハ
ソ父ニ似ニ而公用又蝶ノ
梅ソ見又我シンシトモ
トモカナシニモセ
○晋張翰ハ同至周王辟
張翰為入司馬東曹掾
因秋風起思呉中菰
菜蓴羹鱸魚膾
曰人生貴適意何能十セト
羈宦数千里西安名爵
乎遂命駕而帰俄
而冏敗人謂見機云
○星ーノ又説ニ一二ノ句
老者ノ心ヲ中ノ
シ思人ニサル同我
居シ秋ニ心扁舟ノ心
全不為見と云ヒ返
ノコリ二ハ也又人ニ
ー一盧ト讀ミ其時
心ハ烏帽ノ宦位ソハ
ハシくせ老ハ分ナレ
ト也

吐涎浮水上●宮ー夕ハ女失寵ヨリテ花ノ時分ハ人ガメケトモ五ヲバ打ツ…ノ二ノ句ハ寵ヲ失シ女ト
女トモニハ三人立タリ黄昏ハ時ナレトモ有意日暮ノ八時分女ノ哀ルセミ夕ヲテ恨ノ
情ノ人ニ語延中ノ得意ノ人ヲ支シテシトスルトモツテ听ノカハルホトニ不語ヲクテナトハ鸚鵡
テ子ヲシスル物也●夜ー此ノハ在前枇ド不知○梅ノ氷雪ハ傷寒ニ痩テ參テ群ナ
故ニ三四ノ句ニテ此梅ノ実ヲ支シテ何ト作シトスレトモ吟不得故ニ夢ニ孤山ノ思也
○蝶翅臣様也野性蝶性又三四ノ句ハ此蝶ハ春コトニ我天ヨリ受ハ命ヲウスナリ恰ナ女ト云ニ不近梅
花程ニ余ノ花ニ不近トモ梅ニ父ニチカツカハ簡要ナル（キカサニナキホトニ枇ニ僧家野宴ト荘子ガ泣同
シカルハ僧ノ詩ナレハナリ俗ナラハ不可用口又枇ニ不失本桐花ノ自己一心ニ致テ此一心ニ到シトスル時
ハ一身ノ本相不失若此詩ノ此ヤウニ比ニ入テ不見時ハ俗人ノ詩ニナリテ僧ノ詩トハ不見○蓮
命トハ蝶ハ寒ニシテ梅ニ近ツクコトナキ程ニセ○不失本桐シトハ作者ノ我オリ梅ニ比ス蝶ソ
ル人ニ比スルナリ故ニ僧ノ不失本桐也●前漢許皇后云奈何妾傳命書子達系府○
ー為扇●此ニー心月一日十ハ先君ハ朝ノ覚ツコトリ月出タチレトモ秋夕酌也先ヲ学有意二ノ句
ー此ヤウニ梲ノイ支ハスレトモ一年ツヽ重レハ鬢ノ霜也故ニ三四ノ句テ我トハ往ソツト咲ク
テ此座テ屠蘇ノ酒老者カシツノ呑方ナレハ我ソノ人ノ后呑シスランハ思フナリ故先老者失生發後
廣ノ句ニ酒名元日飲之可除瘟氣奇諸陽秋云或華動心少自幼飲何也曰少者先故
此時記云昔有人居草庵每除夕遣里閭薬一貼嚢浸井元日取水置酒樽名ニ酒令家飲之不病瘟疫
又云ー屠思邈庵名之●秋ー上ノ句ハ即景二句ハ此無為ニテ行ヤ三四ノ句ニテ行張翰心様
ニハアラス山川ノ愛シテ詩ヲ作シ為也○思ノ字ハ又ハ元ニ憂ノ心ヲ南方ニアル虫也人ノ損至
也○晋顧愷之為殷仲湛參軍在荊門因請假還未仲湛時以布帆借之至破家
湯遭木汽敗作与仲湛箋曰行人安穏布帆无恙句會帆安荊記曰都四沂江六十里
南岸有山名荊山北岸有山名虎牙二山相對楚之西塞●星ー上句ハ朝廷ニテ黄ハ屡落
テ服モ不當ノ惜ノ歳ニ入タムトモ二ノ句ノ新心ハ春ー在故扁舟兼メ宿ルハ
名園シトツシサスナテカクル也四十年ト八宝山谷四十四也故一生涯ノ意名ト云心世前秋下荊州
ノ詩枇ド一軍ニ懸ト八郡ノ中ニ二ノアソカアリ軍ハ郡ノ守ノ心モム年譜日此詩意ニ

ロ徐凝詠云虚空
落泉千丈直雷奔入
江暫不息万古長
如白練飛一條界
破青山色

眼波ハ目ニ濃ノ字名
ノ云此テハ酒ソ春
テ眼ノクルクルトマル
ソ云々
ロ龜誌ニ長モ也
又挙ヒ又錯離

華老得皈梅ニ実録元祐三年九月御史中兼孫覚提挙醴泉観本傳云公病堅請外老峯監
此ハ呉仙観ノ詩九月以后所作今寄此詩元祐三年山谷四十四歳杜云晴看兵甲前座表白
湖白髪前リ（序云海山此リハ序ヲ面）徐凝ガ詩ハ大抄ニアリ（西子湖トモ云湖ヲ名付也）山日照香炉生紫烟遥看瀑布掛長川
飛流直下三千尺疑是銀河落九天●湖ノ辺ニ二ノ句ハ即景也三四ノ句テ芭蕉ハ縦ソ巻ヲカ
ヤウナルトモ吾短愁ソ合メ他人ニ寄スル支ハ十丈トリ人モ短愁モ皆作者也●憶ノ此ハ昔南方注
刀ニ流ルル時ノ支今吕皈シテ江ニ思出メ作ル程ニ滋憶ニ字ソカワリタリ三ノ句東方ナ昔ニ酒呑
撰ノ今荷ハ抄ニアリ是ハ荷ニ似ル会蚕也恨羅ノ輕クヤウナルニテハ三タホトニシテタカサナトニ云也三四ノ
句テ酒ソ春テ酒ソコホレテ衣ソンルソスモ不愁ナセトニ云ニ面白キ美人ノ風流カナシ在テ恨アカリ
テ面白キ程ニ眼波ハ眼ナリ旧句府皈ハ清キ心也抵トエ徴トハヨク作ルメト云也又徴トハキニ己
ナル心也又ハカタキ心也畢竟エニヨク作リタト也山魏鄭裁公ニ三伏際避暑取大荷葉盛酒以簪
刺葉今与莖通屈莖吸之文選詩月流滞而橋波恐悲也句府眼如波之注眼如清波云
是也山谷篇ノ此詩ハ李公ハ美人舟ニ掉ノ氷ニ衣ノウルソンタル李公怒程ニ裴ノ数訓メ此言ヲトス
ノ句ハ美人ヲ思ヒ二ノ句ハ舟中ナル翠ハ翡翠ノ倦羽ノ玉劒浮宣トシテアリ也三四ノ句ハ数訓ス
水ノ衣ソヌラスソハナニトモ思食ソナセトニ云ニ昔ノ巫山ノ神女ノ雨ナヌラストモ管シテ侍ノ夜アル
也公子仁曰感通末淮南李公擇江舟子刺舟語テ為竹篙濺水湿近侍奴衣李公為
之変色裴度餘皈侍幕府坐飲獻一絶云半額ノ皈玉眉云広韻集句累蓋与昏不
同此詩為韻矣●九日ノ句ハ吾東名ルハ秋方木紅ナル言不似也此年ヨル程ニ二ノ句テ吾ソハ
カ弁ラノカル（キト云孟軻ヲ吾比タリ三四ノ句テ吾鳥巾ニテカタメノ詔ソツムナセトニ云ニ若凡
ニ帽ソ吹落サセタラハ菊カ我白髪ソ可笑程ニト云ハ杜詩ト同シ一轉語也昔孟軻ハ背
タリ是又作者ノ一轉語也此ト孟嘉トハ落帽ニヨリテ名ソ発タリ故云矢ヨリ帽ソ落メ孟軻
名ソ摩クスル也孟嘉為桓温参軍九日温宴竜山風吹嘉帽落不覚温使左右勿
言嘉良久如廁温令取還之命孫盛作文嘲之嘉著字万年江夏人晋永年中為桓温
参軍云●訪ノ一ノ句ハ二人行時ノ即景二ノ句ハ二人吟ノ上方ニ到也上方ハ僧ノ庵也
三四ノ句ハ一説ハ此僧ノ弟子ナトモ坊ニメアルヤラン茶ソワカシテ呑テ遊ルナセトニ云此様ノ異説ハ僧ノ一
生涯ヲアリシト世間ノ人ハ此僧ソ罵ランホトニ不審シテ茶ソ呑テ休タリ又ハ此僧ノ一アルホトニ

寄ノ四ノ句テ暖ニ
春ノ回ノ世ハ陳将
八ト云詞モ有シト
ヨム此ハ草カ自
云ヤ

山護ト南峯山時
ソノ宰相一ノ句ハ我
戯シテ云ヘ二ノ句ハ我サヨ
位ノ高シ云ヘ三ノ句ニ降
ハ我世ヲノ危殆シ
ホヽ四ノ句ハ金乞尺
ツル我漫然ハ作者ガ
ケヲ云其鏡ヲ
同宰ナルカ
宰相ニシテ作故
愁漫ナク

苦ニ茶飯底ノ法門一商量ノ延ル故泡ハ坡カ仏ニハ酒帯シ忙クモ此ハ心ニハナレトモ人ハ心
僧モ此説ハ批ト合ノ好ム批ト断ハ東坡ニ詩シ作ト云モ西斉一ニノ句ハ世間ノ人ノ情ハ
ヨリシ険ニ又百尺竿頭ニ進歩ヨリ危シ故三四ノ句テ吾只隠居ノ春ノ読テ人間ツ忘タヌトノ事
ナレト云又口行ー此ト云句ハ色ヘ此吾別テ行色ハ水又秋ノ色ヨリモスサニシキヲニノ句ハ行ヘ送
路ヘ行ヘ人ハ又海ノアル辺ニ出タリ三四ノ句テ吾ニ一筆アリ若此色ツ画ニハシテ画スラハ一生
此画ニ対可慰カサトモ此色ツハイカナル名人モ画ヱシ是カ筆也送別行色ト云一句ハ眼ノ秋ノ
比モ是カ尽ルヘシ口画ー此画ハ山ト水トハ在テ人ナシ故一ノ句テ此山人无ハ昔ニ出ケテモノ
又ニノ句テ此水ニ人ナキハ水ニ随テ遊テ未回ケナト疑モ故ニ三ノ句テ我カ自己一心ハ
山水ニナル在所アリナントニ此山水ハ蘭亭会稽ノ程ニ四ノ句テ一樽ノ酒ツテ聊テ此
対テ自己ツ明テ怺タリ口宿月中ニ山水アル心ヲ云一ノ句ハ山人見上注俗駕移文
或ハ進ヲ柯以折輪ノ俄殺シ布掃跡ツ請ノ廻メ俗士ノ駕ヲ為君謝シ連客ニ云口紅一ニノ句
誰カ此酔ル梅ツ本末白ヲノ様ナル梅ニハ生ナルヲ梅ハ白コソ本テアルモノゝ故ニ四ノ句テ
泡ハ元来ナリ此紅梅月夜ノ影ハ紅白ノ別无程ニ月夜ニハ昔心香骨台様同ツ見ル面白
七批ト善於回護トハ此紅梅ツ見テ本色白ツホルカエリテアル之口降ートハ真仏出
ニ三ノ句ニ降ル心ヲ一ノ句ハ此万里ノ間ノニコトニ雄ナル物セナシト云ニ二ノ句テ此山ハ白ノ見ユル近シニテ
何モ見ル程ニ故ニ三四ノ句テ此山頂上ニ登テ人間ツ見レハ只ル波底ニミエタリサ人間ノ
我クソレサルハコヽニ鐵柱山ト云山アリ是カ地軸トナリテ人カクツレテ批ト扶顛トコム口
顔ートハ昔顔回カ居氏ノ斉君トシタリ一ノ句ハ即景ヲ二ノ句ハ境地也三四ノ句ニ人カ他
人ニクミスル事ヲ定テ可笑也吾ツハ郭子カコトクニ一瓢ノ氷アル程ニ方像モ勝タリ
南峯カ下心ハ我カアル程ニ天下ツ可救ノ心ヤ口憶ートハ楊妃ハ美人多也故憶ヤ
三ノ句ハ楊妃ノ美人ノ体也二婦女非楊妃ニロハ美人多クアルシヨツテ云モ蕭娘桃葉ハ美人ノ
瞼下並モ雑勝漫美人ノ眼ハウルハシトシテナミタリ易得難求ハ美人体ヤ物思深
此様ナル美人アル程ニ三四ノ句テ天下明月ノ面白ハ天下ツ三分ニシテ二分ハ楊妃カ在ト云ハ云ヘ

□春ー批ト閑南貨人多ニヨリ手云也ナンソト云ニ春月ケレトモ京ハ別ニ面白ト云心也无頼ト云アリ[illegible]
書怨字香為字又
香ノ所ニ怨ノ字ニ截テ嬉ヒテ一ト云ハツヨリノ思心也亦一説ハ天下明ノ夜スコシノ三分ニシテ二分ハ楊州ニ[illegible]
ヲ宮中静ニサ豊トハ雍哉ハ楊州ニ有聖ナンソト云ニ美人多ホトニム漢高祖記大也常以酒無頼[illegible]江淮之間
啼鳥ハ動キ止テ静ハ浅小児多ク許狡獪為無頼也□西ー一ノ句ハ即景二ノ句ハ遊山ノ即景三四ノ句テ吾衣ヲ促楊
之花影ーハ動之春又七ハナニヤラウクルシミクヤシク也程ニナニソト思タルハ无頼ノ春風タニモ吾ニ詩興ヲ促ル
登長辞ヘ花ヲ吹吾衣ニ吹ツクル吏面白サ多ム西ーハナリ星也是杭州ニ也□有ーノ句ハ初ハ秋ニ景物
□秋ー批ト寒字ト得
老タリハ僧ハ陽患体スコキ時分也故ニ二ノ句テ客中ニテハアリ郷ヲ思断腸スルナリ是程ニ物スコキ処ニ亦一
説云日暮碧雲合美人殊未来笛ヲ吹テ促ハソモナニ物ソヤト聞時分ニ鴈カ秋雲ヲ帯テ故郷ヘ行ヲ見テ客中ニ感
ト云リ意趣高ク脱洒ハ可知ム游仙屈注世説曰桓温入蜀三峡中部伍中有得猿子者母猿縁岸哀
出不宗ラ外者言號行百余里不去遂跡来上船便絶破テ見腸中皆寸々断公聞之怒命点寸斷
筆乙若入禅心云ニ不厭屈点也此抄ニ字ナ其ハ本々ニ書多ク字不審也□月ー万里関山ト云テ笛ヲコメ桂影ヲ
禅ト案ヲ為也
□秋ー入客心ト一説ハ客ト云テ月ヲコメタリ字ナ面ニ万里関山桂景ノ秋ノ時分ニ何人カ笛吹ハト云也倚高楼
途ニアル物コソ笛ナレトリ心也ム趙嘏楼句長笛一声人倚楼ト云此句ヲ趙倚楼トヨハレタニナリ三四ノ句モ一声ハ笛
サテ一尺カンシ面白シ思ノ心也ム[illegible]廣寒ハ月也上頭ハ月也言ハ此ヲ夜吹ハ知音ハ只月ナリト云テ月笛ヲ作タリ批ト有可過ト
所ヨリ道ニ入ル也故禅[illegible]朝廷辺ノ美人ヲ思フ心含タリ此詩寒殿宮中ニナス□春ー一二ノ句即景ニ春ノ
心ナルハ明処ナシ故ニ八作者ノ心朝廷辺ノ美人ヲ思フ心也□秋ー一二ノ句ハ即景ニハ日也三四ノ句モ即景
ロニ一全説ハ一二ハ起縦時分也三四ノ句モ字面春昼ノ心也ト禅ト八此笛不入禅トハ尋常ナラハ禅心知音ト云ヘキヲ禅上
カトハ[illegible]カミマ舟ツ見ハ随ケ批ーニ脱出禅宗ニハ小トハ此笛不入禅トハ尋常ナラハ禅心知音ト云ヘキヲ禅上
ラセ[illegible]メハコニ舟ハ仏祖モ不知故ニ笛一声何ソ人ランスト云ソホメタリ□西ー一二ノ句ハ即景也望湖楼ノ
ー舘ノ夕[illegible]
ノツイーメテナモノ
名也三四ノ句モ即景也批ト東坡ノ全句トハ前ニ天浮水ニ浮天ト云心也ム唐詩ニ杳ニ漠舟破
濵烟何意也□晩ー一ノ句ハ趙嘏元花泥辺テ舟ニ来ト八他国人ナレハ人モコトニ人ニスサニシ此
甲イ達寺ノ鐘一声キコヘタリ三四ノ句テ此鐘天外ニ聞ユルハ鐘一声江ツ渡テ半山ヘ寄ツ破テ客船ニ聞
糸ム花傳ニ國ニ別テ文人部ナリト云ヘリ多ム山家也□西ー一ノ句ハ即景ナントテ失西也ト云之道
理カニノ句テ処ニ同程ニ三四ノ句ハ晩景ノ辺ニ一木ト一叢蘆一声ス時分ハ浦ニ[illegible]帆影
尽ト八舟ツ留メリト云心也四ノ句ハ即景也ロハノ家ヨリ炊也乱ーハタツ直ツタニモ起
景也
又ハ有故人心也

口金陵ニ言ハ柳ノ月ゲシシノユス沢ヤ人ツヤノ心ナリ口天一二ノ句ハ即景ニ一ハ満川ハ満地ノ路フトハ水ヤウシ

深窓ノ柳ハミグタリ白ミト見ヘ[illegible]三ツノ句ハ即景写シ忍ナリ口金陵一二ノ句金ト一ノ[illegible]

ハシヤウニ人ハ月能知ロハ待柳ハ朝廷モ人家モ同柳ナレトモ朝廷ノ柳ハ一倍春色モ面白ク見ヘ[illegible]

ナレトモ用ユルハ人ニカ同モ赤ハ共富貴貧賤ハ時ヲトル事ハ此柳ニ同迷人モ多ク不知強テ富貴ナランコトヲ思ヒ[illegible]

ノ[illegible]不遇ナレハ人ニテアルモノゾト云ナリ口寒一一三ノ句ハ即景初ハ今ニテハ火モナカリシカ客来レバ火ヲ

ナニトシ[illegible]黒ヲ合紅レ三四ノ句ハ月ハ何モ面白ケレトモ梅ニ并テ見レハ亦別ニ面白シ是ソモテナシニタリ口梅

[illegible]一三ノ句ハ梅ツボミテ花ヲ盛ニ立タル処ナリ朧ト朧ノ朧アシヨリ出タル瓶ナリ三四ノ句ハ月

月梅花月ハ何モ面白キカ今ハ詩人ツ加ヘテ亦別ニ面白シト云此前ノ杜ハ山カ詠心

口又朧一トハキモノナリニ似タル瓶ナリ故ニ一トスモ口泰一此一ハ昔日ノ宮

ツヌスミタリ批シニ一トハ五十年ノ栄ツナシテ覚テ見タレバスコシノ間也故ニ一句テ

口耶一此村ツ透昼ト盧生トカ耶鄲ノ故事ニ本ツクナリ故ニ作者此村ニ昼眠ツ半覚ル時ナニハ歎モ熟

飯ツトト人ナントテクト盧生トカ耶鄲ノ故事ニ本ツクナリ故ニ作者此村ニ昼眠ツ半覚ル時ナニハ

旅ニタヒニ眠ナリ未眠時ニ美ヲ羹モ香シ此一夢ノ間花公羽村五十年ノ栄ツナシテ覚テ見タレバ

カモシテ夢ニ見ル故ニ一ノ残ノ字ハ覚ル心ヒ故此三ノ句ツ以テ得法シタリ今吾カ夢ハ昔ノ盧生

故ニ夢ニ見テ昔一ノ句ノ残ノ字ハ覚ル心ヒ故此三ノ句ツ以テ得法シタリ今吾カ夢ハ昔ノ盧生

ツ罵ルニスリカ夢ハ見ヘケリ此夢ノ中ニハ不知ヲ覚タル時ニ初テ知リタリト云テ下心ハ天下ノ人ハ

夢中ニ生カルシテ死ル時ニ初テ夢ト驚キ亦富貴ノ人モ夢ナルシテ知テ貪ニセテ初テ

夢ナトミルハ迷タル人ハナニトホ覚ス中ニイツノイテ夢ヒトハ不似侭ツト云ヒ従ノ字ハ

有意言ハ覚テ後ニ夢ト覚スル天下ニ夢ハナキツト云ヒ批ト当家ノ語ト古

ノ呂公翁カ故事ト云ヒ口耶ハ趙ノ都ヒ此ヨリ出ル枕ナリ口謝一此一ハ人ノ牡丹ツ

恵ツ謝スル心ヒ一ノ句ハ手ツカラ苔ノ中ニ在牡丹ツ二色ハカリ一ホリテ送タニハンツ

二句ハ此花ヲ山家ニテ見レハ花モ白吾心モイサキヨシ故ニ寒ト云テ清心ナリ紅紫

ノ句ハ此花ツ送ル人ツ教訓スルヤウナリ貴方ノ白牡丹ハカリツ愛スルハ非ス紅

紫ホシ嗜ナカレ一様ニ愛スヘシト云ハ批ト人論ハ当テシ包ミ荒ツ不ル可捨イ常テシ

善ト新ツト云ヒ貧賤ヲ嫌シハ不可忘セム易奏子丸ニ用心恩河不避貴賤

贈山人呂太平隱覽(?)
祖父ニ墓アリ大墓(?)
吉岡山ト云伝(?)茂連滿トニ
廣人茲ハ平地ニ云々釜屋トハ
初ニ山形地理皆有ナ矣
ヨリ形象也天ニ作リタル
今ハ在廉貞ヲ知ル
貪狼ハ吉善吉也相
家ニ令ニ知セ早ク在
墓地ヘシ

秋

休健居中而用心秦能包含萬象受納渇愚河者也用心及大無避遁棄故曰不避遺也
○贈卜猿楼秋鑑ノ二字審也然トモ秋ハイサキヨシ鑑モ物ヲ照ス禅ニ此相士ノモノヲコヲ
テラスヲコリテ云カ一ノ句ハ秋ノ字ヲ折テツクル故ニ此相士ノモノヲ三年相スルハ秋水ノ如ク思テ
之テ物ヲ照ス擬シ臆ハ眼ニ二ノ句ハ鑑ヲ作ル故此相士ノモノ相ハ人ノ面ノ善悪ノ別ナル
擬人ノ心モ別ナルヲ尤尽ニヨクノ其ハハノ心ヲ[illegible]ノ三ニ相スル也三四ノ句ハ前ノ二三ノ句ノヤウニ変ノ
シハ安ヲノ可相ス此ハ大変ノコトカ有ラン心得アルヘシ舜ト羽トハ重瞳ハ同ケレトモ其ハ人ノ別
ナホトニヨク学ススハ未セリシノメサルレトモ是ハ大変也枇ト有トハ如其ハ面ニ物ヲカミシ处ハ如此
亦其山爲人ト則チ不同山傳ニ襄三十年子産曰人心不同也如其ハ面焉吾吾當爲[illegible]
孫子面ノ如ト吾面耳ヤ山史記韓生異ヲハノ諸淵也耕於歷山漁雷沢陶河
濱時年二十以孝聞三十堯以二女妻五十攝政タリ天子五十ハシテ堯崩ス六
十一ノ代テ堯践帝位シ天子九十年云○昏ト一句ハ自由三昧ノ体也従ニ寓意
外也二ノ句ハ山簾ノ体也明ノ字ハ上ノ句ヨリ分タリ三四ノ句テ吾ハヤ万変ニ保年
諸縁ヲ忘メ心ヲ杉ト心変ヲ同スト云テ上従ノ字ヨリ分タリ自由三昧ノ体也子
廣人ニ平地ニ云々釜屋トハ冷屋ノ心也枇トニ慈清トハ故字ト同ホヤホツスル处ヨリ心ト山漢ニ居身
許彦周詩話曰退之顯師弾琴ノ詩ニ云浮雲柳絮無根蒂天地闊遠
隨飛揚此泛意也謂輕非緑重非本ニ喧啾百鳥群忽見孤鳳凰此泛意中
○贈一山ハ在山人ト二人ト先祖ノ墓在処ニ登テ墓地ヲ択ノ也故ニ一ノ句ハ山蒼
ル体也二ノ句ハ先祖墓地ノ体也三四ノ句ハ在山人ニカヘテ墓地ヲヨクミテ見テ[illegible]
貪狼星當ル処ハ四ツノ廉貞ノ生ニ當処ハ吉キナリハヨクミテ見テ云々二ノ句ニ松
楸ミヤリキリナリ○西一ノ句ハ遠ク見ル雨ニノ句ハ近来ル雨三四ノ句ハ孤客ナレハ
夜不眠ナセト云ニ納ム芭蕉ノ折ホトニ主人ノ耳ニハ面白カルマテ我ハ孤ニ不忘[illegible]
退迹ハ遠キ心也○梅ノ一句ハ脱氣ハ吹笛ナルニ梅而開サ時ナル楳寒ノ寂[illegible]

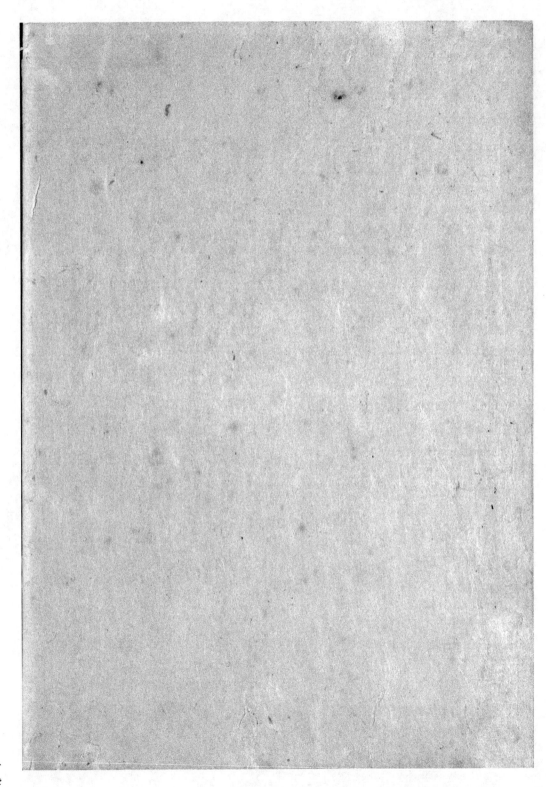

三十一男女命脈生死診訣　丹溪秘傳

察男女之命脈

丹溪朱震亨彥脩著

昔炎帝之拯民疾也參天地
究人變嗟左手脈者先天之神也
天道右旋主生化則男子先生
右腎右屬陽爲三魂降精氣
亦以鎮丹田故男子命脈在
右尺
地道左旋主成物則女子先生
左腎左屬陰爲七魄降眞炁

黑ハ鎮ニ子宮ニ故ニ女子ノ命脈ハ在ニ
ル尺ニ

若シ男子ノ病右ノ尺部ノ命脈好ハ病雖
危不死

若女子ノ病左ノ尺部命脈好ハ病雖
危亦不死

男左女右者ハ地之定位也非天也
蓋人立形於地ニ故從地化ニ

故（男子ハ左脈強ク而右脈弱ニ
女子ハ則右脈強而左脈弱）

天ハ以陰ヲ為用故人之左耳目明ニ於
右ノ耳目ヨリ

地以陽為使故人之右手足强於左手足陰陽互交也非[illegible]

凡男子診脉必先伸左手女子診脉必先伸右手男子得陽氣多故左脉盛女子得陰氣多故右脉盛若反者病脉也

男子以左尺為精腑

女子以右尺為血海

此天地之神化也所以別男女决死生者也苟不知此則男女莫辨而生死矒然矣川圖於左

矒 莫公切 目暗

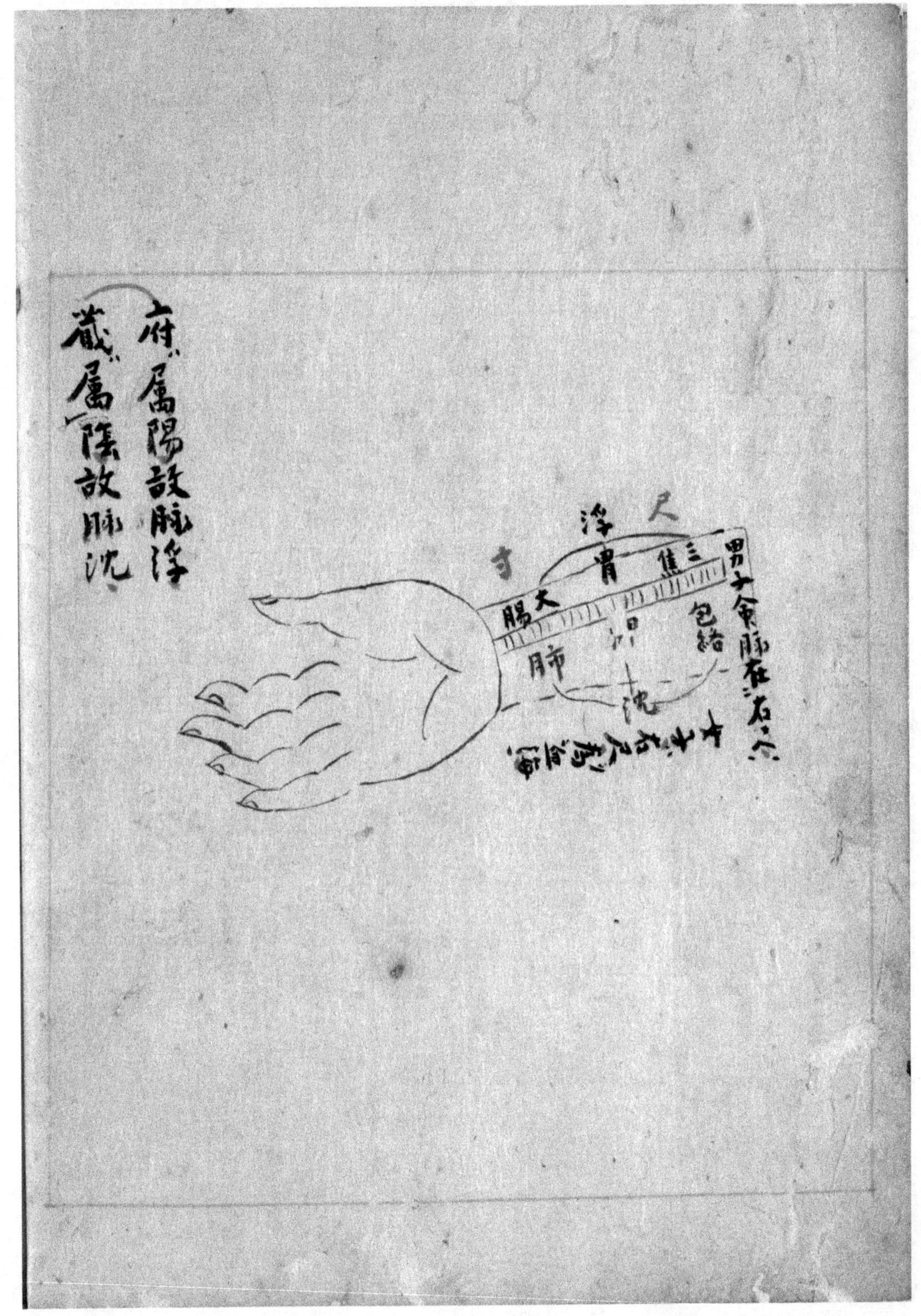
府ハ属陽故脉浮
藏ハ属陰故脉沈
尺
寸
浮
三焦
胃
大腸
包絡
肺
沈
男子命脉在右尺
女子右尺為血海

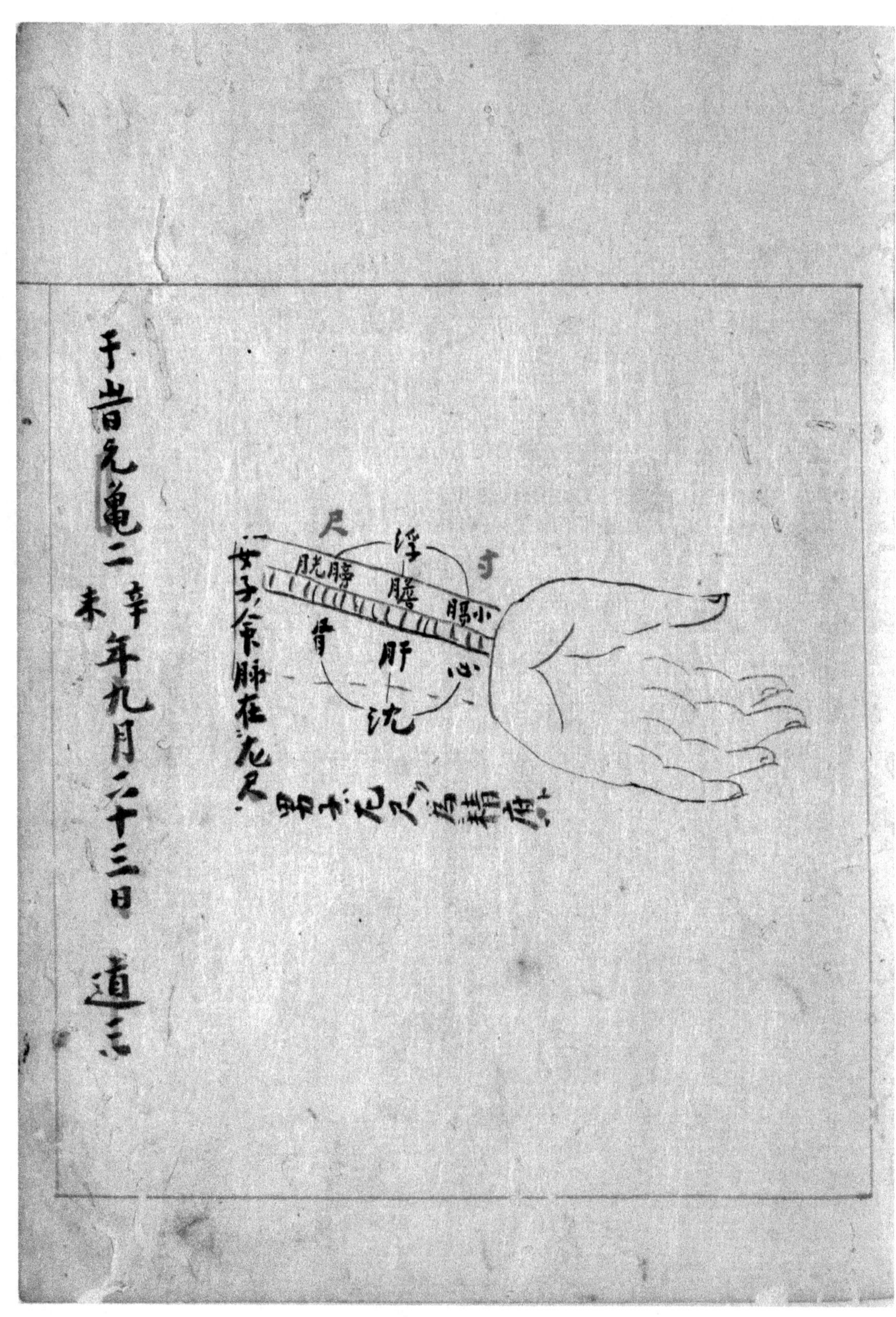
于旹元亀二
辛未
年九月二十三日　道三
尺
浮
寸
膀胱
膻
小腸
腎
肝
心
沈

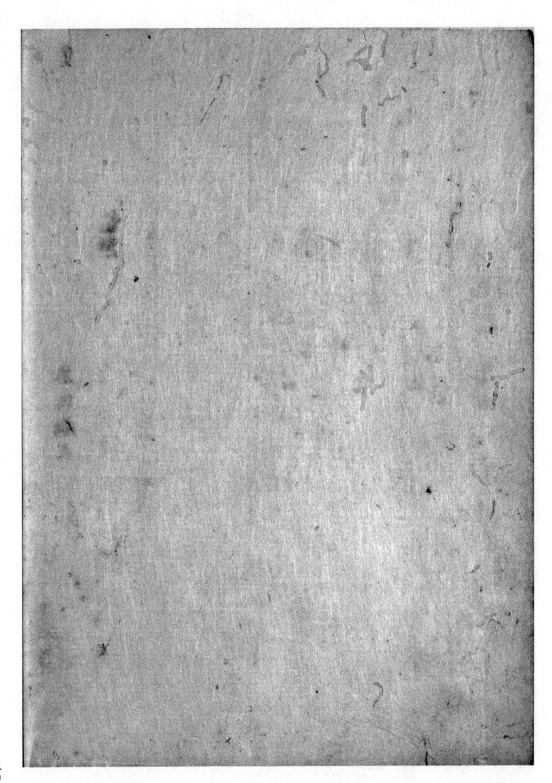

三十二　脉神　朱氏裕之

諸弁之粹万察之長　搖致

當與

審脉神之有無

脉既病當求其中ノ神之有無

如六數七極熱也脉中有

力即有神也當泄其熱

則神在焉

如三遲二敗寒也脉中有

力即有神也當去其寒

則神在焉

如寒熱之脈無力無神將何藥而泄熱去寒乎苟不知此而遽泄去之十亡八九故經曰血氣者人之神誠不可不察其有無矣

醫學正傳鬱證脈法曰氣血食積痰飲一有留滯於其間脈必因之而止節矣但當求其有神何害之有夫所謂有神者即經所謂有中氣也

右治療之明財全誠診察

之樞機也可信可行可秘可

慎者也

元亀第二辛未年九月二十三日

日東平安城下　雞知昔齐道玉

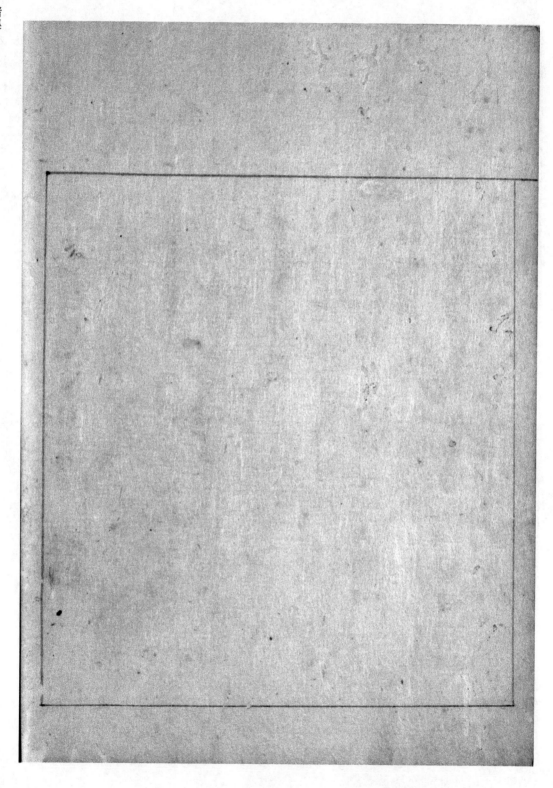

卅三　外感内傷生死弁解

診候外感内傷生死明解　絶證口訣　盍静述之

惠濟方傷寒部

以大 以緩 為 病進 邪退

十書ノ脉神

以有力為脉神

予謹以右ノ両説通解之而忽

得明辨ッ矣

蓋 外感 内傷 以 緩和ノ往来 指下ノ有力 為 正神 有神

永禄第六癸亥年閏十二月二日録之
久以右明解毎療辨之誠百發
百中之至術也授門弟有志
者而欲正脉神之偏察而已
元亀二辛未年九月下澣
曲直瀬道三

卅四
天

療覲通準

壽靜集之

療覲通準　雜著

一治勞升降

食傷　陽虛煩熱脉大而無力　補肺脾宜升氣

勞倦　曰氣虛陽氣下陷

勞心　陰虛煩熱脉數而無力　補心腎宜降氣

淫慾　曰血虛陰火上升

一療勞貴潤　心法

心　腎　主　精　血

精竭血燥則勞生

私曰治憔悴勞煩悪燥惆貴津潤當流妙傳世

一劇瘥ノ預知　　秘蔵

労病脉浮大手足煩熱（春夏ハ劇時耿邪ナリ／秋冬ハ瘥時勝邪ニ）

一患者ノ四難　　灵樞

病熱ノ脉静　　泄メ而脉大

脱血ノ脉実　　汗後脉躁

一臓病ノ生尅　　五行ノ小児

肺病ニ先観心ノ虚実ヲ　火尅金ノ有無

心氣和ハ更看ヨ脾脉ヲ　土生金ノ盛衰

一潮時ノ氣血　　同

（平旦／晡時）潮熱在行（陽／陰）之分浮（氣／血）中ニ土一火ツ

一冷熱ノ汗弁　　正傳

身（熱ツ無ハ／冷有ハ）汗氣之（有餘／不及）也

一寒熱不堪

氣血虛不能寒熱　血氣俱虛不能寒熱

一臟腑氣絕　醫林　傷寒白利

六腑五臟之氣絕　外手足寒　內利下不禁

一寒熱併間　十書

外感內傷惡寒　發熱併作　躁熱間作

一鼻口內外　玉機

鼻肺之候肺　口坤土也脾　氣通於　天外傷風寒鼻不利　口食傷勞役口不知五穀味

一脾弱困睡　脾胃

食入則困倦神昏睡者脾弱也

逢忻喜夭暄居溫食滋味見欲愛則

若無病胃氣假伸故也

一 深労明察

心法云労病由脫熱甚難治

醫林云
瘵疾骨痛骨痿音嗄肺槁面黧不治
骨蒸労熱肺虚数熱而肺焦小必須身
如汗加嗽非薬可除

一 困怠肥瘦
肥白
黒瘦
沈困怠惰
氣虚
熱也
心法 濕

一 補浮考時
醫林 児

凡五臟各
至本位即氣盛不可更補
到所尅位不可更浮

一 渴汗辛苦
宝鑑

雜證有無汗渴以辛涼苦甘

一水退調中 玉機

楮實子丸曰服至尿利脹消為度後服

中治調養

一用妝忌散 寶鑑

用黄芪芍藥欲收斂榮衛忌辛散熱物

一治疝四弁 玉機

疝證

經厥陰

脈弦急

內濕熱

外束於寒

一火痛濕腫 正傳

痛風（痛火 腫濕）因血虚受熱忌食獸魚麪

一肥湿瘦熱　心法

肥人肢節痛　風湿与痰　南星　半夏

瘦人肢節痛　血熱四物　加酒炒栢芩

一滑濇湿痰　同

肢節痛脉滑湿　蒼朮煎　枳椇木　在下防己

濇数瘀血　桃紅膝　鼈　大黄

一察痰并治　并疑

涎者脾胃之津液結為痰者病名世人皆有之貴乎順行則無倒上之理憂思傷食湿因氣化故多痰

并肺喘咳　迷心怔忡恍惚

迷肝眩暈脇脹痛　閉脾不喰多嘆

留胃呕浮寒熱　注骨脇不利眉痛

哈 五合切　五音　悪 魚口　合 又音　然

一入腸漉々有声

散／聚 則 有声／不利 皆痰所致也

治法 須氣為先氣順則津液流通
実脾為本脾実則収納痰飲
臨睡服痰薬則痰去　本山居四要

一腹窄肥瘦　心法

肥／瘦 人腹中窄狭 湿痰燥飲木 行気香附子／熱気薫蒸連木

一冷熱痼并　玉機

陽／陰 痼易／難 治 先身熱発／冷不 制呼脈浮／沈

一内托数意　正傳

癰疽
助気壯胃固本
引經治血為佐
差經絡時令使毒氣外散
治早可以内消
皆内

托々意也

一瘍嘔前後　同

腫瘍
潰後
之嘔
毒氣上攻
陰虚補之

一金瘡脉治　丢梳

金瘡出血脉
沉小生
浮大死

一
先逐瘀血通經絡和血止痛
後調氣養血補益胃氣

一
雖調陰陽

丹溪曰姙娠唯 在 抑陽助陰
雜著曰理姙娠 在 清熱養血

一 乳妨兒病　格致

飲食下咽乳是便通
情欲動中乳脉便應 病氣到乳汁必
凝滯小兒得此乳疾病立至 不吐則瀉 不瘡則熱

一 兒糞青論　醫說

小兒大便青脾虛生風之候也糞黄
脾正色今乃青木尅土肝盛脾虛
當服益脾去風之藥

一 虎口脉歌　惠濟

紫風紅傷寒　青驚白色疳

黑時因中惡　黃即因脾端

一痘疹虛實　正傳

吐浮食少
不吐浮能食
重表
虛
實
補則結癰毒

私曰諸證準例

陷伏
倒靨
灰白色
表虛

紅滑
凸綻
表實
補表則潰爛不結痂

吐浮
陷伏
二者俱見爲表裏俱虛

以上三十三準或弁陰陽或察虛

実或審病源或分肥瘦或潤
熱早晏或未来吉凶或用削
先後或表裏補瀉誠施治明
例診察通規也盖欲挙一隅
令覚三隅者也

于時元亀二辛未年九月下澣

雖知苦斎道三

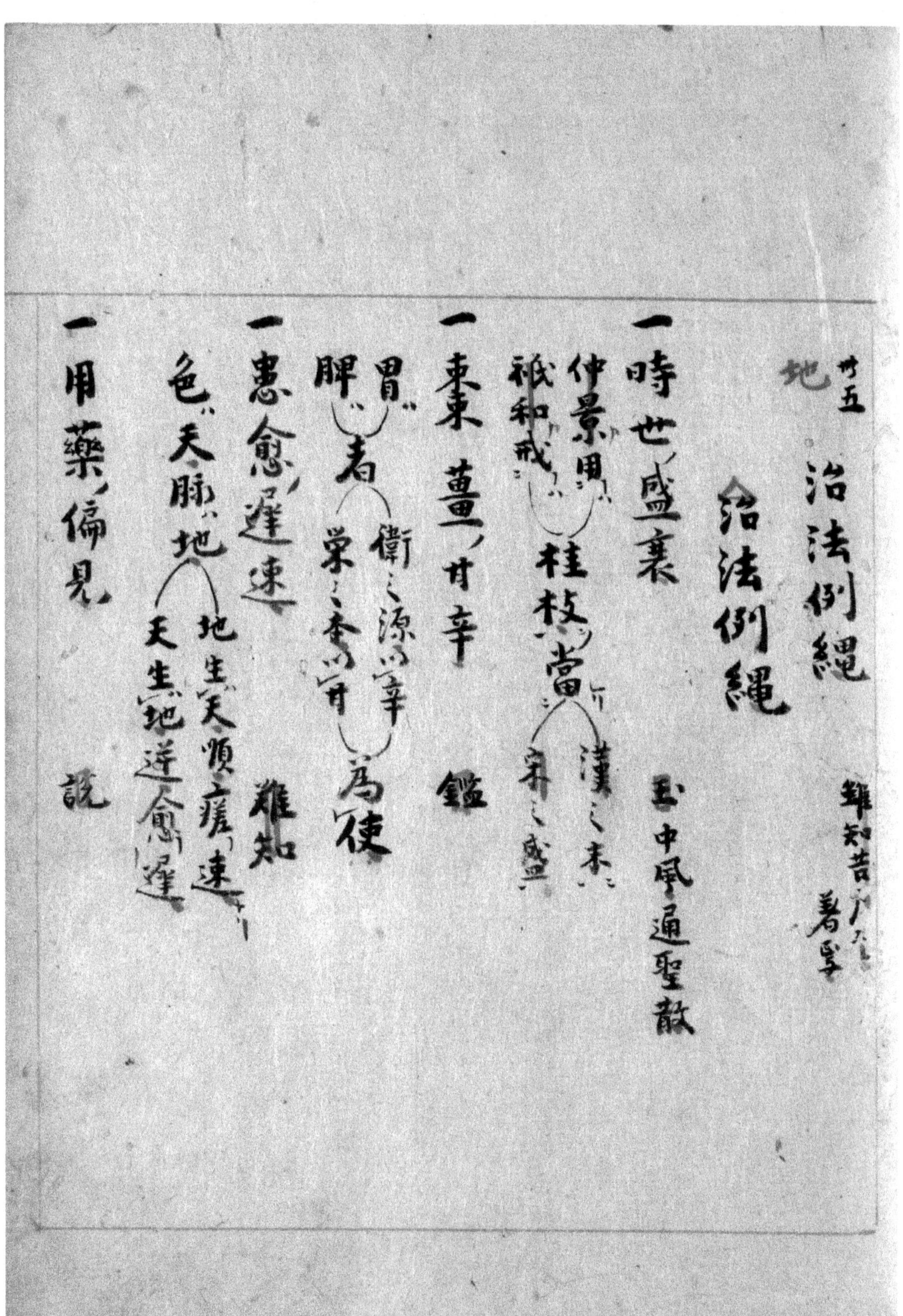

卄五 地 治法例繩　　難知吉著學

治法例繩　　玉 中風通聖散

一時世盛衰

仲景用 祇和戒 桂枝當 漢之末 宋之盛

一棗薑甘辛　　鑑

胃 脾 者 衛之源以辛 榮之本以甘 為使

一患愈遲速　　難知

色天脈地 地生天順癒速 天生地逆愈遲

一用藥偏見　　說

藏用擔頭三斗ノ火
陳蕃懐裡一盤氷
一色形ノ損察　心
心肺　腎肝　損而　色弊　形瘁
一虚實ノ臟例　仝
金水ハ常ニ恐不足ニ
木火ハ常ニ恐有餘ニ
一清濁不運　同
清　濁　氣在　上　下　則ハ生ス　飧泄　䐜脹
一太陽ノ虚ト絶ト　寸書

瞳子高戴眼者太陽已絕下足

一氣味宜薫脾胃

經曰天食人以五氣地食人以五味

一恃茉耗真

盖不得已而用豈可恃柴茉

鑑解酲湯

日々飲酒乎

一加酸収陽說

陽氣耗散之人如烏梅徹覚酸味

収其陽氣

一沈数在生

得三建湯

一癍證吐涝 玉
若癍出自吐涝者
慎勿亂治，而多ハ吉
謂邪上下俱出也

沈香濃磨，氷臨ニ茶熟ニ旋入 私ニ諸香頗宜准ヘ

一困情肥瘦 心湿
肥白 ─ 沈困怠情 ─ 氣虚 朮參半芍朴
黒瘦 ─ 是熱 朮芩

一頭痛左右 傳
左ハ ─ 風 荊芎
　　 ─ 血虚 芎歸芍栢
右ハ ─ 痰 陳半朮
　　 ─ 熱 酒芩

一左經至理 鑒
四肢不ハ遂筋骨疾ナリ，當治ニ心肝腎三
經，諸方所ハ以有ニ左經湯一

一舌強血弱 傳
血弱而不ハ養筋故 ─ 四肢不運
　　　　　　　　 ─ 舌強不言

宜養血而筋自榮

一 痿證不足　同

痿之所不足者乃陰也
血也

一 脚氣通便　同

大便實
小便澁
加
乘行
牛膝

一 痓證風濕

強直
靜濕无汗流濕土也
搐風有汗祛風木也

一 七氣并療　疑

喜樂恐驚耗散正氣
怒憂悲思鬱結邪氣
故
散者益
結者行
之

一 氣血汗并　傳

自盗汗ハ 陽虚胃気也 補陽調衛
　　　　陰虚栄血也 補陰降火

一怔忪ノ肥痩　同
痩人怔忪ハ是血ナリ
肥人　　　　属痰

一三物ノ槐处　伝
在ハ 左ハ死血
　　 中ハ痰飲
　　 右ハ食積

一瘡初ノ脈弁　玉
其脈 沈実ニシテ光躁ノ其内ヲ以絶其源ヲ
　　 浮大ニシテ光托ノ其裡ヲ恐邪気入[illegible]

一補労ノ気血　着
労倦辛苦ハ 主トシテ補気ヲ
労心思慮ハ　　　　　血ヲ

一収緩ノ補陰　玉ノ痢ニ

酸以收之芍藥、甘以緩之甘草、酸甘相合以補陰血也

一　治痢ノ氣血　玉傳

行血則便膿自愈、調氣則後重自除

一　頭痛ノ因源　傳

頭痛多主痰、甚屬火、宜清火降痰

一　汗下ノ過損　玉中風

治須少汗、多汗則虛其衛；宜少下、多下則損其榮

一　中湿ノ上下　玉

上中湿、首如裹、似有物以蒙之、宜微汗；下中湿、小水閉、中滿、足浮腫、宜利尿

一　淋證ノ氣血　傳

如（渴而／不渴）尿不利熱在（上焦氣分肺／下焦血分腎）主之

一目視遠近　同

（能遠／不能近）視火盛水竭

（能近／不能遠）視有水無火

一滋陰養血　疑

（陰常不足／陽常有餘）補陰一說（自卵至壯／自壯至老）不可缺

曰（滋其陰其火自降／養其血其病自除）其言信矣

一畏虛養病　丑浮

温脾湯方前曰治痼冷在腸胃泄瀉腹

痛宜先取去熱後調治不可畏虛以

養病也

一色亡節戒　疑

節色而養精神

戒飲食益眉壽

一淡食内観　纂

淡食以養胃則水生火降

内観以養神

宝鑑曰天下之理有甚快其心者

其末必有傷

一元穀気勝　説

楊泉曰

穀気勝元気其人肥而不寿

元気勝穀気其人痩而寿

一避罪忌口　山居四要

作福／服薬不如避罪／忌口

一　抑情順理　説

能任理而不任情則所養可謂善者矣

一　蔵精養神　説

蔵精於晦則明

養神於静則安

一　胞门成姙　得

婦人姙子不成数堕胎腹痛漏下灸

胞门在関元左辺二寸

右辺二寸名子户

一悪阻ノ肥痩　傳

肥人ノ悪阻ハ濕痰二陳
痩人ノ悪阻ハ熱地芎苓

一児痛ノ病源　傳

内ニ無情欲ノ交戦
外ニ無風寒ノ相侵　矣ツ疾多乎

其證ハ大半ハ胎毒
小半ハ傷食

經日數食ハ肥令ニ内熱
甘令ニ中滿　其病曰ニ肥甘ノ

所致故ニ名テ曰ㇾ痛ト

一痘疹ノ色弁　傳

痘疹ハ黒ハ血熱
白ハ氣虚　涼シ血ヲ
補シ氣ヲ　為主

一出靨難易　傳

表裏倶ニ　実ハ瘡難出易靨
虚ハ瘡易出難靨

一痘痒ノ脉幷　心

痘瘡痒塌陷有力氣壮ニ實ハ大便不レ通大黄ハ
無力氣怯ニ虚ハ実表ヲ剤ニ加ニ血薬ヲ

一始末ノ表裏　傳

傷寒ニハ従レ表入レ裏外感也
痘瘡ハ従レ裏出レ表ニ内傷也

一俗醫剋レ舟　傳

夫（依ニ陳氏者ハ熱薬多シ／宗ニ劉張者ハ涼剤多シ）故不レ偏ニ於熱ニ則ハ偏ニ
於寒ニ此剋レ舟求レ剣ヲ之道也

一痘餘滞毒　傳

毒氣流ル於脾経ニ則ハ癰発シテ手腕膝臏ニ
腫痛ス宜ニ大力荊芥防風甘草ニ

右四十九条〻例縄〃千治百療〻〻通搭後学宜諳〻〻而莫慢〻〻

于時永禄九丙寅年八月朔

於雲州嶋根元就陣中編録畢

盡静翁　道三

卅六 敉矩明鑒

道三編集

人 敉矩明鑒

一入學蹟徧 小

問仲景傷寒出證見方爲醫書之

祖先須看否

答曰凡先入者爲主內經畫陰陽

之妙變化無窮諸書皆出於此

如

越人演難經止得內經中一二

仲景取其傷寒一節

河間以熱論變仲景之法

東垣以飲食勞役立論

恐先

仲景書者以傷寒為主恐誤内傷

作外感

東垣書者以胃氣為主恐誤外感

為内傷

河間書者以熱為主恐誤以寒為熱

不若先主於内經則自然活潑々地

一方法ノ用施

法無定體應變而施

藥不執方合宜而用

一用藥惟中

假如病（大小）而湯劑（小則邪氣盛而藥力已乏，大則邪已盡而藥餘力傷正）

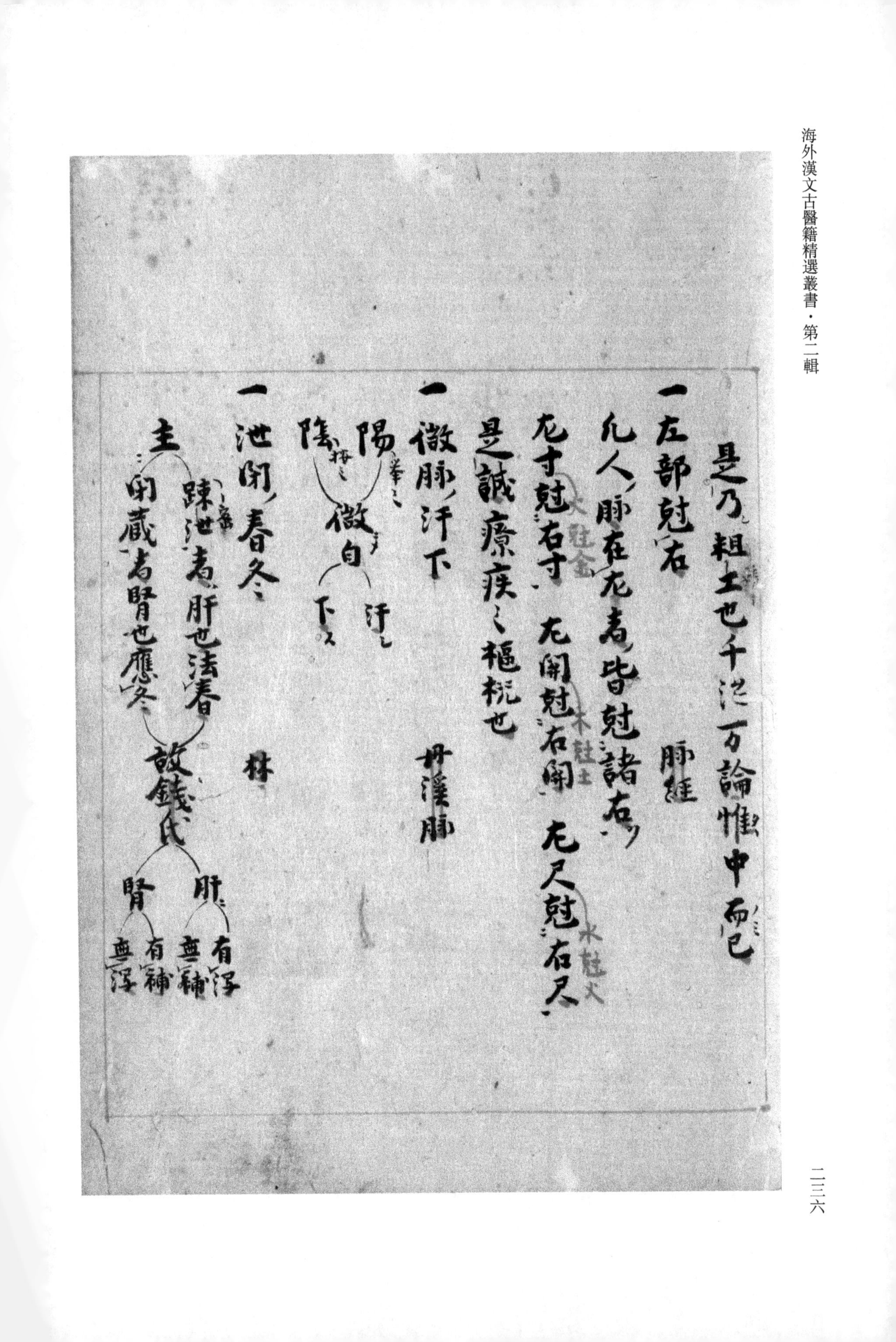

是乃粗土也千泛万論惟中而已

一左部尅右　脉經

凡人脉在左者皆尅諸右

左寸尅右寸　左関尅右関　左尺尅右尺

是誠療疾之樞機也

一微脉汗下　丹溪脉

陽　陰

微

白

汗　下

一泄閉春冬　林

主

疎泄者肝也法春　閉蔵者腎也應冬

故錢氏

肝　腎

有浮　無補　有補　無浮

一 次閉易難　心

小氣在ハ表可汗 裡可下 其間利溺須氣和脾俱ニ（不偏不倚）不可緩ス 其證雖可下猛烈之剤不可過用 吾恐 峻攻者易ク 固閉者難シ

一 内外ノ臓經　得

傳ニ曰 内病ハ自五臓爵發ス 外病ハ自經絡感入ス

丹溪脈訣曰

七情内爵ハ自藏府出而應於經ニ須循テ經說證

溪邪感入ハ自經絡而及ブ臓腑ニ須知五藏ノ所在ヲ

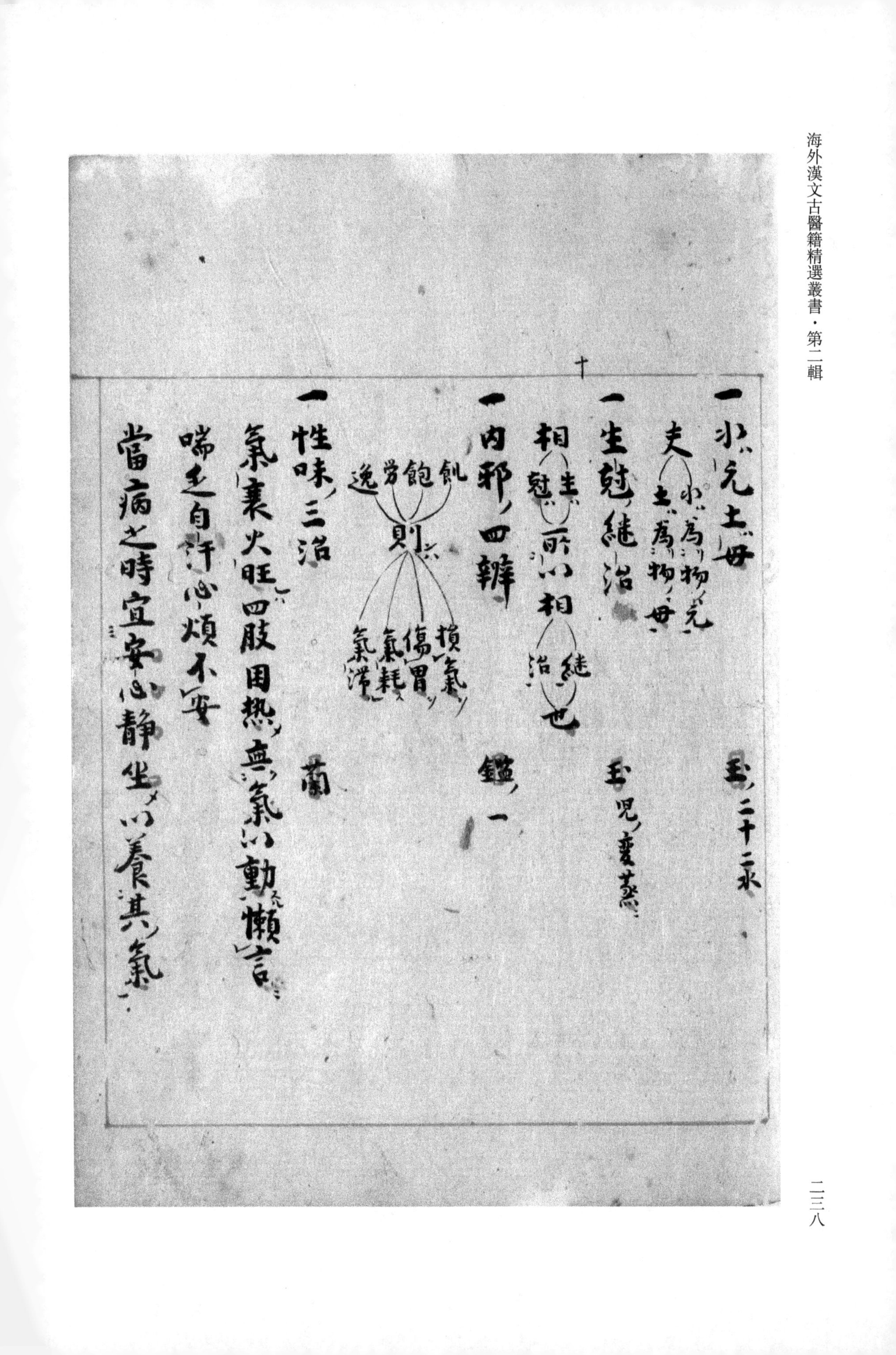

一水元土母　玉二十二丁

夫水為物元　土為物母

一生尅継治　玉兒變蒸

相生尅所以相継治也

一内邪四辨　鑑一

飢　飽　勞　逸　則　損氣　傷胃　氣耗　氣滯

一性味三治　蘭

氣裏火旺四肢困熱無氣以動懶言

喘乏自汗心煩不安

當病之時宜安心静坐以養其氣

一醫治宜察

甘 浮其熱火
酸味收其散氣
甘瀉補其中氣

然病者一身

其侍 患者 血氣 侍臤 藏府 時月 形志 資稟 能毒 標本 年齒 迎治 天令 經絡 診候 望面 好惡 證脈 受療 情性

發揮

有

肥瘦 男女 淺深 上下 內外 久近 苦樂 享落 可否 先後 表裏 五方 四時 陰陽 左右 五色 五味 逆順 信情 營散

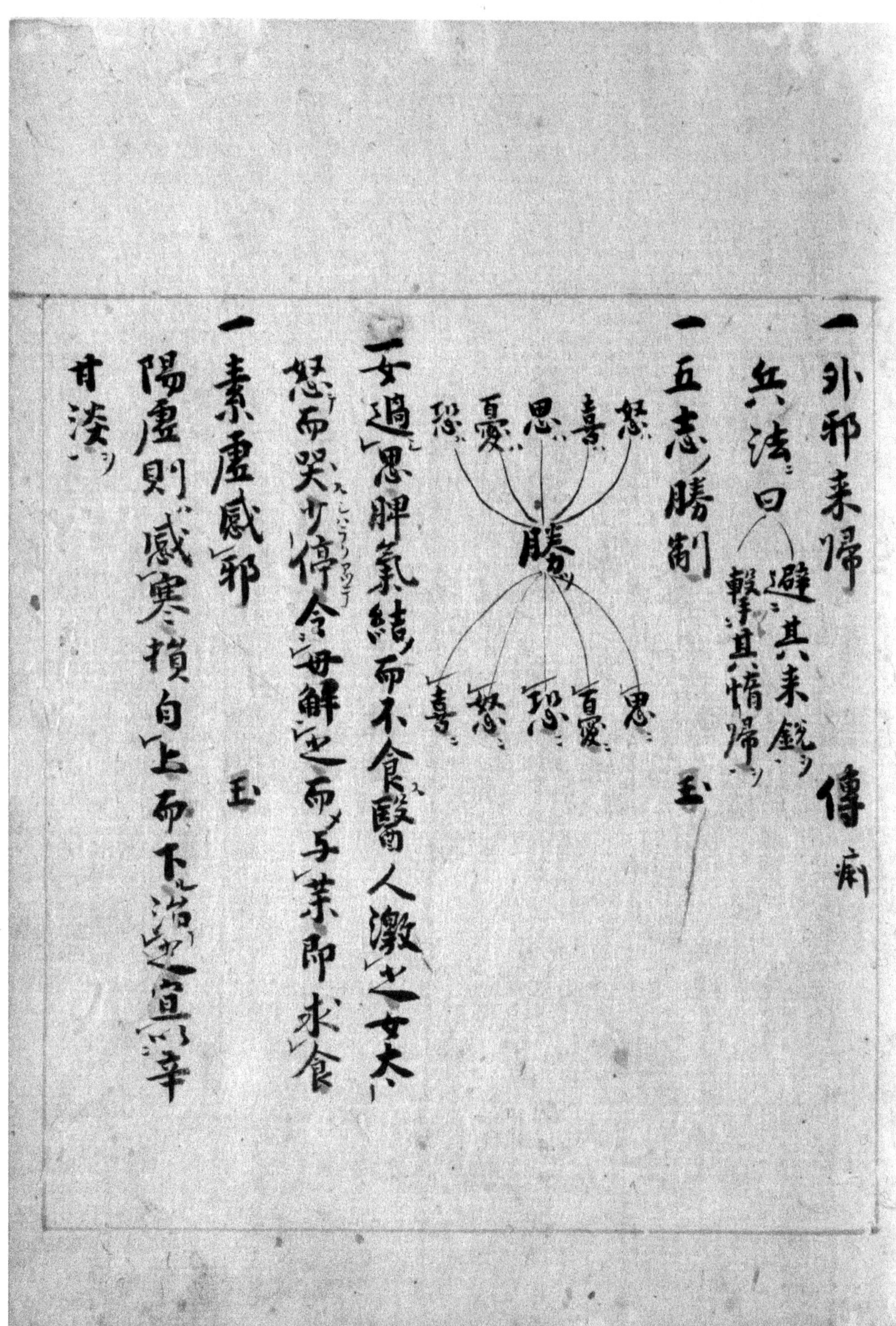

一外邪来帰　傳痢
兵法曰避其来鋭撃其惰帰
一五志勝制

玉
一女過思脾氣結而不食醫人激之女大怒而哭ナ停令毋解之而與菜即求食
一素虚感邪
玉
陽虚則感寒損自上而下治之宜以辛甘湊

一損肺　皮聚毛落
二損心　血脈虚少不栄藏府　婦不月
三損胃　飲食不為肌膚或嘔吐
過胃則不治　私曰心肺損而色弊
陰虚則感熱損自下而上治之宜以苦酸鹹
一損腎　骨痿不能起于床
二損肝　筋緩不能自収持
三損脾　飲食不能消尅
過脾則不治　私曰腎肝損而形痿
一少陽　和解　得
太陽属膀胱非發汗則不愈　麻黄之類能通陽氣去外寒
陽明属胃非通泄不能愈　大黄芒硝之類利
少陽属膽無出入之道　柴胡能利能汗佐以黄芩

二十

一 疹麻氣血　備

疹　麻
痺屬
血　氣
虛

一 欬嗽新久　看

欬嗽
新　久

新患
風寒散之
火熱清之
湿熱浮之

久病
血虛補之
氣虛補之
欝則開影

一 新久瘂汗　看

陽瘂
多汗　参耆术收之
無汗　柴苓术葛發之

陰瘂
多汗　歸耆柏芍地收之
無汗　柴术芎紅發之

邪瘧及新發ハ可截散

虚瘧及久者ハ宜補氣血

一開閉行滞　但麻木

開目則ハ渾身麻木　晝減夜甚

覚テ閉目則ハ麻木漸退

此邪風邪乃氣不行也

一逆従正權　精義

病有微々者ハ逆治理之正也

甚々者ハ従治理之權也矣

一天氣時性　玉

升降浮沈ハ則順之

寒熱温涼則逆之

一病醫淺拙　所

病人有既不洞曉醫藥自行臆度

如斯則九死一生

醫人未識其病或以財勢所迫

奪強治

世間如此之事甚多

一又胃之治法

又胃諸方悉是香燥大熱之藥皆不足為法

丹溪所謂

補血　益陰　潤燥　和胃　調中

雖無其文觀之立

論隨証用之

一耳鳴耳痒　傳

中年之後
大病之餘

腎水枯涸
陰火上炎　故耳痒耳鳴治法　補北
　　　　　　　　　　　　　瀉南

補陰降火之剤四物加栢

一順氣痰下　指迷

茯苓丸後曰順氣則痰自下

紫蘇枳殻肺
厚朴脾胃
香附肝

氣之茉也

一瘡腫入腹　葛

曰瘡而腫者皆因中水及中風寒所作

其腫入腹則殺人多以桑灰淋汁漬冷後

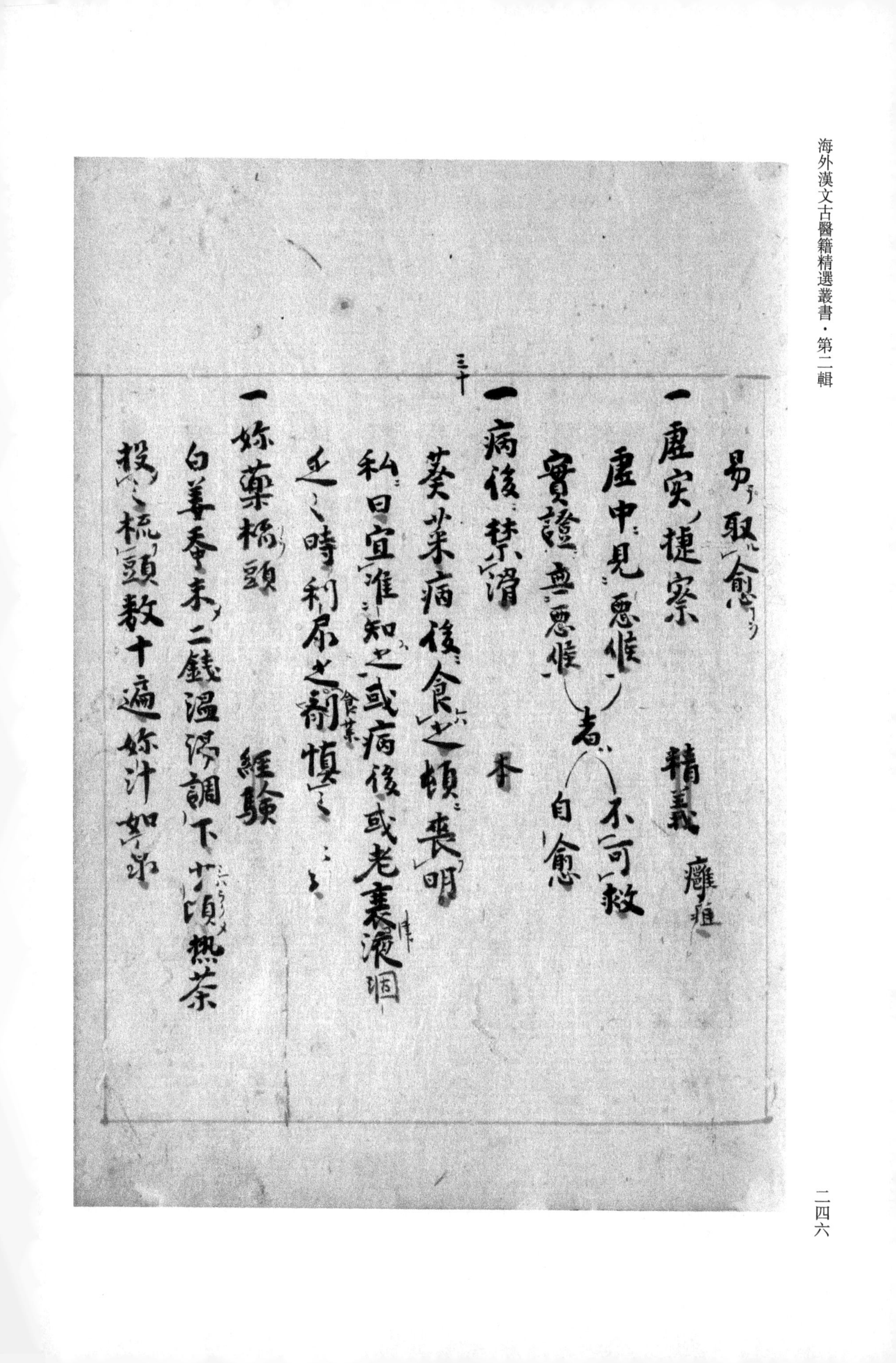

三十

易取愈

一虚実捷察　　精義　癰疽

虚中見悪候者不可救

實證無悪候者自愈

一病後禁滑　　本

菱菜病後食之頓喪明

私曰宜准知之或病後或老衰滚痼

止之時利尿之剤慎之

一姈藥梳頭　　經驗

白姜香末二銭温湯調下廿頃熱茶

投之梳頭數十遍姈汁如黑

一虛實二秘
患能飲食　不能飲食　小便　赤為實秘　清為虛秘
林胃　實秘用三黃柴梔紅地　虛秘用枳朴殼実橘甘之類
蓋　實秘者物　虛秘者氣也　故用味厚重劑　味薄輕菜是
即　陰味厚物　陽氣通氣

一外消内托
浮露而淺　藏伏而深者為　癰宜外消　疽宜内托　傍

一汗解清補　疑
陽　陰　中於邪　發熱頭痛而強於肢節　悪寒汗泄而痛於胸腹
陰陽倶受邪悪寒兼發熱無間断
於　平旦行陽之分者可汗可解　晡行陰之分者可清可補　情其有餘　神其不足

一筋痿同治

婦人思想無窮所願不得甚發為筋痿為白淫陰中綿綿而下

凡主辛劑佐苦寒

開結　除濕　去熱　散氣

玉或思慕為筋痿

一悪候例法

脚趺腫起　身躰沈重　卒失屎溺

舌語錯亂　忽作鼾臭　陰囊皆腫

口反張　爪甲黒　面目直視

如此者必定死也

脈真五能又看

○癲狂 實牢吉 沈細凶　中藥毒 洪大速吉 細而出不入凶

病多汗 虛小吉 緊凶　吐血衄血 滑小弱吉 實大死

○嗽脱形發熱脈堅急死　諸嗽 浮軟生 沈伏死

上喘低昻 脈滑肢温生 脈澁肢寒死

○從高頓仆内傷腸滿 弦强生 小弱死

○水病陰閉 浮大生 沈細虛小死

○頭目痛卒視無所見者死

○熱病脈躁盛而不得汗陽極十死

○内外俱虛身冷汗出微呃煩擾手足厥

逆侍不安静死

○婦已産 沈小實吉 浮虛凶　赤白帯下 遅滑吉 数疾凶

得中風

眼合肝
口開心
手撒脾
鼻鼾肺
遺尿腎

絶備五證无不治

五證中絶見一證當審餘證以救療

蓋初中則眼合者多痰上則鼻鼾者多

惟遺尿口開俱見為惡腎為一身之根心為五藏主誠

不可絶也

心法曰久病声嘶死

經曰甚虚病温氣肉涸其精無故死

權度曰

心絶肩息回眄目直掌腫狂乱心悶熱一日死

肝絶汗出如水恐懼不安伏臥肢乏目直如盲面（无力也）

青舌巻蒼黒泣下八日死

脾絶口冷足腫脹泄不覚面浮黄唇反十二日死

肺絶口如魚氣出不快唇反無紋皮毛焦三日死

腎絶大便赤渋耳乾下血舌腫足浮歯痛目盲

腰折汗如水髪無澤面黒

胃絶口禁唇黒肢重如山不能収持二便自利

無休飲食不入七日死

肌絶口冷足腫脹泄不知人十二日死

腸絶髪直汗不止不得屈伸

筋絶驚恐爪青呼罵九日死

骨絶腰脊痛不可反側骨中重足膝礼手

五日死

正傳痘疹曰妄（汗則栄衛既開轉增瘡爛
下則正氣内脱変而帰胃

変黒帰腎身振寒耳尻熱眼合肚

脹瘡陷十無一生

不治證歌

痒塌寒戰咬牙渴甚　痘紫黒而喘喝不寧

瘡灰白色陷頂腹脹　頭温足冷悶亂飲水

呼吸氣促浮渴不安

正傳膈噎曰

屎如羊屎者不治 大腸無血故也

口中多出沫氣血俱虛必死

正傳 破傷風曰

破傷風邪 在三陽經則治而可得動
入三陰經腹滿自利口燥咽乾舌卷卵縮必死

正傳 水腫曰

唇腫齒焦
掌腫無紋
臍腫凸出
缺盆平
陰囊莖俱腫
脈絕口張足腫
足趺腫膝如斗
皆不治

心法曰大便滑泄背
平 平

正傳 傷寒曰

傷寒
瞪目直視心
爪甲青黑肝
環口黧黑脾
氣絕

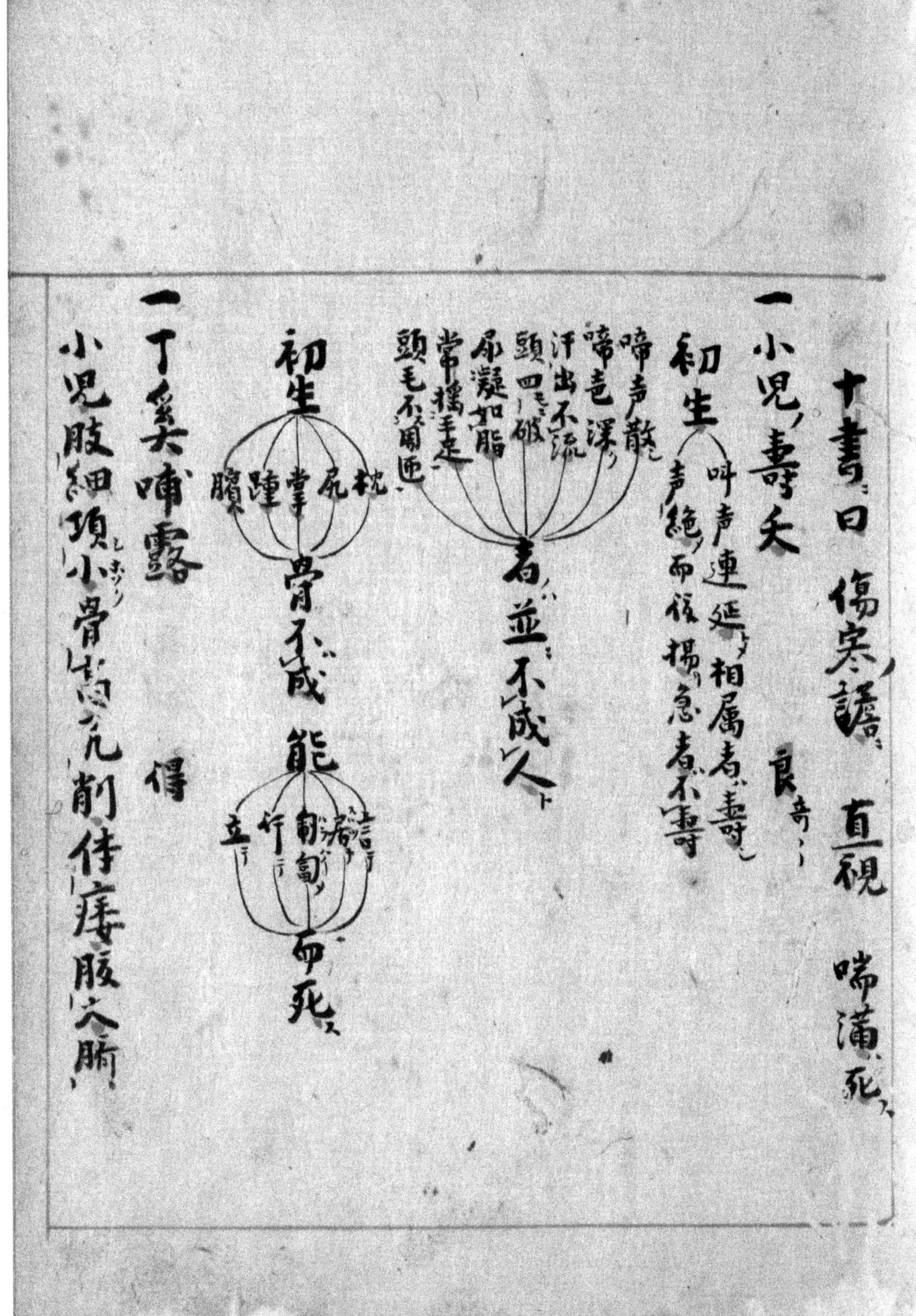

十書曰 傷寒譫ノ 直視 喘滿ハ死ス

一 小兒ノ壽夭 良寄

初生 呌声連延シテ相屬者ハ壽シ 声絶テ而復揚リ急者ハ不壽

啼声散シ 啼聲深ク 汗出不流 頭四ノ破 尿凝如脂 常搖手足 頭毛不周匝 者ハ並ニ不成人ト

初生 枕 尻 掌 踵 臏 骨不成 能 言 匍匐 行 立 而死ス

一 丁奚哺露 得

小兒股細項小骨高九削倂痿腹大臍

窣號哭胸陥名丁奚夫

虛熱往来頭骨分開鬣食吐虫煩渇咜

嘅名哺露

一愛憎失命　　得

凡心有所愛所憎不用深愛深憎皆損性傷神

一養性素朴　　香序

鷙究棲巣感物之情蓋宜寡

範金揉木逐欲之道方滋

一取少用多　　古文真宝

柰何取之盡錙銖用之如泥砂嗚呼

滅六國者六国也非秦也族秦者

秦也非天下也

右四十一箇條救濟治療之規
矩攝養遐齡之明鑑也深戒
妄授莫忽

于時元龜二辛未年黄鐘十九
（永祿十丁卯）

洛下　雖知苦齋

盍靜翁　道三　六十一歲

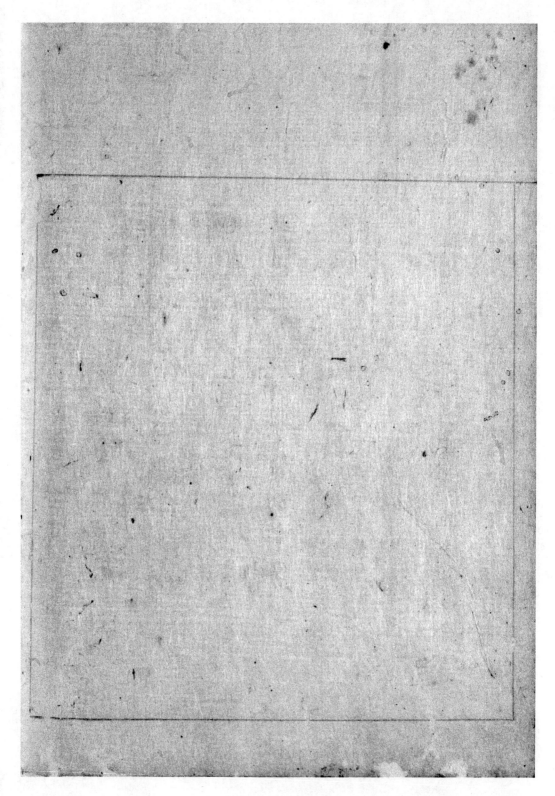

三十七　明經　扁鵲

察生氣有無　天民　盍靜

正傳或問十七段曰十二經脉者皆係於生氣之源所謂生氣之源者十二經之根本也謂腎間動氣也此五藏六府之本十二經之根呼吸之門三焦之源一名守邪之神根絶則莖葉枯矣寸口脉平而死者生氣獨絶於內也

腎間動氣釋者皆指為兩尺々々既絶何謂寸口脉平此言寸口脉平

而死者亦兼關而論也
腎間動氣者臍下氣海丹田之地也
或曰臍下中行乃任脉所屬與腎何
相干哉曰各開寸半爲才二行皆
屬腎經其臍與背後命門穴對各開
寸半腎俞穴也故丹田氣海與腎脉
相通爲腎之根也
又如有生之初先生二腎胞系在臍
故氣海丹田實爲生氣之源
内經曰形肉已脱九候雖調者死
凡見人之病劇者人形羸瘦大肉已脱

雖六脉平和當診胃之衝陽與腎之
太谿二脉或絶更候臍下腎間之動氣
其或動氣未絶猶有可生之理
動氣如絶雖三部平和其死無疑矣
于時元亀第四癸酉年二月初八
洛下雖知苦齋盍静翁道三書之
古来諸醫咸不能診定患者之死生
巧拙顯焉而已予嘗以恒德老人之教
辨證配剤而多獲奇効矣近来候之右
至寸口脉察病人之死生誠百發百中耳
曲直瀬入道

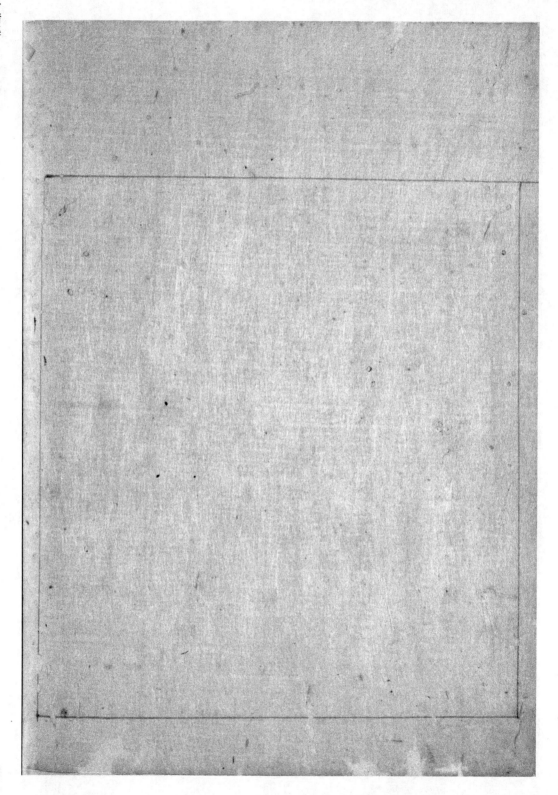

八 授越年学侶

書外之訣意外之傳

一身之疾宜分左右而治之

左寸心主榮血 六菽 淺 安靜

左關肝受血養筋 十二菽 中 莫怒

左尺腎水源主精髓 十五菽 深 保養

然則診察滑濇而弁調血液精汁之澤涸

右寸肺主氣息 呼吸 三菽 淺 清虛

右關脾穀氣升降営內 九菽 中 常事

骨下右尺ハ命門元氣主万梳ツ 十五菽 深 以川宰相 可考

然則診察ノ浮沈虚実并ニ調ヘクワン元氣穀氣ニ 勝負

盛衰ツ

一○左右分治ニ配剤立方 大東ニ

四物湯ハ調左属ツ

帰ハ温補ニ心血 頭ノ尾ハ潤ハ上以下

春 芎ハ温踈ニ肝胆助ニ発生ツ 辛散有口授

芍ハ酸寒ニ収斂ス栄散ツ 収斂補陰

冬 地ハ甘寒ニ潤沢益腎水精髄ツ 生ハ涼血生水 熟滋精充髄

四君子湯ハ調右属

参ハ甘温補ニ肺ノ正氣ヲ助ニ衛氣ノ沈弱ツ

朮苦甘温燥胃中邪湿逐湿退暑
苓淡平降滲中焦湿飲鎮意智去怯悸
甘甘平緩和和順三味功能緩宥急暴夭瀬汐人一万三千五百息
以上合二湯而名八物湯治左右血氣兩屬
夏暑耗散表衛故加黄耆収閉腠理不
泄正氣是亦右屬之氣葉也
冬寒凝滞栄血故加肉桂温散凍血潤
養筋骨是亦左屬之血葉也
顔色潤沢推損則調心肺滋補於栄衛
筋骨機関潤滞則調肝腎営捷於肢用
一治手足之病宜従五行而并之

兩手ノ病ハ必從ヘ金火ニ蓋手ニ有ル金火ノミ

拇指ハ肺　從背至手
頭指ハ大腸　從手至頭
二經ハ金主皮毛ヲ

甲　中指ハ命門　自背至手
無名指ハ三焦　自手至頭
二經ハ相火主元氣　代君主万機治海内ヲ

火ヽ

倖　小指内ハ心　自背至手
小指外ハ小腸　自手至頭
二經ハ君火主生血　佐佐輔佐卿而面面

兩足ノ病必從ヘ土水木ニ蓋足ニ有ル土水木ノミ

跗内ハ脾　自足至腹
頭指ハ胃　自頭至足
二經ハ土主ニ肌肉

前

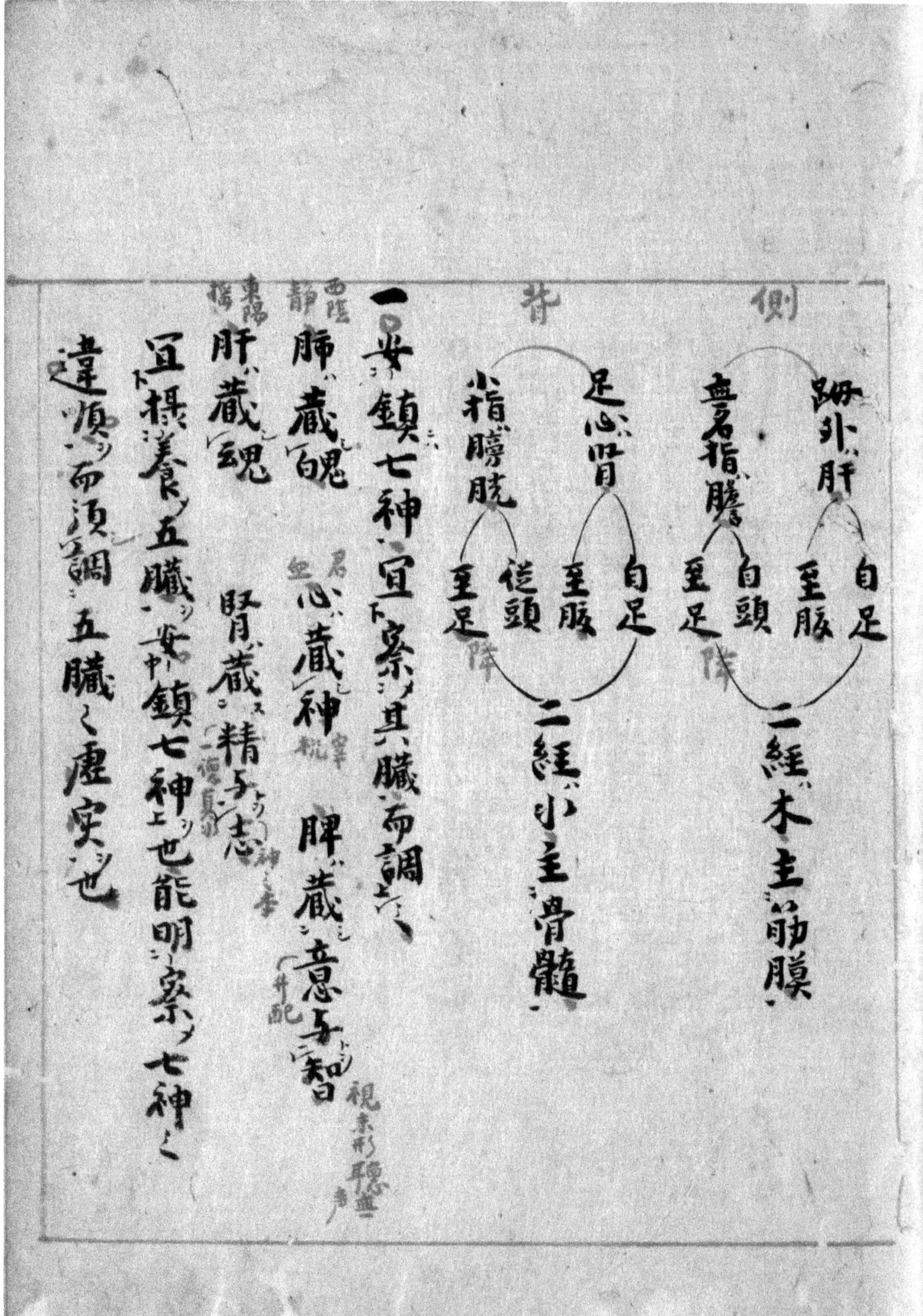

側

跗外肝　自足　至腋
無名指膽　自頭　至足
二經木主筋膜

背

足心腎　自足　至腋
小指膀胱　從頭　至足
二經水主骨髓

一安鎮七神宜察其臟而調之

西陰 靜　肺藏魄
東陽 搖　肝藏魂
君火　心藏神
脾藏意與智
腎藏精與志

宜攝養五臟安鎮七神也能明察七神之違順而須調五臟之虛實也

手治穀氣升降水飲多少須從諸臓而治

胃受納水穀輸精於脾　飽則傷胃　飢則損脾　飢飽脾胃　勞倦四股

大腸受水穀糟粕送廣腸下肛门

小腸受水穀泌汁送膀胱下前陰

須慎飢飽而常無過不及之患中行動

勞倦而順行榮衛無中二便之滯泄矣

一氣血病并潮熱分治

晝　輕　重

夜　重血　輕氣

病　行陽二十五度　浮

　　行陰二十五度　沈

平旦　晡時　潮熱　浮　氣　血

中之火　膏　知　李　施　寸　栢

　　　　歸　知　柴　芜　芍　地

于時天正才九歲舍辛巳睦月十一日

爲〻学寮越年勤侶〻使〻講授〻〻一紙〻也

翠竹菴　一溪叟七十五歲老筆

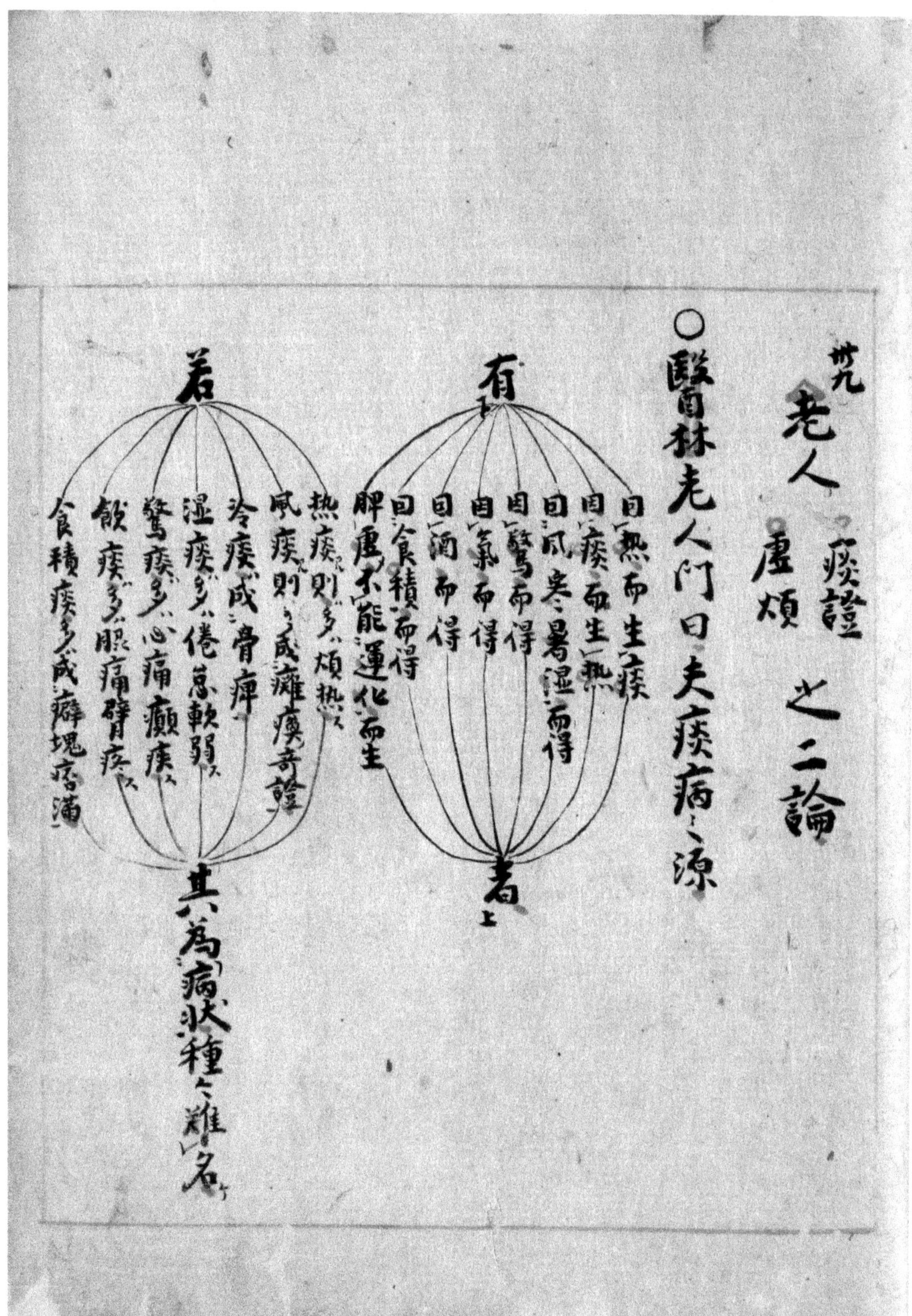

廿九 老人痰證虚煩之二論

○醫林老人門曰夫痰病之源

有曰熱而生痰 曰痰而生熱 曰風寒暑濕而得 曰驚而得 曰氣而得 曰酒而得 曰食積而得 脾虚不能運化而生者

若熱痰則多煩熱 風痰則多成癱瘓奇證 冷痰成骨痺 濕痰多倦怠軟弱 驚痰多心痛癲疾 飲痰多脇痛臂痛 食積痰多成癖塊痞滿

其為病狀種種難名

○字者但察其病形脉證知所挾之邪隨其表裏上下虛實以治之

○張子和謂飲無補法必當去水故用吐汗下之三法治人常愈又論熱藥治痰之誤固爲精切

○先哲云半夏治痰之標不能治痰之本蓋本者腎陰水也

○夫久痰凝結膠固不通狀若寒凝不用溫藥引導必有拒格之患況有風寒外束痰氣內鬱者不用溫散何以開鬱行滯也

○亦有治痰用峻利過多則脾氣愈虛津

液不通痰又亦生法當補脾胃清中氣

則痰自然運下此乃治本之法也老人宜

如此調治妄不可用大黃牽牛峻快之藥

○皆曰治上盛下虛不升降夫謂盛者即心火之炎虛者即腎水之弱

則有升無降故津液湧而作痰涎於上今以金石

丹劑溫熱香燥之藥而欲補下焦之虛如抱

薪救火尒

○夫陽火之虛陰水必盛痰涎津液自然隨氣而降也

噫此方法之玄微醫意之妙理

○老人痰多陰虛腎水降遲或氣衰而爲

痰食少痰多之變證百出

○古今論痰者、惟王隠君言諸痰悉生於痰
爲新之清濁、可謂得痰機之情矣
○又曰、虚煩發熱、老人多有此證、蓋有不耐安
逸者、而

或
用心於經史
執事
經營用心作勞
婦人女工勤

而因致勞傷煩熱頭痛脈浮
數或微細而皆無力、譬如傷寒者
不能弁別、妄發汗、則氣血愈虚
禍不旋踵、不然暗減人之壽筭、幸東垣先生
發此病機、治例可謂後世無窮之恵也
右斯両辨、欲使少壮之学者勤養老志而從 孝
醫林集要抄出者也
于時天正九辛巳歳梅雨之閑坐書之畢
寧固齋 盍静公叔 道三

三有後魏西東
陳後隋前之　後梁北齊後周
○脉經西晋王叔和高平人，為太醫令，博通經方，精意診切。○西晋三國後
○脉訣六朝高陽生剽竊太醫令脉經撮其切要為脉訣。
蔡西山并詳其世相因，人相授，感曰：王叔和脉訣，既已正其名，又要已并其文，非非戴同父竊取吳素內經越人仲景華佗叔和及歷代名醫書以證之，又述諸家所解集長短。
○刊誤戴起宗同父，龍興路儒学教授。

○刪：子所切，史記所撥之。削之奪等之。
撮：子活切，三指撮也。

四十　脉訣刊誤撮要　十二条　　宜直傳

脉訣刊誤撮要　歌并戴同父解

一　王氏生死明診

大凡要看生死門，太衝脉在即為憑，若動應神魂魄在，止便千休命不停。

銅人經云：太衝二穴，土也，在足大指本節後一寸動脉陷中，凡診之可決男子病生死。是厥陰脉之所注為俞。○是動脉第六十二文　靈樞曰：胃之精氣上注於肺，故氣之過于寸口也。其悍氣上衝頭者，合陽明并下人迎，故陰陽俱動俱靜，若引繩相傾者病。○經脉十二而寸口

始中終

後漢南陽人
為長沙太守
稱為亞聖

人迎ト太衝ト動揺不休故以此三処之始中終診
百病決死生　灵樞作並ト足少陰之動脈銅人
作足厥陰俞穴ト皆衝脈之所合並而經過者
其穴以候衝脈也
仲景謂當時人惟握手不及足故立
趺陽太谿以候胃腎之病
私云人身之脈行一週於身者十六丈二
尺也胃中水穀精悍之氣昼夜百刻之
間流行一身之經脈五十遍凡八百一十
丈也診察其始中終之有無者也

一舎脈之至辨

以腎（三焦）為精之舍（府）也　謂神之君舍（物之聚府）矣

私云右解說自有精之躰用也

一七候之明切

寸關尺每部以浮中沈候表裏中氣及四旁

察竪橫

一輕（皮血　右左）　二中（肉筋　右左）　三重（骨　左右）　四上（魚際）　五下（産門）　六内（内旁）　七外（外旁）

私曰或候府藏并胃氣或應覆溢并

長短之盛衰或察脉氣之洪細又并花

一脉息之兩解

一呼一吸為一定息脉行六寸二百七十息之脉

行ハ表十六丈二尺也　三因方ニ曰（血ノ／気）為（脉／息）

衛栄者水穀之（精／悍）気出（中／上）焦ヨリ

一 按尋辺頭二字之刊誤

按者重手於筋骨部尋者或（上下／竪）（竟／道）（右左／横）辺

脉部以尋之九菽中十二菽十五菽竪

芤脉中空者血之脱也两辺似有中間全無

両頭即有中間全無頭字則誤也

一 沈伏之明教

沈重按乃得於筋骨下

伏雖重按至筋骨下亦不見必用指推開

此方可見此按脉之口訣也

一蚕為忽十忽為絲十絲為毫
○一分十分其一一分
一分十分其一一厘
一厘十分其一一毫
一毫十分一一絲
一絲十分一一忽
○一忽曰一一蚕

一診切博約之次序
博則二十四字不遺絲毫約則浮沈遲數總括紀綱也
故知
浮為風虚　有力人迎　無力気口
沈為湿実　滞　有力
遲為寒冷　有力　弱
數為熱燥　有力　無力
劉立之四字為綱以教学者浮風沈氣遲冷數熱合別三部為證此誠初学入門然必博学及約然後能知脉之妙
一燎虚療労之別補

之對実
對ハ倭

卒暑入邪毒傷之吐血

正気陰陽不調之吐血

脉ノ増減之離経

五邪之注虚則補母人所共知実則補其子
人所未聞蓋母生我者子継我而助我者也
治其虚則補其生我（養）
実則補其助我者（扶）　相生之母子
此補虚与治実之異也

一吐血診切之遠慮　歌注

中毒洪大脉應生　微細之脉必危傾
吐血但出不能止　命應難逃没痊乎
他證吐血皆以沈細為生惟中毒吐血以洪大為生

一臨産離経之至并

離経脉浮腹痛引腰脊欲産也
俱離経者不産也離経夜半覚日

臨產昨日之常脈靜証
臨欲產脈証俱常
離明弁

唐太宗集天下名方為
八手聖惠
宋李駉六十餘号
晞范子有難經句解

中則生也
經者常謂離其常經為離經假如
孕婦昨日左見沉實為男之脈今日
或脈浮是離尋常之脈而異於昨日
又且腹痛知是將誕也
聖惠
晞范腹痛半日生者恐未為的
產痛有難易以半日難定
其證 腹痛連腰脊而甚
其脈者 又脈轉急如切繩轉珠 即產也
一脈位脈形之辨例
牢者陰也指下尋之則無按之則有謂
沉脈也可以言牢脈所居之位而失言

牢脉之李狀
似沈似伏者牢脉所居之位也
實大而長微弦者牢脉之形
私云識諸脉診察詳弁之例鑑也謂是
其脉之居位其脉之形象
一於肺之一經分三部之位候他臟之氣妙解
寸内九分尺内十分者手太陰脉行之一經也
醫於寸關尺輙名之曰此心脉此肺脉此肝
脉此腎脉非也兩手三部皆肺經而分其
部位以候他脉氣爾其説見素問脉要
精微論脉者血之流流氣使然也脉居

五藏之上氣所出之門戸也故其經之名曰氣口而為脉之大會一息之會必於是占焉

私云命其部位者謂

皮肺 血心 肉脾 筋肝 骨腎

於肺為一經之內診察五藏主屬之皮血肉筋骨而辨脉氣行之盛衰者之

大腸 肺 皮毛浮之 舉 按

小腸 心 血脈洪之 舉 按

膀胱 腎 骨髓沈之 舉 按

胃 脾 肌肉緩之 舉 按

膽 肝 筋膜弦之 舉 按

私強而言之上中下寸關尺之三部見五藏六府之脉象假如指下人形備耳目鼻舌而自有聞見臭味之辨矣然而夫不知地不識佛祖亦不識親不知子亦不識而貴賤普異之然則氣口三部之脉象亦復如是耳

于旹天正第九歲舍辛巳中元日

洛溪翠竹菴一溪叟七十五歲 道三染毫

貳 6 2 57

旧請求記号
6-57

海外漢文古醫籍精選叢書·第二輯

用藥心法

（日）曲直瀨道三　傳
津島道救　選輯

内容提要

《用藥心法》又名《用藥心法隨證治病藥品》。書中内容取自日本著名醫家曲直瀨道三的臨床用藥、辨治經驗，書由其弟子津島道救選輯而成。本書收録了曲直瀨道三對本草藥性藥效的認識、對方劑配伍規律的總結以及其在臨床各科的用藥經驗等，涉及診斷、本草、方劑及臨床各科。由於所載内容來自名醫曲直瀨道三的臨證實踐心得，故本書頗具臨床參考價值。

一 作者與成書

《用藥心法》正文首葉題「用藥心法隨證治病藥品／一溪門人／宜帆齋選之」。「一溪」是日本著名醫家曲直瀨道三的字，故本書内容當是輯録曲直瀨道三的臨床用藥治病心法。

曲直瀨道三（一五〇七—一五九四），爲日本室町後期、安土桃山時代的著名醫家，京都人。名正盛，字一溪，號道三（初代）、雖知苦齋、盍静翁、翠竹庵等，賜號「翠竹院」。曾學佛於足利學校，又隨田代三喜學習中國的李（東垣）朱（丹溪）醫學。一五四五年，曲直瀨道三在京都開業行醫，先後替足利義輝將軍和細川晴元、三好長慶、松永久秀等武將診病施治，療效卓著，深受高層賞識；又創建啓迪院，設壇課徒，門下弟子衆多。曲直瀨道三被譽爲日本醫學中興之祖、後世方派的代表人物，對日本醫學的發展産生了深遠的影響。曲直瀨道三（正盛）對日本醫學的貢獻是多方面的。第一，他改變了日本既往僧醫一統天下的局面，以儒學引領醫學，强調實證。第二，提出「察證辨治」診療原則，擅長臨證配伍組方。第三，創辦啓迪院，親自講授中醫經典和自己的學説，引領了日本的醫學教育，賦予日本漢方醫學新的内涵。第四，創立日本漢方醫學的後世方派，倡導金元醫家李東垣和朱丹溪的學説，將中國醫學改造成日本醫生所能理解和接受的形式，促進了中醫的日本化和日本醫學的中興。曲直瀨道三的代表著作有《啓迪集》《切紙》《藥性能毒》《辨證配劑醫燈》《雲陣夜話》《診脉口傳集》《授蒙聖功方》《針灸集要》《衆方規矩》《泪墨紙》《遐齡小兒方》《和字全九集》《養生秘旨》等數十種。

關於《用藥心法》的作者，此書封皮有後人題言云：「《日本醫譜》卷二十九曰：津島道救，號宜帆齋，越中高岡人，從曲直瀨道三學，校刻《難經本義》。其裔孫恒之進，從松岡恕庵而研究本草云云。」卷首書名之下題署「一溪門人/宜帆齋選之」；書中「藥證屬類集」之首題「宜帆齋外闇子」，末記「日本一溪門人宜帆齋外闇子道救/集焉」；「迪蒙一統」處署名「宜帆齋/集焉」；「萬療一統集」之末記有「一溪門下宜帆齋外闇子道救」。綜合以上信息，知本書作者爲津島道救。津島道救，生卒年不詳，號宜帆齋，又號外闇子，爲越中高岡（今富山縣高岡市）人，從學於曲直瀨道三，曾校刻中國元代滑壽《難經本義》一書。其裔孫津島恒之進，隨日本著名本草學家、博物學家松岡恕庵學習本草，爲江户時代中期本草學家。可見，津島家族當係日本的醫藥世家。

關於本書的成書年代，在「藥證屬類集」之末有作者手記「文禄二季龍集癸巳初冬，日本一溪門人宜帆齋外闇子道救/集焉」，即時間爲日本後陽成天皇文禄二年（一五九三）。又書中「萬療一統集」之末所記「慶長拾二歲舍龍集丁未暮春，念一令管見、諸家活方投禿筆，俟於同志之者求耳」之「慶長拾二歲」即慶長十二年（一六〇八）。可見，本書開始編撰的時間至遲在一五九三年，最終完成時間則是一六〇八年暮春。

二 主要内容

《用藥心法》全書一卷一册，涉及的内容十分豐富，主要包括「隨證治病藥品」「用藥凡例」「諸治分别」「日用藥味」「藥證屬類集」和「萬療一統集」六個部分。

「隨證治病藥品」，源於中國元代王好古的《湯液本草·隨證治病藥品》，選録曲直瀨道三臨床用藥、辨治經驗，簡要列出臨床常見病證及其所對應的基礎藥物。例如，「如頭痛須用芎。如不愈，各加引經藥：太陽芎，陽明止（芷），少陽此（柴），太陰术，少陰辛，厥陰吴萸」；「如去中焦濕與痛，熱用連，能瀉心火故也」；「如去滯氣用青皮，勿多，脹，多則瀉人真氣」。

「用藥凡例」，出自《湯液本草·用藥凡例》，列出不同疾病配伍組方的用藥規律。如「凡解利傷風，以防風爲君，甘草、术爲佐。經云：辛甘發散爲陽。風宜辛散，防風味辛，及治風通用，故其爲君，甘、术爲佐」，闡明了治療傷風的組方原理及主藥。

「諸治分别」，署名「婁全善」。「婁全善」即中國明代醫家樓英（字全善），其所著《醫學綱目》四十卷，簡明扼要，提綱挈領，頗多創見。此處當是作者記録其師曲直瀨道三對樓英《醫學綱目》辨治疾病内容的總結。本書充分汲取《醫學綱目》的辨治精華，如記載了發熱的多種表現，并指出當根據發熱特點分别論治等。

「日用藥味」，從宋代唐慎微《證類本草》、金代李東垣《珍珠囊補遺藥性賦》、元代王好古《湯液本草》的「藥類法象」「用藥心法」中，選列若干日常用藥的簡稱，如「參氏遠」，分别爲人參、黄芪、遠志的簡稱；其後記載了部分病證的主治藥，如「痛風羌桃紅，脚氣羌兵瓜」，即治痛風用羌活、桃仁、紅花，療脚氣用羌活、檳榔、木瓜等。

「藥證屬類集」，以宋代唐慎微《證類本草》與寇宗奭《本草衍義》、元代朱震亨《丹溪心法》和王好古《湯液本草》、明代王綸《本草集要》等中國本草著作參考互檢，取各藥之長，并隨證記録臣佐之用、損毒之害等，首先列述九十七味臨證各科病證的常用藥物。以第一味藥人參爲例，詳細論述了藥味歸經、主治及功效，并對應列出主藥與配伍用藥。之後，較爲簡略地介紹了一百一十五味常用藥物的功效、主治、七情畏惡，部分還涉及藥物的真僞鑒别等問題，如「牛黄苦平凉，有小毒，無毒，惡龍骨、龍膽、常山、苄（地黄），畏七（牛膝）、乾漆。折爪上黄透甲者爲真。主驚癇寒熱，狂，除邪，治兒諸癇……」

「萬療一統集」，在本書中約占三分之二篇幅，共記載内科、外科癰疔及眼目、耳、唇口舌、齒、咽喉病等四十三種病證的辨證施治，有中風、傷寒、感冒、瘟疫、瘢疹、咳、痰喘、瘧、痢、泄瀉、腫、脹、積、淋、脚氣、痛風、眩、嘔吐、膈、痞、頭痛、腹痛心痛脅痛、腰、秘結、健忘心悸、自汗盜汗、暑、氣疝、諸虚、勞瘵、火熱、癲癇、失血、癰疔、咳逆、眼目、耳、鼻、唇舌口、齒、咽喉、諸蟲、黄疸。此部分首列病名，再述脉象、辨證分型及治法主藥、古方、灸治、宜忌等。之後附「宜諷熟之方」，對臨床治療中常用方劑的功效、主治及藥物組成進行歸納總結，以便於讀者掌握和臨床使用。最後單列「婦人」與「小兒」，對婦人門中常見的脉證、月經病、惡阻、胎漏下血、小産、難産、胞衣、乳病、産後等進行論述，對小兒門中常見的新生兒疾病、虎口診病、外證、感冒、瀉痢、眼目疾病、急慢驚風、疳、痘瘡以及妊婦瘡疹、蠱毒諸毒及魚哽等的辨證施治進行詳細的論述。「萬療一統集」中貫串着曲直瀨道三「察證辨治」的學術思想，體現了他豐富的臨床用藥、辨治經驗，是全書的核心内容。

三　特色與價值

《用藥心法》爲曲直瀨道三弟子津島道救對其師臨床辨證用藥經驗的選録和總結。曲直瀨道三在一五九四年辭世，而本書約成於一五九三至一六〇八年之間，可知津島道救記録整理的是其師畢生的臨床經驗和心得體悟。書中隨處可見「老師加減」「老師云」「師説」的字眼，流露出弟子對曲直瀨道三的敬重。全書内容包括藥物和疾病兩大主體部分，藥物部分的敘述以臨床用藥爲主，而疾病部分則是逐一闡述臨床疾病的證治。此書具有較爲完整的理論體系，且表述方式簡明扼要、形象直觀，其特色主要體現在如下幾個方面。

從形式上看，本書爲鈔本醫書，延續了曲直瀨道三學派慣常使用的佛經經疏形式（以綫段、圖表方式歸納），在論述藥物或疾病時，用簡練的文字結合綫段、圖表進行歸納，將複雜和抽象的問題清晰直觀地呈現出來。同時，考慮到讀者的漢語水平參差不齊，作者在部分漢字旁邊標注了日語讀音或語序，以方便日本讀者閱讀理解。在「日用藥味」及「藥證屬類集」中，作者多處以朱書形式補充説明了藥物的適應病證及禁忌事項；在「萬病一統集」中，特意將「宜忌」一項内容全部用日文撰寫，以便於日本普通讀者參閲使用。

從内容上看，本書緊扣曲直瀨道三「察證辨治」的核心思想。書中處處體現出察證之後施治的思維，論述了許多分類辨證的方法，將疾病分析得非常透徹。如在疾病診斷方面，口鼻内外，「以鼻候外感，鼻中氣息不利而壅；以口察内傷，口不知穀味，腹中不和」。這種辨證方法是曲直瀨道三在深入領悟中醫經典的基礎上，結合自身實踐經驗提出的簡便實用的診斷方法，在臨床中具有很好的指導作用，也非常易於掌握。再如臨床中常用的體質辨證，曲直瀨道三認爲中風可以分爲肥瘦兩種情況：肥白人氣虚濕痰，表現出的症狀爲健忘恍惚，四肢痿攣不仁，治療以四君子湯爲基礎方加減；黑瘦人血虚燥，表現爲拘攣痿軟，痹疼言澀，眼口喎斜，治療以四物湯爲基礎方加減。這些辨證方法，在臨床中非常實用。又如「諸治分别」的初、中、末三法，清晰地指出了疾病不同階段的用藥特點，其言：「初治道，猛峻可先，緣病新感，大劑急蠲，或又汗吐下在三法；中治道，寬猛劑兼，緣病少久中藥，去邪養正；末治道，緩寬，性味平善，廣脹必安。」這些内容涉及病證診治的各個方面，非常詳細實用。但是，本書「用藥凡例」之末載「已上皆用藥之大要，更詳别證於前隨證治病藥内，逐旋加减用之」，表明以上只是記述了用藥的大體經驗和治病法則，臨床應用時需要根據辨證結果隨證加减。

本書在察證辨治之後，對應列出常用古方及家藏秘方，對臨床治病用藥具有重要的參考價值。津島道救繼承曲直瀨道三的醫學理念，以《黄帝内經》、張仲景學説爲醫學之根本，又极爲推崇金元醫學。全書主體——「萬療一統集」在論述疾病辨治時，除列出曲直瀨道三常用的藥物外，還於其後專列「古方」一項，如治療淋病的五淋散、導赤散、木通湯、四苓散等。需要説明的是，此處所謂「古方」，并非後世方派醫家尊奉的張仲景醫方，而是指引自古書中的古醫方。與此相對應的是曲直瀨道三診察辨證後的自擬方或書中多次提及的家藏方，如治療中風的家藏防風湯。這些家藏秘方多秘不外宣，被視爲傳家珍寶。作者輯録的這些方法，除了可供臨床運用外，也有助於了解曲直瀨流派的醫學特色和用藥特點。

在治療方法上，特别重視灸療法，這一點也繼承了曲直瀨道三的理念。由於日本藥材資源相對匱乏，曲直瀨道三在臨床實踐中十分重視藥物的使用，盡量采用日本易得之藥；此外，又因灸法不受藥材資源的限制，取材方便，操作簡單，故較爲常用。如本書記載治療中風兼有目眩，灸百會、囟會（眉上五寸）、大椎（背第一椎一穴）；而中風兼有口噤者，灸承漿（唇下）、巨闕（鳩尾下一寸）、百會；再如，治傷寒咳逆也用灸法，灸期門、氣海等。書中不但明確了施灸的穴位，而且説明了腧穴的定位，同時還區分了婦人、丈夫及乳小的取穴標準，以便於學習者區别使用。

重視疾病後的調理。當叙述完多種疾病的診療用藥方法後，書中又常附論宜、禁之類的問題，尤其是在飲食方面强調得多，且所宜所忌，多爲食用之品。同時，這些内容常用日文撰成，以方便普通日本讀者參考運用。

注重在繼承中國醫學的基礎上的發揮。本書是對曲直瀨道三臨床用藥、辨治經驗的輯録，書中「隨證治病藥品」「用藥凡例」均摘自元代醫家王好古所著《湯液本草》，「諸治分别」則是對明代樓英《醫學綱目》的擇要梳理。此外，書中還汲取了宋人唐慎微《證類本草》和錢乙《小兒藥證直訣》等中國經典醫籍中的診法、方劑、藥物知識。由此可以看出曲直瀨道三及津島道救兩位日本醫家對中國醫學的熱愛與繼承。不僅如此，他們還結合自身的臨證經驗，進一步總結發揮中國醫學的精華，以更好地指導日本的臨證實踐。例如，本書「小兒」中的「虎口」一條講，由於嬰孩不能依靠診脉來診治疾病，一般醫家均通過觀察虎口中紋的顔色或感知四肢冷熱進行診斷，此即兒科虎口三關望診法。曲直瀨道三及津島道救在此基礎上總結出「二變」，并編出「虎口色歌」及「冷熱證歌」兩首歌訣，這兩首歌訣具有較高的實用價值。再如「痘瘡」中提到的「九渴非熱」，用綫段圖的形式説明腹脹、瀉、足指冷、驚悸、身温、身熱、面皝白、寒戰、氣急咬牙、飲水轉渴不止，言：「已上九證即非熱，乃脾胃肌肉虚損，津液耗少故也。宜木香散。如不愈，加丁香、官桂。丁攻裹，桂發表，表裹俱實而瘡不變壞也。」這些總結非常切合臨床實際，如果没有對中醫深入的理解和豐富的實踐經驗是無法準確提煉和升華的。

綜上可知，《用藥心法》一書凝聚了曲直瀨道三一生的臨證用藥經驗精華。津島道救通過對其師臨床經驗的摭取與整理，向後人展示出曲直瀨道三的深厚造詣、思想觀點和特色成就，促進了曲直瀨道三醫學思想在日本的傳承與發展。

四　版本情况

《用藥心法》目前僅有一部鈔本存世，現藏於日本國立國會圖書館❶，本次影印采用的底本即爲

---

❶ （日）國書研究室.國書總目録［M］.東京：岩波書店，一九七七：（第七卷）八九二.

此鈔本。此本藏書號爲「あ—14」，一卷一册，四眼裝幀。書皮題「一溪先生/用藥心法隨證治病藥品」，并有一段録自《日本醫譜》卷二十九的文字，簡述了本書作者生平。書内有護葉，但無扉葉；書末有封底。正文無框廓及界格欄綫，書口處無書名、葉次等信息。每半葉十四行，行二十五至二十八字。無序、跋。書中「藥證屬類集」首尾、「迪蒙一統」之首、「萬療一統集」之末分别記有作者師徒的姓氏名號；「藥證屬類集」「萬療一統集」之末鈔記了本書兩個篇章的編撰時間，即「文禄二季龍集癸巳初冬」「慶長拾二歲舍龍集丁未暮春」。文中有多處朱筆修訂、補充或注解的内容，并常以「、」「○」「△」「—」爲着重符，提示需要强調的内容。

總之，《用藥心法》爲曲直瀨道三弟子選編其師的臨床用藥、辨治經驗集。全書處處體現了曲直瀨道三「察病辨治」的核心思想，反映出其在中醫基礎理論指導下靈活診治的豐富經驗。書中許多内容雖源於中國醫籍，却也包含了曲直瀨道三及其弟子對這些内容的獨特理解和有效發揮，折射出曲直瀨道三豐厚的中醫學養，後人也可從中窺見中醫在日本本土化的過程以及一些日本醫家爲推廣普及中醫所做出的種種嘗試與努力。

侯如艷　蕭永芝

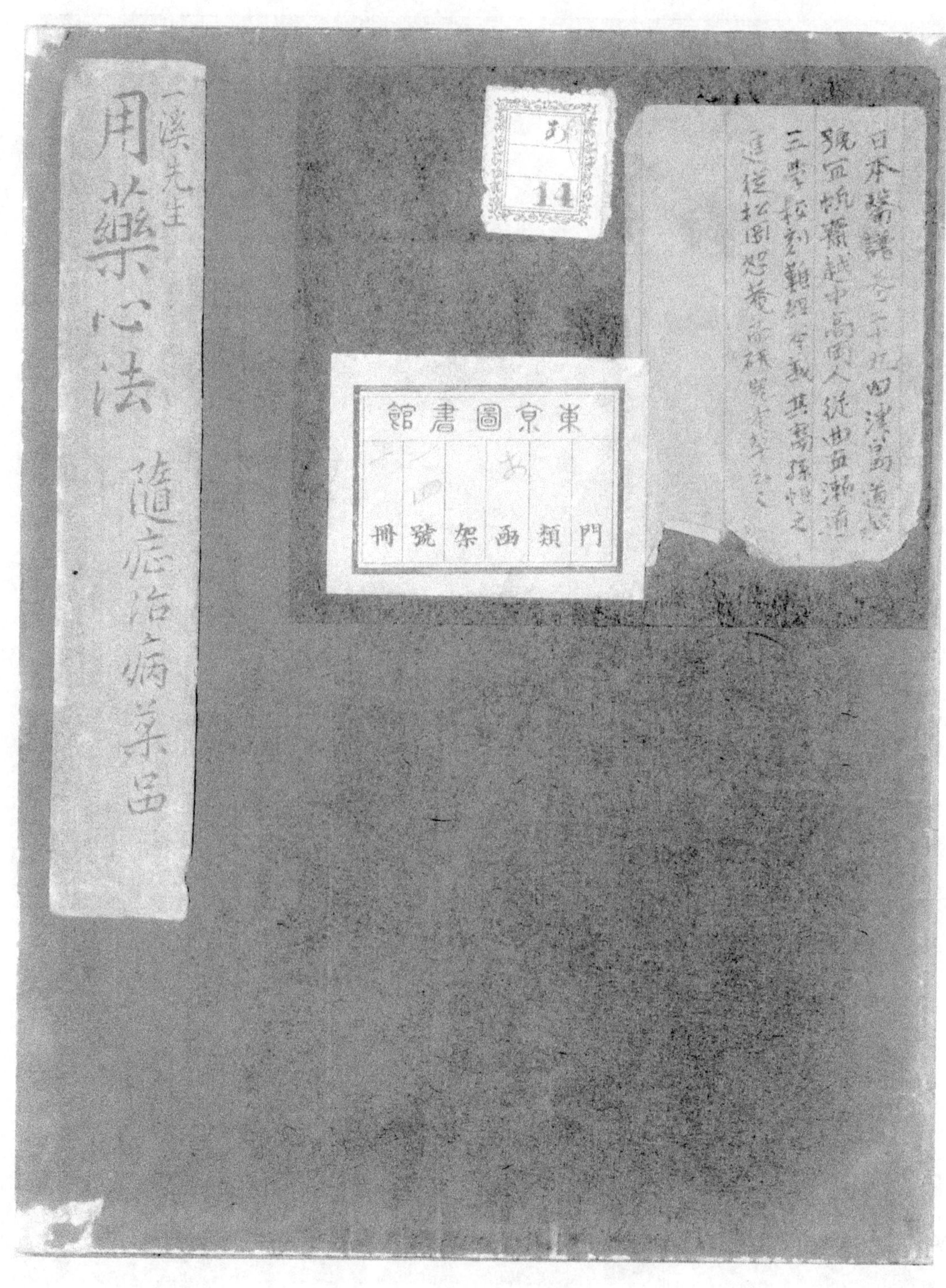
一溪先生
用藥心法
隨症治病藥品
あ
14
東京圖書館
門
類
函
架
號
冊

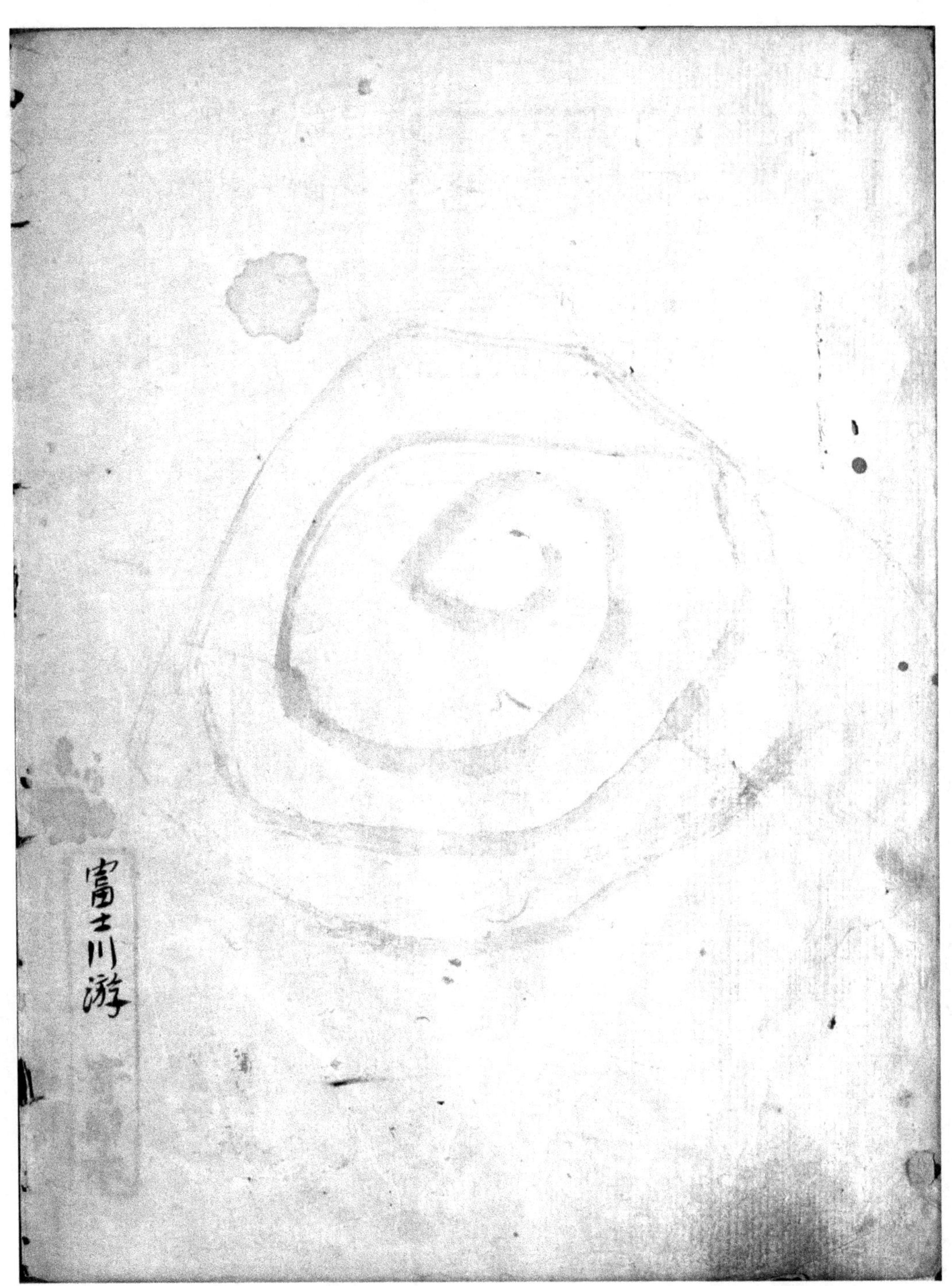
富士川游

用薬心法　隨証治病薬品

一渓道人　宜忛斎選之

如頭痛須用芎　如不愈各加引経薬　太阳弓　阳明止　少阳此

如頂巔痛須用藁本去芎　太陰朮　少陰辛　厥陰呉茱

如腹痛用芍　悪寒而腹痛加桂　悪熱而痛加栢　如肢節痛用羌　去風湿亦用之

如心下痞用枳実連　如肌熱及去痰者芩　肌熱亦用芪

如腹脹用姜制朴　季有為　如虚熱用芪　止虚汗亦用

如脇下痛往来潮熱日晡潮熱用柴　如脾胃受湿沈困無力怠惰好臥去痰用朮

如破滞気用好高者用之夫枳殻者損胸中至高之気二三服而已

如破滞血用桃仁蘇木　如補血不足須用甘艹

如去痰用半　熱痰芩　風痰星　胸中寒痰痞塞用貴朮多用則瀉脾胃

如腹中窄狹用蒼朮　如調気用木香　補気用参

如和血用竹凡血受病者皆竹也　如去上焦湿及熱用芩瀉肺火故也

如去下焦湿腫及痛并膀胱有火邪者必酒洗防己竜膽栢知

如去中焦湿与痛熱用連能瀉心火故也

如去滯氣用青皮勿多服多則瀉人真氣
如渴者用乾葛茯苓禁半夏
如喘者用阿膠
如胸中煩熱用梔仁
如氣刺痛用奴看何部分以引經藥導使之行則可
如血刺痛用歸詳上下用根梢
如小便黃用柏數者澀者或加沢
如小腹痛用青皮
如驚悸恍惚用茯神
如胃脘痛用草荳

如嗽者用五味子
如宿食不消用建實
如水浮用朮苓為
如眼痛不可忍用連歸以酒浸煎
如腹中實熱用大黃芒硝
如莖中痛生甘草
如飲水多致傷脾用朮苓猪

凡用純寒純熱藥必用甘草以緩其力也寒熱相雜亦用甘草
調和其性也中滿者禁用經云中滿者勿食甘

用藥凡例

凡解利傷風以防風為君甘草白朮為佐經云辛甘發散為陽風宜

辛散防風味辛及治風通用故芸為君甘朮為佐

凡解利傷寒以甘草為君芸朮為佐是寒宜甘發也或有別證於前隨證治病藥內選用分兩以君臣論

凡眼暴發赤腫以芸芩為君以瀉火以連歸和血為佐兼以各經藥用之

凡眼久病昏暗以熟芐歸為君以羌芸為臣甘草甘菊之類為佐

凡痢疾腹痛以芍甘草為君歸朮為佐見血先後以三焦熱論

凡水瀉以苓朮為君芍甘草為佐

凡諸風以芸為君隨治病為佐

凡嗽以五味為君有痰者以半為佐　喘者以阿膠為佐　有熱以芩為佐但分兩多寡不同耳

凡小便不利栢知為君苓茯為佐

凡下焦有濕草龍防己為君甘草栢為佐

凡痔漏以蒼朮芸為君甘草芍為佐詳別證加減

凡諸瘡以連翹為君甘草芩為佐

凡瘧以柴為君随所発時所属経分用引経薬佐之

已上皆用薬之大要更詳別証於前随証治病薬内逐旋加減用之

諸治分別　婁全善

一治有虚実　病気有余可瀉不足可補　有寒熱　有発熱ー骨蒸熱ー産後熱ー往来熱ー悪寒悪熱ー外熱内寒ー内熱外寒

上熱下寒ー上寒下熱ー往来寒熱

一治病必求其本　分標本　分難易　分緩急　分新久

分引経向導　分虚実証　分虚実表裏脈

一治和取従折属　并針灸之法

一脈脈分有神无神　治治分形志苦楽　分四時　分攻撃

一制方分君臣佐使　分湯散丸　分薬味多寡

一治法加減　扶護元気為主　治貴適中勿使太過不及

一大法重実重虚　五実五虚

一陰氣陰血屬ハ肥気虚 瘦血虚

一眉 髭 鬚 鬚 腋毛 候上体ハ美長多者上体血気盛 短少元者上体血気少

（頬ノ毛 口上ノ下）

毛脛毛候下体 美長多至胷腑者下体血気盛 短少元者下体血気少

一冬傷於寒春必温病 春傷于風夏生飧泄

夏傷於暑秋必痎瘧 秋傷於湿冬生咳嗽 雜知ニ

一経絶 足少陰絶歯長 手少陰絶面黒 五陰俱絶目暈

足厥陰絶舌巻卵縮（爪枯） 手太陰絶毛折 六陰俱絶汗出

足太陰絶唇反

一府絶 手足寒 上気脚縮 臓絶利不禁 手足不仁 雜診命絶

一素形盛脉細少気不以息者危 形痩脉大胸中多気者死

形気相得者生 三五不調者病

一虚実熱之証治 有火鬱而熱者 玉

女 不食而熱自汗氣短者虛也以甘寒之劑瀉熱補氣 虛補

能食而熱口舌乾燥大便難者實也以辛苦大寒之劑下之 心云 實大可瀉

一 脾胃一虧則衆體皆无見羸弱治雜証以脾胃為主然脾胃喜升而惡苦 喜香而惡穢 喜燥而惡濕 喜利而惡滯

參苓朮散主之

一 七情拂鬱吞酸尿赤之脉沉數皆令內熱 他黛類

一 薬不執方合宜而用之法无定体應變而施

一 初中末三法 初治道猛峻可先緣病新感大劑急盪 或汗吐下在三法

中治道寬猛 濟兼緣病少久中薬去邪養正

末治道緩寬性味平善廣服必安

一 鼻口內外 以鼻候外感 鼻中氣息不利而壅

以口察內傷 口不知穀味腹中不和

一 尿熱源 尿雖清下誠之甚熱旁先熱ナリ 尿雖黃濁誠之溫冷心熱氣結

一 逐補懸隔 玉血氣因寒泣聚則為癥瘕 可以溫薬逐之不可以溫薬補之

一因病製方与經意合者　仲景之書耳　揮

仲景因病以製方　局方製藥俟病

一精義病有　徹々者逆治理之正　甚々者従治理之權也

一畏虛養病至浮温脾湯方前治痼冷在腸胃泄瀉腹痛宜先取去

然後調治不可畏虛以養病也

日用菜味　菜類法家　用菜法　湯液　診　証類

参氏遠申貴宿令求半吉藿永亘

炎柔昌木丁且沉智乳虎良菜ソ

丹此西羌芸罡广可辛荊甪萑鹿

淡豆奴実共今虎杏桃戎猪尹連

丹百雷馬舌六夫伏壮僕索七爪薏仁

孔紅吹麹印英艾巳目迫猪民ソ

車仲山解新蓮肉豆五斤柰圭弓芊

止高月生水棗葱

○中風　芎羌桂芸
○感冒　夕藿貴吾
○嘔吐　丁藿貴曷
○秘結　兵奴卜桃
○噎膈　丁藿智
○痢　姜芩古連
○泄　朮姜古宿肉
○健忘心悸　參遠申
○脇痛　手芎柴奴芸
○腹脹　朴実朮
○積　文兵莪稜
○黄疸　丹吾茂
○痛風　羌桃紅
○消渇　門吾曷

○傷寒　此芩广西
○淋　通伏猪
○水腫　通伏腹猪
○瘧疾　此手知昌
○痞　卜奴雀
○頭痛　川此雀高
○眩　參芸半菊
○腹痛　莪木良草豆
○腰痛　仲七圭桃兵
○咳逆　丁吴史
○心痛　良丁草豆
○霍乱　丁貴朮姜宿
○脚氣　羌兵瓜
○脾胃　朮貴姜

○呑酸我椎卜
○疝良
○暑薷連
○燥門芊舌止
○大熱今丹連
○労牡六
○瘧麯吹勺ノ
○吐衄今曷勺連
○眼勺連芸丹菊
○喉吉升収吹杏

○欝氣椎ソ貴
○氣虚参白朮
○湿伏巳木通
○咳貴半杏桑
○虚損竹芊氏参山遠
○自盗汗勺氏今芊
○下血勺今卯莢槐
○耳芊昌達
○口舌欝莢
○悪寒外ソ羌圭ナ 内氏竹

药證膚類集　亘帆齋外甥子

阳中微陽　主上焦部　北方寒気在之
薓　甘　脾肺虚弱　生津液止渇　汗吐下後胃液乾必用之　為従治之妙

本　ツ　正氣衰弱　補気虚　蔘遠申　升木朮
蒙　ク　健忘多誤　安神益智　遠申茯　山升智
茉　サ　開胃消食　調脾　朮貫梅　推令ソ
本　シ　怔忡心悸　調心神　茯遠申　吉竹升
本　ツ　呼吸虚乏　調心肺気　遠吉茯　升藿且
本　ク　氣虚暈倒　補正気　遠茯申　升朮且
珍液　サ　咳嗽冷痰　補脾肺　及朮貫　苓芙半
本　シ　脈神耗散　調栄衛　桂竹茯　弓勺芐

脾肺実大数　相火九凡熱　虫積　癥瘕堀哥熱咳喘
虚細軟弱沈微以上升胃気（升一分　参三分）　安精神魂魄

入手太陰　足太陰少陰　陽中微陽
蔘　甘　象　益脾肺気　止尿汗　煩渇　参芪朮三味　退熱之聖薬

心　陽虚惡寒　補衛氣　桂倣參　朮歸耆

本　表虚自盗　鎖肌肉　朮归桂　芍倣柄

吳　皮肉燥痒　潤氣血　芍倣桂　归芷茁

心　肌肉不仁　温栄血　倣桂羌　參朮紅

本　氣虚下陥　升正氣　參藿菊　升朮柴

本　羸痩裏弱　調脾潤栄　倣芍參　归朮貴

心　虚労煩熱　潤陰血　芍倣六　百茄參

痰本　消渇燥証　生津液　門芍昌　倣香參

寸実強胸気厥寒水腫脹瘀積麻味苦瘦人

沉細微表虚必　若栄氣虚則不仁甚与芸相畏用之者何ツ　潔古云得芸而功愈速用之欲其相畏而相使耳　淡痿疽久敗必　但陽陰火去虚熱補五臟　倣人

入手少陰足太陰少陰　遠志　補心腎虚利九竅長肌肉骨髓益精神本

本　智慮多忘　安神氣　參芪申　升智昌

本 ク 心驚怔忡 定心神 參申竹 升芐知

本 ク 強志倍力 補元氣 續斛七 及山苓

莱 ミ 脉神耗散 調栄衛 桂參竹 氐門芐

莱 ミ 骨髓不足 補腎精 茄芐竹 七六蓮

莱 ミ 遺尿々數 補命門 蓮仲續 氐山智

本 ミ 精損易泄 鎖元氣 仲蓮智 七百山

本 ミ 心虛夢邪 定心神 智申參 蓮氐芐

脉實數 尿黃澁 命元

旧中徵陰 申 平 甘 心虛痰結眩倒 參[illegible]

本 ミ 病心益智 定神 參遠氐 卯智此

莱 ミ 驚癇心悸 去痰 半朴柴 貴參實

李陵 ミ 風眩心虛 安神去風 茯參遠 柴竹芐

珍 本 ミ 中風健忘 去痰補氣 半參貴 遠星朮

麻數自汗人

貴 辛苦 散滯氣去白 利脾痰去白 調脾胃留白 水棗分利劑 發汗去白

本 良本 茉 本 本 茉本 茉 茉

胃弱泄利 調脾胃令水棗散之 宿朮芍 令姜蓮

吧逆咳痰 下氣去痰 半令朴 奴丁録

風熱咳嗽 溫散之 蘇杏砳 吉令桑

辛声不出 溫利肺氣 杏參吉 甘令氐

酒病吧咳 調胃 葛丁令 宿朮梅

宿食不化 調脾胃 朮宿朴 勻姜令

胸塞不食 利之散之 宿朮椎 奴丰ノ

霍乱吐浮 溫脾胃 丁宿姜 朮令藿

寸沉細自盗汗 氣耗 削脈劑

崑曰辛而香之勝腐故能滌陳腐之氣

宿 辛苦 舉三本二 溫脾胃下氣消化水穀 老瘧吧吐胸痛氣滞不食脹効

本 ミ 霍乱腹痛 温散ミ 姜丁良 貴勺朮

本 ミ 胎動冷痛 温ミ 貴朮藿 朮令勺散ヲ

本 ミ 虚冷腹痛 温散ミ 桂丁姜 貴勺藿散ヲ

本 サ 上氣咳嗽 降散ミ 杏桑貴 令朴桂

本 ミ 奔豚冷痛 温ミ剤ミ 良莪棱 芎ㄓ藿丸

本 ク 休息氣痢 温腸胃 朮姜貴 朮令茸

淡 ク 虚労冷泄 温腸胃 姜朮貴 勺蓮令

本 ク 宿食不化 温化ミ 姜朴貴 勺令朮

淡 寒殺 胃火消渇 熱血痢ミ 且蔻 参智 百令 内使則入 肺 脾 胃

阳中陰 苓 淡 燥脾胃湿 通尿 入 白 手太陰 足太阳 少阳ミ 赤 足太陰 手太阳 少陰 鑑曰 以白導水金生水淡剤 赤禁丁陰虚

本 ミ 心腹虚脹 燥脾湿 朮貴朴 姜痛猪

本 ミ 胸痰結痛 利ミ 奴朴貴 半杏翟

本 ク 痰飲不食 利ミ 朴貴半 崔奴朮散

本 〻 心昏眩忘 去湿痰 貴半参 朮厚朴
本 〻 肌皮湿痒 去湿 升朮羌 藿乙竹
業 〻 痰結心悸 燥湿 半貴参 朮実杏
本 〻 肺痿痰壅 清〻降〻 貴桑故 炎杏吉
本 〻 水腫淋結 通〻 通茯朮 卜苦車
沉細弱 自盗汗 尿数人 燥人

入手太陰少陰
足陽明太陰少陰厥陰
陰中陽 精 苦甘 泉
除脾胃湿温胃消穀之剤 本 止汗 消痞 肥人中風

本 〻 霍乱吐浮 温脾胃 丁姜病 貴令藿
本 〻 消穀進食 補中 貴病参 勺姜令
本 〻 虚弱泄浮 補脾胃 姜貴参 勺蓮令
本 〻 消湿痰水 去脾湿 貴令半 姜朴蘇
本 〻 水腫脹満 調脾乾湿 令茯貴 朴通桂
本 〻 風眩頭痛 温利〻 弓雀羌 止辛芸

粉ハ主下痢十歳以上　葉ハ金瘡止血　花ハ主消渇ス

阴中陽　本　本　某　本　華　本　某　本　某

淡苦辛推滞气至新　征虫滚朴子　貴朮除温満　実虚世ニ実満

ニ　氣脹心悶　補中利し　痛奴貴　手令稚

サ　霍乱吟吐　温散し　丁姜貴　朮令蘇

サ　腹鳴不食　調脾胃　痛朮貝　勺姜令

ニ　反胃下氣　降散し　丁貴稚　手痛実

ニ　心腹堅脹　痛食　下し　缶手奴　朮令貴

ク　下焦滞气　利下し　奴缶通　七巳令

ニ　消痰降气　利下し　半実貴　杏令稚

ニ　三虫吞酸　利し　稚貴青　丁実戎

滚曰盖腹脹虚弱ニ寒熱ノ脹中可兼し不若制損喉咽

莨治蚘不用甘草甘物　蚘得甘酸則静見　苦則動於上　凍藏　鹹殺虫

脉細弱不食泄虚脹ニ　辛則安　鹹則頭伏於下　殺し

入手太陰足少陰

本 又酸 温肺下補腎明目益氣補不足澤皮本

本 ミ 強陰益精補ミ 仲山續 七茄蓮

腹 ツ 虚寒咳嗽補肺 参黄貴 杏半令

本 ミ 益胃元氣補ミ 遠仲斛 山續七

業 ミ 壯筋骨力補ミ 五加七爪 紅竹仲

本 サ 肺脉実数咳 嗣熱 風癸喘

味薄気厚陰中微陽

洞 苦酸甘降滯気通利関節削腸胃連年積労咳 本 本液

本 ミ 関節塞 脉実 利ミ 羌朴ま 吸貴芬

業 ミ 気嗣胸痛 利ミ 雀ま貴 参丁朴

本 ミ 胸塞膿痰 降散ミ 朴貴杏 半雀蛛

本 ツ 大便結滯 下ミ 芬朴貴 金㹠鹿 丸

本 ク 痰積食積 削ミ下ミ 朴貴ま 莪半雀

本 サ 風痒麻痹 降散ミ 芸羌弓 竹雀朮

本 サ 心腹結脹 降散し 朴兵貴 令手朮

本 サ 痃癖腹痛 削降し 稜手崔 了朴莪 散

気刺痛 奴 熱結秘 虎 奴消痞 妙剤し
血 ケ 気 奴 朮去湿

脾胃虚弱泄 虚細軟弱 気虚弱

純派 実苦酸 降痰飲食積 泄便結 浮痰 衝墻倒壁

家 ク 逆気衝心 下し 崔朴手 貴兵貴

本 シ 上熱咳喘 下し 桑貴崔 半杏貝

家派 シ 胸痰痞痛 降し 朴手半 貴参崔

派 シ 心下急痞 下し 兵手朴 参貴桃

本 ク 胃脹痰癖 利削し 手了貴 朴崔兵

本 サ 傷寒結胸 和し 参朴崔 貴此蜈

本 シ 結実脹満 消降し 朴兵脹 令手貴

珍 シ 年深堅積 削し 手稜莪 朴兵崔 丸

脾胃虚弱泄　虚弱軟　損胃気　大凡皮膚若痒

脉中陥

洗

辛若浩　椎下滞気若以破滞辛以散邪散破滞気下行

本　サ　脚気衝心　下之　何羌令　以朴実

本　之　裏急後重　下之　奴貴朴　甘桃令

本　サ　睍虫吐逆　利之温之　貴夫宿　木朴丁

液　之　胸脹不食　利之　貴术宿　朴奴雀

本　之　咳痰癖痛　利之　奴貴夫　杏半朴

本　サ　関節壅塞　利之　実羌稜　以朴夫

液　之　癥結賁豚　和之削之　稜夫朴　雀木叙

本　之　三虫寸白　温利之　木朴夫　良奴以根

液　真気下陥　似後重非後重　後重之効如奔馬　降瀉法

咳痰用岳希敢甚性重可以墜痰経曰高者抑之是也性如鉄石

数弱細　真気下陥　正気耗散　泄浮胃弱

入手太陰

腸若 象 泄肺大腸火下〻痰喘假甚下火 眼中赤腫

本〻傷寒心下痞滿 下〻 奴黄朴 参此令

本〻五淋血閉 清〻通〻 決通竹 丹令桂

本〻悪瘡熱腫 清経熱 吹弓止 麹竹尾

本〻熱痰喉喘 利〻清〻 桑貴杏 参朮奴

本〻乳癰腫痛 清散〻 吹通竹 麹弓尹

本〻腸風下血 清〻止〻 弓勺竹 卬芐蒲

本〻熱痢血滞後重 清通〻 卬岳桃 甘竹連

本〻寒熱往来 清〻 羌桂此 参西六

安胎剤

令通溺去湿
宿行気治痛
令降火治痰
朮除湿補脾
膠止漏滋栄

脈微弱 悪寒冷痰 冒弱世

手足冷 虚寒 丹砂牡丹猪蔥実

中寒人 冷虫

入手足阳明太阴

虎 若走不守心 兼丸散

咳痰実熱 瘀血之閃癥熱 瘡疽毒腫内実痛

食積熱痛 外胃腫痛 二腸実熱便結

傷寒裏熱 中風便結 撲損悪血胴入

熱痢後重 三焦熱壅 経絡瘡瘍腫痛

湯液曰以禍乱至太平无患 腸胃虚弱泄瀉損胃気扶正気

非元者之主 难者

入手太阴

心 脱 本 本 本 本

德 若月本 利胸中逆気傷寒喘 杏貴淳肺貴豚殺虫

上気風熱嗽 利〻 貴桑権 西蛛子

咳喘咽痛痒 散風熱 杏参貴 升貴蛛

咳逆気逆喘 泽〻 奴兵貴 半蛛下

心下急瘖痛 泽〻 朴奴半 半痛ヨ

俄失音不言 去痰 参貴令 半吉ケ

朱 〻 西眼痰痛 泻散〻 奴声半 貴弓雀

本 〻 赤眼腫痛 清利〻 芸甶辛 弓令巳

朱 〻 熱ノ弦脈筋攣 伸〻 以芸羌 七紅爪

珍 〻 寒熱頭痛 清〻去〻 升羌弓 止辛雀

〻 尤癃潮熱 清〻 貴声朴 桂果帋

虚弱脈細遅四肢厥冷虚寒証 傷寒裏熱 六柴ノ去(気)(血)熱血〻

引胃気上行 所義本経治労元〻一字鳴吽謡世〻甚多治労〕 柴本〻 若辛一年 日華八月

入肝膽 西若 去風熱泻氣 除痱熱明目

朱 ク 半表半裏 清〻 柴羌貴 易令ノ

本 〻 寧嗽消痰 泻〻 朮貴奴 半杏令

本 〻 傷風頭痛 泻散〻 雀貴ノ 芸羌麻

本 〻 肓痰痞滿 泻〻 半奴貴 杏手蜍

婦女 〻 胎動微熱 清〻 雀朮貴 奴痛参

本 サ 及胃吧逆 清〻泻〻 貴藿丁 ノ声半

李 サ 脾胃下食 朮貴雀 宿ソ藿
疌 ク 痔瘦輕熱 清し 夫昌朮 令木貴
本兒夜啼一味抹蜜丸一粒用し兒一切痔
遅弱細冷痔虚冷浮
入足太陽厥陰少陰
羌 苦甘辛 吟 利而節拘攣痛一身痛風湿証 肢節痛 依本 麻 木こ
心 ク 風湿悪寒 温散し 藁貴朮 桂辛芸
依 ツ 中風失音 去風痰 杏貴参 実半令
李 ク 太陽頭痛 散しし 辛芸芣 了止雀
本 ク 面鳴偏痺 温栄伸経 桂竹紅 瓜辛芸
李 ク 血癩多痒 清し 令升芸 勺竹芣
李 ク 麻痛攣急 温散し 桂竹紅 七瓜芸
本依 ミ 湿邪腫痛 通し清し 乙通朮 令吹収
本 ク 脚気疼痺 発し降し 七乙令 岳収虎

本　ㇱ　皮膚風腫　燥湿利ㇱ　羌巳苓　通沢ソ

本　ㇱ　肌肉湿痺　涂湿行栄　桂羌朮　乙黄木

心有汗則与　芪　心假令食氣有上則朮加弓榔提其氣收升之

无汗則与羌　食自降蘇散ㇱ

実強数浯肌燥便結　胃水乾　桃李雀蛤

入足陽明太陰少陽

半　辛微苦　乾湿開胃　脉滑　痰多　半乾ㇱ滲ㇱ　人惟知去痰不言益脾

粘ミ杏仁

本　サ　脾湿痰涎　燥湿　朮黄令　朴奴蘇

本　ㇱ　胃冷嘔噦　温散ㇱ　丁姜黄　朮令藿

木　ク　肥人眩暈　去湿痰　参黄苓　弓朮蘇

本　ク　痰上咳喘　下氣　杏奴黄　令雀朮

本浪　サ　咽喉腫痛　利ㇱ　嗽収吉　升ソ月

本　ㇱ　痰結胸痛　下氣　朴奴黄　杏参蘇

業　ㇱ　肥人健忘　去湿痰　朮参黄　参升蘇

本　ㇱ　痰結頭眉臂痛　去痰　弓雀朮　黄令辛

脉数実労瘵燥痰消渇　血虚　痩人燥熱　血証姙飴糖

入手太陰足少陰　陽中陰　利　甘苦　甘ハ心膈苦ハ下気白ハ浮者行ニ利肺気故ニ肺癰吐膿　珍　舟揖剤

浚衰　咽喉腫痛　清利し　収吹貴　升少甘

本　痰喘咳嗽　利気　貴半令　杏奴桑

本　胸脹塞痛　利し　奴声朴　桂半苷

珍　傷風鼻塞　温散し　辛貴麻　蒼芸録

浮大湿痰肥人湿胸中気結癥積心ニ辛甘寒ニ咽喉痛咳逆散し

入手足太陰　藿　甘辛可升降　本珍　温胃進食霍乱心痛　辟瘴邪行気　藿香正気散故用し

本　ニ　胃冷吐逆　温中　丁貴姜　朴半宿

心　ニ　中寒嘔吐　温中　姜丁良　宿主貴

浚　サ　気虚胸塞　順気温散し　参貴朴　升宿木

本　サ　風水毒腫　消し　通利し　沉令通　已乳虎

実弦数　熱結嘔吐　陰火衝上

陽中陽　永辛温脾胃止泄　見火則止而不移　止咳血　血証加剤在ニ　另命

液垣 〃 胃虛泄痢 温之止之 朮貴勺 宿令蓮

集驗方 〃 咳嗽冷脹 温脾胃 朮参貴 卜宿半

本 〃 冷虫腹痛 温散之 桂良朴 貴木夫丸

茉 〃 胃冷不食 調中 貴朮宿 令藿勺

本 〃 寒痢腹痛 温散之 桂勺貴 朮宿甘

液本 〃 寒湿痺疼 温散之 羌桂朮 貴竹紅

本 〃 霍乱吐浮 温脾胃 丁貴藿 令朮勺

茉 〃 虛冷呕吐 温胃 藿貴丁 朴令蘇

實數熱積瘕塊吐衄胃火燥熱消渴惡淋 本 胸滿咳逆

草豆辛苦温脾胃 散鬱滯氣 液 消酒進食消脹

家珍 〃 胃脘寒痛 温散之 姜丁貴 勺卜藿 散

〃 虛弱泄浮 調胃 朮貴宿 蓮勺姜 散

本 〃 呕吐心痛 温散之 丁姜貴 藿崔令

本 桒本 本 日華 液

痰嗀結痛 溫散〻利〻 朮貴半 奴卜手

実熱 胃火 弦実数

貝母 辛苦 潤心肺 補労 除上氣 喉痺 洗肝明目

〻 肺痿肺癰 涂煩 桒款冬 門貴吉

〻 労咳不絶 補〻 及参杏 貴令吉

〻 咳逆上氣 淬散〻 丁雀貴 杏半令

ク 消痰止嗽 利氣 桒貴杏 令半吉

姙娠 肺氣嗀熱咳 諸驚癇寒熱邪氣心虛驚悸

畏貝苺 麻黄 黄芩連

入手太陰

本 本 桒 蒙

桒 甘辛 本 浮肺火 利水道 寸白蚘虫

〻 水腫喘熱 清利〻 令伏通 貴朮令

ク 咳唾膿血 清〻 以吹吉 升貴令

〻 上氣喘咳 清利〻 雀貴杏 半令令

土茯苦辛退潮熱　斃血淋　補水蔵

本　ク　益精強骨節　痼ヽ清ヽ　五云卞　参七竹
ミ　風湿熱痺疼　去ヽ　芸羌弓　巳本竹
ソ　癩人筋骨疼　清ヽ　羌芸今　六奴五
ク　脚氣労熱痛　清ヽ　岳今七　奴紅巳
ク　悪瘡久不愈　清経血　吹麹止　氐巳竹
ク　湿熱腰脊痛　去経斃　奴云五加　岳通七
ミ　骨節労熱痛　清ヽ　云五匀　弓竹月
サ　去胃熱進食　清ヽ　雈昌令　貴奴宿
中焦虚寒人尿清利数　便浮沉細微弱四肢厥冷

入手厥陰少陰
陰微陽　鼠　辛苦　去血中邪熱破癥通月経下胞衣　晡潮熱　夜　六　壯　沉数
本　ミ　虚汗骨蒸　清ヽ　卞知五　桂竹六
本　ミ　虚労煩熱　宗ヽ　门六桂　卞氐参

本 〻 瘧瘡諸痛 涼經麴 吹麴氐 竹止通

本 〻 瘀血腰痛 破〻 七桃紅 竹圭岳

本 〻 撲損瘀血 破〻通〻 紅桂桃 七竹或虎

本家 サ 吐血衄血 清栄血 升令竹 芐弓甘

本 〻 瘀血癥瘕 削〻 稜莪チ 雀七桃丸

本 〻 驚癇邪氣 定肝契 此連岳 弓木芸

血崖實人脉微細弱遲 姙者忌蒜異鱗子忌鉄

便本 破血之劑 消血瘕 久瘧虫

集 〻 惡露痛 破〻 紅弓紊 牡七竹

本 ク 婦血塊 消〻破〻 弓牡莪 稜チ紊丸

本 ヮ 通月經 破〻 紅桃弓 桂紊牡

本 ク 下胞衣 破〻 七紅弓 牡奴桂

婦經不通一味燒〻存性為丸紅花湯下〻

姙者脉実数吐衄下血帯下

索若破血之剤　止痛　嘔枕痛

本　ミ　婦血塊痛　破し　桃莪朮　稜隹牡丸

本　ミ　月経不通　破し　紅桃便　亇圭弓丸

本　ミ　婦人心痛　破し　七桂莪　稜牡缶

本　ミ　小腹瘀痛　破し　莪朮木　缶稜桃

姙者吐衄下血

七若酸ノ破通月経　益精黒髪　出乳汁　手足血滞　无癰不絶

本　ク　腰脊引痛　伸筋　仏紅桂　亇羌仲

本　ミ　膝痛軟痺　行経血　羌仏紅　亇五収

某　ク　四肢攣急　伸し　羌桂仏　収亇紅

本　ミ　虚淋茎痛　補し通し　令朮通　月勺桂

本　ヒ　癥瘕癖痛　削し　積氣丸　朴紅桃　丸

本　ソ　胞衣不下　温し破し　芎紅竹　桂奴ソ

業　サ　走人溺失　補下虚　蓮續山　仲竹氏

本　サ　陰痿益精　補命虚　山仲蓮　遠斛續

豈曰質潤而苦鹹　懷孕人胃弱人　龜甲牛肉

丹云已引諸業下行春夏用葉秋冬用根惟葉汁之効尤速也腰膝痛不可缺也

入手足太陰

仇　酸　行十二經　調榮衛　吐逆心腸痰嗽

本　ヒ　霍乱轉筋　伸し温し　桂羌竹　紅七光

本　ヒ　筋骨痿弱　補し　七五氏　丙竹仲

本　サ　脚氣衝心　降し　岳七以　実令羌

行　ヒ　湿痺攣急　伸し去し　羌桂以　七芸竹

瀬　以此　紅　得之湿入（肝仇　脾桑　心令　腎木）　脉虚弱遲必

冷　而筋攣　仇光

液本〃 大便結兀潤 利〃 岳奴朴 芸竹芐

本〃 奔豚驚癇熱 清〃消〃 半此稜 岳貴連

本〃 潤心肺燥熱 潤〃 川吉参 麦桑昌

虚弱便泄不食妊湿人忌今氏易去而仁者殺人

入手足厥陰

陰中陽 桃 苦甘 心 苦以泄滞血甘以生新血破血下〃 征歩 孟詵溫〃云

陰本〃 血閉癥瘕 破〃削〃 稜半紅 七我索丸

液〃 心下堅痛 破〃下〃 我稜雀 実紅棗丸

本〃 血熱便燥 利〃 芐岳朴 芸実武虎丸

木〃 月水滞歩 破〃 七桂紅 巳我竹丸

苦性〃 痛風血結 破〃 七紅桂 芐芸羌

苦〃 痎喘急咳 下〃 岳桑令 令貴半

本〃 寸白三虫 下〃消〃 岳良木 斗竹苭根丸

苦〃 半身不遂 行淤血 巳桂竹 紅羌芸

蒙液　本　本　本　本　本　本　本

潤通大便　血（脉沉）（液秘　燥秘　結）　辛心痛咳逆　乾厥陰干加熱咆妙

腸胃虛泄浮　沉細微弱　本　杏　桃　仁　下喘治氣　療狂治血　也

破　苦辛　本　破血滯通月經　主虫噎膈　積氣中血　積血中氣

廿開胃消食　食積劑〃　朮雀縮　黄朴稜　散

〃血氣心痛　温散〃　丁良朴　尹朮雀　散

〃食積吞酸　利〃去〃　雀朴朮　尹黄實　丸

〃冷積衝上　温利〃　朴丁雀　無良實　丸

〃奔豚冷痛　温散〃　稜良木　朴尹智　丸

〃破痃癖氣　劑〃　實雀尹　朴以稜　散

〃瘀血撲痛　破〃　桃桂紅　弓七尨

〃婦人惡血冷堅痛　温〃破〃　桂七弓　牡棠紅丸

痰 ㄏ 乙 熱渴嘔血 清し 母吹黄 令吉刈

右寸軟弱虚 肺虚寒 出土者殺人鉄

本 菖 辛生石上一寸九節 五月十二月取陰干 開心孔出声 殺諸虫 本 風寒湿痺 出声 止汞

本 乙 聰明耳目 利し 弓菊牛 遠中芸

茉 乙 胸膈塞痛 利し 奴推参 半夏朴

本 乙 益智不忘 建神 遠中参 升氏山

本 乙 小児癎疾 截し剤し 兵手常 七此果

懐妊人 露根者

氷中泊

蜜 甘辛 調諸気鬱結不達 易老曰破気剤不言補 加柏骨 油重者良

本 ク 婦血氣痛 破瘀行気 桂推我 紅夕棗

茉 ク 冷出不食 温散し 丁手貴 朴智推

本 乙 肌中偏寒 補栄気 桂竹氏 参羌夕

本 乙 肌肉痺疼 補栄衛 竹桂弓 芊止氐

液本　某　某

痃癖癥塊　破々削々　奴莪朮　兵萑稜　散

痼冷積痛　温々削々　莪朮稜　良萑姜　散

虛冷痃虫　温々殺々　芜丁使　稜朮胡連　丸

寸白蚘虫　温々瀉々　兵良朴　朮丁萑

心脾胸腹間滞塞冷氣　消虫蠱毒吧逆反胃液中下氣滞兵

實火欬煩熱上氣吐血淡火衝上熱積虫風熱吐血

入手大腸足陽明經　絡陽　本家液　經液　液本　某

痰　辛　珍

除脾胃寒　家本　暖腰膝太乙療腎壯陽殺　酒毒

霍乱吐瀉　温散々　良霍貴　朮勺姜

冷痰咳逆　温散々　半貴苓　永病萑

冷氣反胃　温脾胃　永病貴　萑朮藿

冷咽腹痛　温散々　病姜良　貴萑藿　散

虛冷痃虫　温々殺々　朮芜使　朴連兵　丸

本　〻積塊奔豚破〻下〻　我朮稜　夫実雀丸

本險　サ痃癖癥瘕削〻　奴雀夫　朴我稜丸

業　ク寸白冷虫温殺〻下〻　良朮木　夫実荻根

実強数　熱積虫塊　胃火吐逆　傷風寒ノ熱衄吐血

且辛ヶ若胃氣上升　殺虫　進食

本　〻霍乱腹痛　温散〻　丁貴雀　病木雀

業　〻虚冷呃吐　温中　丁病雀　貴令蘇

〻腎氣諸痛　定〻　乳沉木　病智雀

本　〻正氣虚弱　補氣升　参遠氏　貴木升

血虚燥甚　実強大数　宜橘之属佐

沉辛壯陽調中氣　養諸氣　破癥癖冷風麻痺

本　ク腰膝寒痺　温肌補胃　桂仲介　智兆七

本 〻心腹虫痛 殺虫療 丁木朴 貴雚兵
本 〻胻中偏寒 温〻 竹桂木 勺參莀
本 〻风水毒腫 消〻 吹巳通 羌弓翹
血虚燥熱实数 丁沉薰雞古藿旦乳七苟 療风水毒腫
智
本家 〻辛苦 温中益氣調諸氣 服 尿数一味末塩湯下
非本 〻呃噦涎多 温中 丁貴藿 木姜雚
異 〻冷虫衝上 温散〻下〻 丁良兵 木朴貴
本 〻正氣虚憊 補気安神 參氐旦 升沉貴
本 〻遺精尿瀝 補肾気 蓮仲斛 七氐山
实数尿黄澁
乳 肖丸散 定諸經痛 温腰膝下氣益精 微炒殺毒不粘
珍陳 〻痛風經痛 温行巣血 羌桂竹 芐紅芸

本 ツ 風水腫痛 消し 羌通巳 沉升吹

本 サ 瘡疹瘙痒 調栄血 竹半芎 氏芸升

本 ミ 心腹虫痛 温 萑丁桂 貴朴木

難産一味丸用之妙 諸方在之

茉 琥珀 液 利尿通癖 破癥結 止癲邪心痛痰癖殺虫

本 ミ 心神虚弱 補神 遠申参 升氏智

茉 ミ 五淋渋痛 通し 決通苓 桂勺甘

本 ミ 産後血腫 順栄血 猪苓竹 紅決芎

本 ミ 肢節浮腫 通し 紅決桂 猪巳竹

尿数人 燥人

良辛 本 脾胃虚冷し逆心痛 霍乱腹痛吐瀉

本 ク 吔吐蚘痛 温散し 丁萑貴 藿令木

液 サ 寒吔胸痰 温散し 丁朴半 貴藿姜

苿 ク 寒疝積塊 温散消し 我手積 岳木朴
本 し 消化宿食 温脾胃 木貴宿 朴奴雀
実強数 煩熱自盗 脉黄浅 熱積塊虫 風熱
呂苿 辛苦 除寒気降気速や 消痰破癥癖
苿 ク 寒気噎塞 温利し 丁姜朴 木雀奴丸
本 ク 心腹冷痛 温散し 良丁桂 令貴姜丸
癸 サ 赤痢腹痛 和し 朴勺貴 桂岳令
苿（貧人） サ 風湿血痺 温し除し 羌芸桂 七竹弓
本 こ 咳逆虚冷 温散し 丁姜貴 令雀蘇
李 こ 胸膈刺痛 温散し 良奴丁 姜手雀
李 こ 寸白虫痛 温降し 良岳手 奴木我丸
本 こ 脚気衝心 降し 岳朴七 手以仈散
日華 実強数 諸煩熱 膈虚人 多不用

脉中阳

姙者傷風寒諸熱証　熱積塊　虚細数

本　サ　削　苦甘法　破積氣瘀痛　通月経

本　〻　乳汁雖出　破〻通〻　弓巳竹　雈辛古

本　〻　小児痢癖　破〻〻　手我木　丁実卜　丸

本　〻　癥瘕血塊　破〻利〻　我手七　紅雈索　丸

蒙　〻　痃癖強痛　破〻消〻　手実我　収羌雈　散

耗散正氣　虚弱人　一味煎ノ洗乳下乳汁　忌姙

入足厥陰　手少陽

童　若辛削肝気破血下飲食　在滞気則佳

本　〻　吹嬭腫堅不痛痒　消〻　雈稜桂　弓辛伏

本　〻　小児痢虫　殺〻　木丁連我使荒漆実熊膽　丸〻

本　ク　尨服強痛　削〻　実朴弓　雈我稜　丸

本 乚 滞氣胸痛 降散乚 婡雀参 令以貴散
本 乚 尢瘫脉実 切乚 此朴岳 木貴奴
茉 乚 心痞不食 降乚調胃 雀宿朴 丁貴稜
本 乚 膈氣積結 破乚下乚 岳朴以根 良木丁丸
本 乚 三虫寸白 下乚殺乚
正氣虚弱人損心氣 虚細数弱

入手少陰
連者浮心火 浮沉心実 浮脾也 実則浮甚子也 除病虫熟
心 乚 陰瘡腫痛 清经血熟 止吹土伏 竹麯通
本行 乚 赤痢熟痛 清乚下乚 勺岳参 貴桂甘
本 乚 赤目熱痛 去心熱 芸此匊 羌弓辛
心 乚 吐衄下血 涼乚止乚 令半蒲 貴竹弓
本 リ 胎動出血 止乚清乚 勺竹氏 令参今甘
茉 乚 心熱驚痫 清乚 升参朴 月令今

本 蘇 辛甘 下氣利腸開胃進食 発汗故風邪惡寒必

本 ク 風寒頭痛 発散〻 貴藿麻 芸辛羌

業 ヒ 寒湿痺疼 温散〻 桂羌朮 貴芸蟅

本 ク 鼻塞咳痰 温散〻 吉貴西 半杏蟅

業 ク 吡吐咳痰 降散〻 貴朴半 声令蟅

本 ク 脉浮数熱 工逆 発散〻 易麻貴 升羌甘

李 サ 霍乱轉筋 温散〻 桂瓜蛍 貴丁姜

業 サ 氣嗇不食 降散〻 藿貴朴 朮病奴

本 ヒ 五膈塞痛 工逆 降散〻 貴朴病 藿奴丁

脉細弱遅自盗汗 正氣耗散 表虚瘦人 多用則泄

子゛下氣治腰脚湿風結 及胃痰嗽上氣咳逆喘急止咳

水脹喘咳甚〻 或用茎亦効

入手陽明 足太陰 陽中陰

葛 若甘 去心熱 滾家 傷風的薬 発汗 滾 陽明頭 犀代 吐 脚 血 肺 吐〻 胃引出

本　ヽ　瘟疫甚熱　清し　葛羌西　貴芸甘

本　ヽ　時氣頭痛　散し　藭貴西　羌了此

家滚　ソ　肌表発熱　散し清し　藭麻貴　羌西雀

滚本　サ　风腫喉痛　瘡　清し　吹叹吉　杏貴弁

本　サ　小児尿血　清し　苄竹通　令月貴

本　ヽ　丹毒赤疹　去肌熱　丹苄竹　㕣芸羌

本　ヽ　腫物熱瘡　清栄血　吹通茯　竹羌令

本　朱氏　サ　咳唾膿血　涼し　令叹竹　桑令貴

沉細遅　自汗表重　手足冷　上弁胃气与参　瘟多出大便浮

瘟多出表産灰白　心法曰忌脱肛

〇足厥陰ナ白

薫　苦酸　去肌肉煩熱　日晡潮熱　清肝膽　去氣熱往来寒熱

本　ソ　傷寒煩熱　涼し　令苦参　令貴　弁葉

本　ソ　実熱咳痰　涼し　桑貴令　令奴同

末　ソ　弦数頭痛　清往熱　芸雀了　羌令辛

本 し 痢熱眼痛 清し 竜膽 岳羌 使手 胡連 柿根 熊膽 丸

海藏 し 痢熱痢疾 清し 今岳貴 令木甘

虚冷証 胃弱泄 虚弱沉細遅 手足冷 畏 数冬

治血 芸 連 為 上 中 下 使 揃

伸治九種心下痞 心中安蚘 注出 明目

入手太陰 丹若浮肺胃熱 堤中火二腸熱 通尿 非利尿実 清肺故化膀光津液

火浅去黄 櫽 焦 用し 主酒皶 音瘂 吐衄

本行 廿 汗吐下後虚煩不眠 涼し 六参貴 氏石令

本液 廿 赤目腫痛 清し 芸此通 白辛弓

本 廿 熱淋血淡 通し清し 芣決通 令竹圭

本 ク 黄疸発熱 去湿熱 曷通決 貴耳朮

本 し 積熱心躁 清し 此勺令 貴参六

液 し 赤白癩瘡 行経血清し 令ク竹芣 弓勺雷丸

本 し 熱毒血痢 清し 芣令竹 岳桃令

消渴口乾　潤肌去熱　門冬氐　六參甘
渴曰為熱兼向導ト也口唇ガ脾竅能ツ則ハ連ハ苦而燥故丹ノ苦潤者為當
脈細數弱　中虛寒人　脈清利數　四肢冷　胃弱泄
仁去心中　皮去肌表　熱往熱屈曲之熱

入足太陽少陰
脉中陽　蘗　苦甘去湿熱命丸滋陰苦潤之浮火潤故之就下也
本　ゝ　脚氣痿軟　強筋骨　七五加氐　瓜羌竹
本　ゝ　赤白帶下　去湿熱　朮止白　竹令貴
本　ゝ　泄痢熱証　清ゝ　貴白令　六甘圭
珍本　ゝ　腸胃結熱　通ゝ　令奴兵　朴竹甘
葉ゝ　サ　下血腸風　清ゝ止ゝ　芥朮蒲　竹丹芸
本　ゝ　目熱赤痛　清ゝ　柴芸菊　竹白止
心　ゝ　熱淋尿黃　清利ゝ　竹通沢　甘桂丹
象本　ゝ　蚘痢虫痛　殺ゝ　兵木丁　胡連智夷丸

鹽白淫夢泄遺精陰盛陽虛故 百苦降心火 蛤鹹補腎陽 二味水丸用之

除湿薬中ニ不可欠之有復治ノ妙与茯ニ氣力湧出

尿清利數 胃弱泄 又脈微細弱遅 下虛冷相火衰 陰虛忌実

入足陽明 手太陰

雷苦辛溫 陰水命丸 塩 有汗骨蒸 熱嗽効

薬 夢遺精滑 固之 蓮 茯 五 遠 百 芐

薬 労瘵潮熱 润之清之 茯 此 竹 芐 参 六

薬 五淋熱澁 清之 今 通 竹 甘 桂 沢

本 液 消渇熱中 润之 舌 門 茯 芐 竹 甘

仲景 煩燥不眠 清之 六 丹 竹 芐 茯 圭

本 消痰止嗽 清之 桑 杏 今 貴 术 蜘

液 久瘧煩熱 清之 貴 六 桂 此 尹 岳

本 日華 驚悸心熱 凉之 茯 芐 今 遠 升 参

考眼者肝竅肝木藏得水則榮失水則枯故用知母 益腎水 補母

又曰陰盛陽虚則九竅不通乃陰埃障日之象也
又曰知百加桂假之及佗
相火衰痰清利數出肢厥冷惡寒胃冷泄下虚冷風微弱忘錄
入手太陰
馬
甘　滋心肺益腎水　定喘　止熱嗽　潤　氣門　麦白
業　ソ　肺熱乾咳聲啞　潤〻　吉桑杏　血芐　貴参令
本　乙　羸瘦短氣　復脾潤〻　竹声柴　芐氏参
本　ソ　咽喉乾燥　潤〻　吉菖参　氏百甘
診　乙　虚労客熱　潤〻清〻　古丹氏　竹参芐
液　乙　經枯无液　潤〻　氏芐竹　桂参紅
本　乙　肺痿吐膿　涼肺　桑令救　貴吹炭
液　乙　五淋熱渴　潤〻　丹通令　車圭井
本　乙　強陰益精　潤〻　六百氏　芐圭竹
右于虚弱冷咳胃冷下虚冷冷痰不尋収　急嗽冬若甄
不去心令煩　畏黄〻青囊

純陳　舌

若　潤心肺降氣宜虛熱人出乳汁　止厎

本　ク　黄疸口乾　潤し　丹昌羌　已貴圭

本　ク　消渴身熱　潤し　扚昌亇　氐圭芈

茉　ミ　陰虛燥熱　潤し　氐芈石　亇参勺

本　サ　乳癰排膿　清経血　吹氐止　麹已亇

虛寒人四肢厥冷沉細弱　忌

少阳 陽明　渇　舌　膏昌　浪腫毒瘀血

同

仁　炒　潤身下氣行津液

日華　ミ　虛労口乾　潤し　扚昌参　石氐亇

本　サ　吐血胸痺　清し　令此亇　吉貴令

本　ミ　咳嗽痰飲　乾咳ミ潤し　杏貴桑　令実扚

集験　サ　下乳汁滞　利し　扚通積　茯已辛

食療　湿痰虛冷人肥人緩脈多痰

天花ヒ　降上膈熱痰味苦冷止渇

入足少陰 手少陽

本 業 本 本 本 本 志 本 業 本

ソ ソ ヒ ヒ ヒ ソ ヒ ヒ

录苦本 益精強陰 安心腎 利大小腸 除煩散熱毒瘡腫 ソ

胸脇氣熱 清之 柴参雈 弓収貴

腎熱尿黄 涼之潤之 知苓竹 桂苹井

赤目腫痛 清氣熱 芸連菊 弓辛通

熱而泄痢 清之 貴勺朮 布令月

風眼目淚 清之 芸連西 弓辛羌

骨蒸勞煩 涼之潤之 苹丹竹 氏勺参

勞瘵寒熱 清之 丹桂苹 氏竹五茄

筋骨衰弱 滋陰血 七苹 竹紅紙

涼 血 肌氣 行義 拘杞 地骨 子 益腎精安神 用 根皮有二種元刺実長用有刺実丸不用 根皮ー形瘦沉細数必

尿脉弱細尿清利数 相火衰 産冷泄

沉細自盗 非元爲主 晝正擾乱主ㄟ

入手太陰 足太陰陽明

羌 甘辛 除上熱頭面風 一身痛 通療諸風 潤腸劑 本

本 〃 赤眼風淚 清〃 羌辛止 紫菊雀

本 〃 赤目腫痛 去血熱 勺菊羌 弓此通

陰 〃 頭目滯氣 散鬱氣 弓辛雀 羌升菊

心 〃 風湿頭痛 散〃去〃 羌雀辛 令术貴

本 〃 破傷風攣 去風伸經 羌桂紅 風竹七

本 〃 股痛肢攣 緩筋脉 手紫弓 七以紅

陰 藥 〃 骨節疼痺 去風湿 羌芜七 己紅茄

本 陰 〃 頭眩風痛 去風痰 辛雀弓 半此羌

寸沉細弱 上焦氣虚

入足少陰

摇 甘苦 金瘡痛去風寒湿痺手足不仁一身痛

本 ク 肩腰痓痛 溫利〻 竹紅桂 芸七岳

滾 ク 百節痛風 溫散〻 紅竹芸 桂瓜荊

朱 ク 脚氣拘痛 伸筋 岳紅桂 瓜七已

滾本 ク 賊風痛痓 発散〻 芸柴辛 羌广已

本 ミ 风齒頰腫 散〻利〻 辛芸升 芷已通

珍本 シ 頭旋目運 中風類 弓芸芷 辛参升

本 ク 風毒攣急 溫散〻 芸川辛 芷吹已

本 ミ 肌痒肢攣 補栄血 竹芊氐 升紅芸

表虚沉弱細自汗

入手太陰少陽陽明
足太陽

麻 苦辛甘 散風寒表邪発汗 外邪悪寒鼻塞服痛攣

本 ク 風寒頭痛

觀要 ク 外感表熱 発散〻 蕪貴昌 羌升芸

朱 ク 无汗熱咳

本 ミ 咳逆上氣 降散ミ 雀貴奴 朴宿 子蘖

沉細弱自盜汗 表虛 瘦人多不用

崐散中空而虛味辛溫而薄空則已通腠理辛則已散

入手太陰厥陰

苛

辛苦 出汗發散除諸風邪

本 ミ 通利関節 温散ミ 辛羌芎 芎弓雀

本 ミ 傷風頭痛 発散ミ 蘇貴西 羌雀广

朱ノ ミ 咳痰鼻塞 発散ミ 吉貴少 升杏辛

朱ノ 陳士 サ 婦血道風入頭痛 散ミ 辛芎雀 弓羌貴

沉細微弱自盜 表虛 多不用

入手少陰

辛

辛 本 下氣咳逆 利九竅去風湿 少陰頭痛 如神

本 ミ 風眼涙下 去ミ 芎弓止 升此匀

本 ミ 乳汁難出 発ミ 香仁巳弓 決七積

本 惡血目病 降散〻 弓雀芸 芎介此
本液 百節拘攣 温伸〻 桂紅羌 芸介介
液心 腦動頭痛 補〻 芐弓高 此止雀
本 風湿痺疼 温散〻 朮羌桂 己芸雀
本液 胸膈痰痛 降〻 奴半朴 杏黄令
行義液 頭面風痛 温散〻 芸羌弓 雀黄止
諸病并佗藥多不用 口臭齒痛一味煎含〻

本 荊芥 破結聚出汗 癩風惡瘡風頭痛
本 產後血暈衝心 和童便酒灌鼻
本 中風口眼歪斜 為末酒服
本 湿痺拘攣及張 温散〻 搗以酒服〻
本 賊風口目喎斜 伸〻 羌芸辛 紅介介
自汗表虛 沉細弱 多不用

菊 苦甘 利血脉除上熱翳膜目淚 養目血

本 ミ 悪风湿痺胸煩 清し 令芸羌 巳弓連

本 ミ 风熱頭旋腦痛 清し 芸辛羌 弓荏令

茉 ク 上氣上血目腫 清し 辛荏弓 芸通此

本 ク 風熱頭重腫痛 清し 荏芸辛 止巳通

子才黄菊小花甘辛者佳酒浸晒乾用之九日取し莖葉亦甘入茉し

走足厥陰 虚弱細冷証

旧中脉 芎 甘辛降散鬱氣 辛発劑 血中ノ氣薬 兇乳癖

本 冬 上氣頭痛 降散し 弓芸甸 柴芷辛

本 ク 氣鬱胸塞痛 降散し 実貴参 半令羊

本 ッ 天酸不食 消化し利し 朴术貴 奴青我

本 ク 氣鬱頭痛 降散し 貴芸弓 辛ッ羊

茉 サ 肺风鼻塞 発散し 麻貴ッ 芸辛吉

本 ミ 虫積衝上 削し下し 無朴羊 奴稜我散

本〻 氣欝帶下 散気生血 為貴竹 弓朮止

圖経 廿 癮疹瘙痒 補栄血 竹氏芸 朮羌升

寸口虚弱微細 氣虚 表虚自盗汗

入足阳明

鹿 肖去胃熱 生津液 无汗発熱発汗 血痢疽証

本〻 身熱痘難出 発熱毒 升羌吉 芸ソ貴

本〻 風寒頭痛 発散〻 弓羌ソ 辛西芸

本〻 児虫風熱 涼熱 貴耂朮 令ソ朴

本〻 心熱吐衄 清栄血 芐竹令 貴令弓

本 児痢久渇 涸〻清〻 貴门参 令朮夕

本〻 消渇燥証 涸〻〻 吞门参 竹氏芸

液本 吼吐煩渇 凉胃熱 梅朴参 门芐葉貴

液本 酒毒燥渇 清涸〻 梅貴门 吞甘参

行文 自盗汗脉冷 腹痛胃寒吼 沉細微弱遅痔表虚。 无人初方陷証便用葛升 斯也

本 本 本 本 茱 本 洩 茱

起

甘降氣利二腸消水腫齒衝上不不食中焦秘結

ニ 肺癰吐膿 清ヽ 桑吹貴 令吉类

ニ 咳嗽涕唾 温散ヽ 貴半令 吉卜类

ニ 乾湿脚氣 伸ヽ 爪羌紅 已岳分

ニ 胸脹塞痛 降ヽ 奴朴尹 雀貴宿

ク 中風攣急 温ヽ伸ヽ 桂爪羌 七紅竹

ク 熱而筋攣 清ヽ 紫羌已 七五紅

サ 久風湿痺 温ヽ 羌芸桂 竹已七

シ 胸腹攣痛 降ヽ和ヽ 奴尹貴 圭弓卜

毋云因寒則不用 任ノ佗茱用此物力勢見効 瘡ニ咽喉腫

牙齒風痛煎含之勿 冷

冷而筋攣急胃弱泄 微細虛弱緊遲忌雄

根三虫辛腹痛 蛔虫攻心痛胸腹煩満痛

藥鴻飲香益中 空腸甚勝於雜茱者 墮胎

本 本 本 本

艽 苦辛 滋 去寒熱邪氣利尿 消腫 虛勞往來熱 腸風下血

〃 風寒濕肢節痺痛 溫々 羌桂七 朮巳令

〃 風濕筋攣 伸々 羌以仏 七圭紅

〃 通身拘攣 溫々伸々 桂羌七 紅仏以

〃 肌目尿黃 疸々 去濕熱 丹通羌 令百朮

尿數人

張中陽

本淩 蒙 李 本 淩 蒙 本

紅 辛甘苦 行十二經 破瘀血 喉痺不通 用之多 少用則破瘀血 養血

〃 腹中血氣刺痛 破々 桂桃芎 雈歸木

〃 產後血暈口噤 定暈血 竹雈芎 參芐令

〃 破水先下難產 催々 桂竹芎 奴七

〃 惡血不盡腹痛 利々 七芎雈 圭索

〃 死胎胞衣不下 催々 桂芎附 奴竹七

〃 血瀝乾枯 元本 丟工 四物 氏七圭羌參止

ノ中風筆急 毛本 曰 七仏桂 羌朮竹

ノ痛風筆急 毛本 曰 羌仏七 圭姜柴

懷孕人下血脈案 子吞數十粒主天行瘡子不出苗生搗傳遊腫惡虫刺痛

茉 吹苦散血氣邪熱 本 喉痺腫痛 本 咳逆上氣諸瘡 聖茉

本 乚 瘡腫膿血痛 清乚 麹竹勺 了通止

液 乚 咳唾膿血吐 清乚 桑令今 貴以吉

茉 乚 消痰腫核痛 散乚 貴桃丰 朴奴令

茉 サ 破痃癖癥結 削乚 手積雀 実七戎

本 通月經消瘀明 同 紫苑是

中焦虛極冷 胃冷泄

入手足少陽陽明

康苦燥 本 去經熱 熱 惡瘡聖茉通尿

液象 乚 瘰癧熱瘡 清乚 吹積吉 以了升

本 廿 淋熱澁痛 清〻 丹通沢 甘車竹

本 〻 瘡瘍寒熱 清〻 此羌吹 芷通車

〻 肌熱小瘡 清〻 升通吹 羌弓竹

珍ノ 〻 心經客熱 通月經 去寸白 雖四肢厥冷 極冷人

此經氣血熱 翹 血 治血証 芸 翹 揃 上中下使 沉細微弱

氣味俱厚陰

印涼滋血止血諸熱血妄行 酸苦甘

後 本 唐 本 本 隱居 菜 本

〻 悪肉瘡痛 清〻 吹翹氏 竹止已

〻 帯下熱証 清〻 勺止竹 朮茴令丸

〻 乳痊熱痛 清〻 吹推羌 弓辛吉

〻 熱血痢疾 凉〻 貴勺竹 圭連令

〻 五淋血澁 元本远工 通車令 甘竹芐

〻 肌熱悪瘡 清〻 升羌已 通吹或虎

日華 〃 衄嘔吐血 清〃 勺芎竹 令黄令

圖經 〃 腸风下血 清〃止〃 令蒲勺 竹槐姜

脉沉細微遅下虚手足冷 姙

萸 胃止血 利水道下乳 止泄精 濇腸止洩

本 〃 吐衄唾血 清〃 升桑竹 勺令芎

本 〃 尿血下血 清〃 丹芎令 竹令汞

菜 〃 腸风血痢 清〃 令芎卯 弓令竹

本 〃 帯下崩中 清〃 卯芎令 弓竹令

重舌〃生粉塗〃妙

鼈草 苦无毒 涑着用 止血劑 汁〃 殺虫 実明目

本 〃 赤白冷痢 温〃 竹桂勺 令耳黄

本 〃 吐衄浮血 清〃 芎令弓 蒲勺竹

本　〻　婦人漏血　清〻　牛蒲竹　令勾弓

本　〻　腹痛下血　清〻　槐勾水　郎蒲甘

湿熱血痢後重　尺脈実強　傳婦人門　灸艾下行 脈艾上行　多脈則致毒

本　離　辛苦　本　通經絡　旁克熱　滋利尿　本　喘嗽留痰

本　サ　中風脚気手足攣　温〻　瓜紅桂　七羌竹

本　サ　湿風口眼喎肢疼　仲経　羌桂辛　瓜紅弓

本　ク　下焦腫痛　去湿　茯通令　七羌

本　ク　風水腫痛　去〻　羌通朮　令吹決

痩人尿清利　尺脈微弱細　腰以下甚痩　自盗汗悪辛

目苦辛利九竅通尿　喘咳　刼莱水类

本　〻　痰飲喘咳　净〻　桑貴令　奴半蘇

本 サ 乳汁難出 通し 已辛舌 穢通竹

本 サ 久風湿痒 温散し 羌桂芸 木黄已

本 サん 奔豚翠氣 削し 尹穢珑 実木良

尿利人 自盗 莫多用

入心出膽 翁 甘辛 通九竅 去三虫 脚疸 心煩常眠

本 ソ 淋熱膿血痛 清し通し 沢苓桂 朮苓甘

本 ク 尿黄淡閉痛 通し 沢竹車 月桂苓

本 ク 水腫尿難通 通し 猪沢苓 貫木圭

本液 サ 湿熱瘡腫痛 去経熱 麹吹弓 已竹忍

茉 サ 鼻熱息肉痛 去経熱 丹吉辛 吹已止

本 サ 耳聾湿熱 除湿清し 芸已辛 弓木百

茉 サ 乳汁難出 通竅 辛已沢 穢舌竹

本 サ 音声難出 通竅 杏貫参 竹吉茸

考利尿加桂取其辛熱引諸薬直達熱邪蓄血之处故

經曰甚者從治之謂從治之例鑑也 陶 陳曰 正月採枝通中 茎名木通

虚冷瘦人表虚自盗汗燥人消渇姙沉弱遅脱

入足太陽少陰 陽中陰 猪 苦甘 通滞水 心苦以泄滞 甘以助陽 淡以利竅 故除湿 利尿

本 〃 姙腫從足至腹 通し 通苓貴 朮勺竹

茎 〃 脈実食進尿澁 通し 脈令伏 与石卜

〃 湿邪痰飲 導し 貴朮苓 半已緑

心 跨 〃 淋澁不通 通し 通伏令 甘圭冊

姙者燥人瘦人自盗沉細弱 子淋 図經云 楓木苓必楓根乃有 土底皮黒作塊似猪糞故名 以木猪苓し

入足太陽少陰 陽中微陽 浮 甘鹹 去旧水 養食 新水鹹 能泄伏水 療水病 灵冊 表裏 火 〃 氏

茎 〃 脈実大尿澁 清利し 通車与 石圭苓

本 〃 風寒湿痺腫 散し 通し 羌已通 朮貴芸

良 ク 五淋臌痛 清利〻 丹七通 肖岳圭

茱 サ 乳汁難出 条〻 辛弓石 猿竹通

本 シ 淺汗湿臭燥〻 獝通圭 己术苓

茉 象 レ 茎痛尿血 清利〻 竹令朮 勺蒲肖

茱 ク 水腫脹滿 渇〻通〻 朴通朮 貴腹岳

茱 シ 湿邪脚気 通利〻 己通岳 羌七苓

本 姙娠瘦人燥人自盗汗 尺風弱遲厥苓

四徵法 句若辛去熱下閉血去表水

象 ク 淋痛血淡 清利〻 苄通沃 桂竹丹

良 シ 死胎難産 下〻 桂弓七 附紅奴

象 サ 癰瘡腫痛 清経熱 吹麴勺 竹通弓

象 シ 水腫癸証 通〻 沃通术 苓貴岳

懷孕人自盗瘦人沉細弱 尿清利数

瞿
東 主 諸
気 瘧
下閉血
止痛

本 車 甘鹹 利水道去湿熱五淋

ク 氣淫澁痛 淸通〻 茯通桂 六令甘

匕 水病脹滿 通滑〻 豬朮茯 貴令卜

某 サ 赤白腫痛 淸〻 菊勺姜 辛通弓

某 ーサ 淸濁混雜 分利〻 朮貴令 豬茯甘

姙者瘦人燥人尿淸利數人天氣弱遲 自盜

日華 仲 辛甘腎氣不足除湿 心 与桂令筋骨強

本 ク 腎勞脊痛 温〻利〻 七斛桂 朴無以

本 ク 遺尿精瀝 補〻 山蓮續 及七令

本 ク 腰脊冷痛 補〻 桂竹七 續智沉

本 ク 筋骨无力 補〻 瓜五七 牛桂氏

本 ソ 強志益精 補〻 山蓮續 遠令斛

本 匕 脚中酸疼 補〻 紅七桂 瓜羌無

本 乚 陰下湿痒 燥乚 已朮沢 通令圭

本 リ 腎虚腰痛 温乚 桂七竹 瓜斛瀆

天実数 命元

山甘益心腎 明耳目除痿健忘長肌肉

本 乚 補中益氣 補乚 参朮脂 黄升氐

浚本 乚 泄精健忘 補心腎 遠申参 蓮五斛

本 乚 筋骨痿軟 強乚 七仲五 及瀆瓜

本 サ 心気不足 定神 遠参申 智木升

本 サ 虚冷腰痛 補乚 仲七瓜 竹卜圭

本 乚 虚労羸痩 補乚 竹芐氐 遠令圭

本 通浚 乚 皮膚燥痒 潤乚 芐圭竹 氐白参

本 ク 虚冷尿数 補乚 智氐仲 遠蓮七

命元天実数尿書除大任結

本　本　本　本　本　本　本　本

解月安五藏補骨精長肌　竹桂紅　七美氏

ヒ　脚膝冷痺　補し　仲圭七　瀆五遠

ク　骨冷腰痛　補し　蓮仲山　五七遠

ク　陰痿益精　補下元　蓮智仲　瀆山遠

ク　泄男元氣　補し

命元　尿垂滴　天実

断苦辛助氣宣通經脈　止血 精縮尿　解蓮五

ク　精滑尿數　補止し　山仲智　竹圭山

ク　虚損絶陽　補し　仲蓮遠　仲苓参

ヒ　子宮虚冷　補し　竹圭芎　艾蒲印し

サ　腸風蔵毒　補止　竹菜芍　蒲苓止

ヒ　崩漏帯下　止し　印竹芣

ヲ　乳汁難出　利し　竹巳辛　沢桂雀

本　乚　金瘡撲損　通經脈　竹七紅　桃弓芣丨

乚　胎動下血　止丨定丨　勺朮令　令芣竹丨

命元尺實丶強

本　蓮　甘淡補心腎　淡補劑

菜　乚　耳目昏塞　滋榮血　芣參智　竹此遠

本　ク　兩尺弱細　補命門　仲圭竹　山斛五

菜　乚　腎虛腰痛　補腎　仲七斛　五圭石

本　乚　筋骨痿軟　補經血　七紅爪　竹石五

菜　ク　虛冷遺尿　補元氣　山斛七　智氏仲

本　ク　脾腎泄痢　調脾補下元　朮令貴　肉豆勺姜

菜　ク　尿精易泄　淡元氣　遠仲山　石斛智

本　ク　強　淡痿精髓　補丨　仲續山　七斛竹

尺實強大便結　尿黃淡

脾弱　辛溫　補中焦虛脹脾泄氣利兼丸散宜燥入溼劑也

本　ク　虛冷勞痢　止〻　蓮姜貴　勺朮令散

本　ク　消食止洩　溫〻　宿朮貴　令卜姜散

ク　脾久泄痢　止〻　令朮貴　姜勺木

本　サ　心腹虫痛　溫〻　辛貴姜　木卜丁

脾若大實強　大便尿黃濃溼入熱進

入足少陰手厥陰

五辛苦　四寒　益精強志　尿精易泄必

本　ク　筋骨痿弱　補〻　瓜七紅　竹以百

本　サ　陰痿尿瀝　補〻　山七續　蓮朮圭

本　シ　五緩羸瘦　補〻　氐半竹　參朮勺

本　シ　明目降氣　清〻　止菊芸　了辛隺

本　シ　腰脊痺痛　補〻　仲斛圭　瓜七紅

本　ク　脾不行步　強〻　瓜半竹　七氐以

本　ク　脚軟痺　補経血　竹桂仏　七以羌

ク　中風筋攣　温補し　仏紅羌　竹桂芃

煮石経ミ寧得一八　把五加不用金玉満車　竹ノ地楡安用明月宝珠

入午少陰　足ノ陰厥陰

蘄　甘補栄衛行十二経血女子諸不足血証仙剤弋補労

珍云首ハ止痛止血生肌　梢ハ破血　東垣云全用則一破一止則和血也

本　ク　婦赤白漏下　止し　勺朮卯　止今艾

本　ク　血虚手足冷　温経血　桂紅芪　勺七弓

本　ク　虚労羸痩　補潤栄血　桂参芪　芣勺ミ

本　ク　冷胎動痛　温し　宿朮崔　貴苓木　丸散

本　ク　虚冷下血　補し　蒲艾姜　芪勺止

本ミ　ク　虚冷湿痺　補し　桂羌朮　七紅勺

本　ク　赤白冷痢　補し　姜桂貴　苓朮勺

本ミ雷　ミ　金瘡止痛　補和し　止芪勺　芣弓紅

疹脉暴發 竹連芸 難産血刺痛ミ芎尤諸頭痛屬木故血ミ主ミ主く
久昏ミ 竹辛芣
実強數手足煩熱 傷寒風熱積熱忌溼麪 畏生姜 海藻 菖蒲

入手足太陰
餘 酸濇血收斂脾胃耗散悪ハ寒主 熱勺 液腹脹熱用之 腹寒忌之

本 ク 熱血瘧瘡 清く 吹巳竹 令弓虎
本 瘟疹煩痛 清く 芣弓竹 升昌甘
業 ミ 泄痢熱痛 清和く 令云貴 姜甘朮
本 ミ 痢熱後重 下く清く 無奴貴 連甘竹
本 レ 五淋熱澁 清利く 冊通沢 令圭甘
本 ツ 吐衄下血 清く 半卯竹 令蒲姜
本 ク 赤同腫痛 清く 升弓菊 辛芸通
本 ミ 久赤白帶 補く 竹朮止 姜雀艾
血熱腹痛 余痛ハ不治 芍勺、酸而瀉土中ノ木故肝熱亦用く

心与 术 弓 参术 生姜 姜黄 补 胞

生姜温经散湿

姜黄活其湿伤血

行义 李氏 雷公 农 桐君 岐伯

为

泄 小寒 酸 苦 甘 咸

为

赤 白

者

止痛散血

利气下气

右痈

血虚寒人手足冷肠胃冷泄 产后手足冷沉细迟弱食积痰留死血

内入手少阴 杖入足右阳 尉 辛甘 温补荣卫 素 辛甘为气散 液 辛甘为大热 从治之妙

本 〃 风痹骨节挛 温〃 个红羌 七仙艽

本 〃 破水下难产 胞衣不下 温〃 弓七个 红奴桃

本 〃 肾虚冷腰痛 温散〃 七仲斛 个普连

某 〃 泄痢冷腹痛 温〃 姜贵参 木为甘

本 〃 霍乱转筋 温〃 仙羌个 姜红吸

某 〃 中风喎斜 伸经温〃 红羌个 弓芸辛

〃 脚腰不仁 下木 温荣血 个仙七 羌止红

九種心痛 温散し 姜良木 朴芸桂 丸散

厚ゝ治薇蓬ゝ桑散 白治証多 寒疝 失音 四逆冷 利関節 喉逆 自盗 利月經

散三虫 咳嗽 破血 消瘀 豚虚 燥冷 表虚し必 豚遅弱必

桂心 厚桂 菌桂 一種性也 肉桂 官桂 柳桂 丸散し 又桂心通神不可言之至於詩

消渇 発汗用桂枝 補胃用肉桂 又有桂心此則詩桂之心不着一字桂 桂数等皆大小老壮之不同観

脉実強数 内外発熱 妊婦 上気上血 赤目腫痛 癰疔 吐衂下血 作官也

入手厥陰少陽 足厥陰少陽

芎 辛散肝気 液 破宿血生新血

ゝ 悪血頭中滞重腫痛 順栄血 辛芸崔 ケ令土伏

ゝ 頭面偏風 散し 芸紅辛 止ケ羌

サ 痰肝頭痛 温散し 辛半貴 崔西芸

ク 頭脳冷痛 温し 高辛桂 羌止芸

胞衣不下 催し 七紅ケ 飛奴圭

難産腹痛 温し催し 桂ケ紅 七奴姜

局 〻 寒痹筋攣 溫經〻 仙羌竹 七羌紅

本 〻 半身不遂 溫榮血 竹生羌 仙紅芍

使 通月經心腹堅脹痛 血塊冷痛

上熱赤目腫痛 姙 脉實強數頭痛 內外發熱

熟手足少陰厥陰

生手太陰少陽 芐 甘苦 益腎水潤榮 通血脉益氣力 手足心熱溺血

本 ッ 虛勞羸瘦熱 補〻 竹氏芍 石六參

本使 〻 姙熱動下血 清〻 芍蒲令 令竹參

本 ッ 吐衄崩下血 清〻 令帰竹 蒲与令

本 ッ 血痺燥痒 潤榮血 竹桂紅 羌氏芍

本使 〻 產後血升 清〻 柴雀令 弓竹胡

本使 〻 耳鳴目痛 滋腎水 竹六芸 石生辛

本使 〻 自汗盜汗 止〻 氏芍生 朮連參

本使 ク 骨髓不足 補〻 五解竹 及續知

吐衄下血木火標血也　月水枯不來労羸瘦寒熱皮膚燥痒

必用芎必加生姜　沉膈故也

胃弱嘔逆痰証積聚癥瘕嘈食積虫　沉細遲厥冷

喘急咳胃冷泄　悪貝母藜蘆　畏銅鉄胃消白髪

手陽明本草　溪

苦辛　日華　破宿血補新血脂面燥　治諸瘡　手　陽明頭痛在額

本液　〻　月閉陰腫寒熱　順栄血　紅牡七　竹弓血

本　〻　破水既下難産　破〻催〻　弓圭竹　奴紅七

本　〻　婦人腰痛瀝血　温〻　竹朮仲　芎蒲弓

日華　〻　排膿止痛生肌　補〻　竹芎芪　弓勺甘

本　〻　皮膚燥痒瘴疼　潤〻補〻　芎芪圭　羌竹紅

本液　〻　婦漏赤白下血　順栄血　竹勺蒲　朮芎艾

本　〻　乳癰発背瘰癧　清散〻　麹吹竹　弓此予

本　〻　頭風目涙眩痒　温散〻　芸羌辛　弓薑此

本 滚本 滚珍

高辛苦順栄衛冷痛ヲ引諸薬至頂巓治風湿

ツ 陰中冷腫痛 温散し 芎ヲ止 通紅苓

リ 長養肌肉 温し 芎桂苄 氐弓勾

シ 婦頭寒痛 温散し 弓羌辛 止獲芎

ク 頂巓疼痛 温散し 弓辛止 羌獲圭

大阳経風剤也 治腰冷痛 熱頭痛

固和諸薬故ナ加之上下内外无不至し緩捷功

湿証痰腫脹虫積癥瘕塊吐呕喘急寸白

蜍除湿痰涎呕吐咳嗽鼻塞呕家必以辛散之呕為不散調脾胃 栄衛 東垣寸辛

心云皮性冷 行義散気生姜除気薬苏熱呕痰哇咽秀 寒熱呕し生姜烏梅

大棗助十二経平胃気通九竅強力安脾和百薬養志気 肉皮ハ利補

同仁心虚煩 虚汗心悸不眠益肝気
葱白 葉 辛温 白并髪手之 本草食ミヒ懍ヲ同利尿傷寒頭痛出汗中風頭面腫
利五蔵益眼精通上下陽殺百薬毒一切魚肉毒 多食昏神発
西遊凡 忘 蜜 解藥蔡蘆毒 傷風発汗自用
青橘葉 導胸膈逆気行肝気乳腫痛及胸癰等中用以行経
淡竹葉 寒辛甘 主虚煩熱清心除喀咳痰熱渇吐血喉痺風
腫尿黄〃篁竹淡竹為上苦竹次之餘不入薬衍義云 仲景
竹葉湯〃淡〃竹也
忍冬葉 辛甘 寒 主熱毒血痢水痢飛尸遁尸皮膚刺痛癰腫悪
瘡止痛通血脈

凡九拾餘種，証類本草、丹溪心法、衍義、湯液、王綸本草集要

參考互換而取於其偏長，以并隨証而私記臣佐之用，以角

為正，以丸為從，治以朱書損毒盡於其多歧，變化更在鑿之

方寸。既望為去聖遼緬，幾得効者，悃如合符節耳。

文祿二季龍集癸巳抄冬　日本一溪門人宜帆斎外閑子道叔集書

牛黄苦平涼有小毒无毒悪竜骨龍膽常山苹畏七手漆摺爪上黄透甲着
為真　主驚癇寒熱狂除邪治児諸癇熱口噤不開大人狂癲
中風失音魂魄不忘得牡参菖利耳目児生二三日去驚研与之
有二種形黄如麻豆又如雞子從口出者上甚次心黄肝膽黄随干
犀時疾熱毒頭痛吐血風毒癰疽血熱々痛心煩
辰通血脉養心神止消渇熱痰喘明目咽閉出心熱
脳鎮神通臓熱除驚熱明耳目大小人風涎閉
射殺鬼精物温瘧蠱毒癇痓三虫風痰難産眼瞖
羚明目益気強筋骨起陰令易産噎不通熱毒下血児驚産後血煩
膏時気頭痛消渇煩悶驚喘胃結煩悶日晡熱胃火痰火明目尿
乗下乳自上黄発淋
雄甘有毒以醋解心寒熱鼠瘻悪瘡疽痔瘀虫鼻中息肉百節
風積聚癖気腹痛殺諸蛇錬食之蠱毒
滑乳難利尿止渇留結積聚難産　本中消瘀血丹々逐瘀血

龍骨 婦漏下溺血止汗泄痢膿血脫肛夢精泄縮尿

明礬 療瘡生肌寒熱洩痢陰蝕惡瘡肉翳努肉點之堅齒骨

鼻中息肉點之咽喉口齒痛傳之含之 去痰風眼赤腫塗之

薰陸 風水毒腫去惡氣惡瘡治齒虫痛嚼薰一咽其汁立差 蛇類瑶香

天竺色白那鄭黄白也

麝香 有元毒温瘧蠱毒痢去三虫辟惡殺鬼精物令元邪魘

沒 苦破血止痛訣惡瘡痔漏卒下血

安息 苦平心腹惡氣鬼疰鬼胎虫蠱毒燒之去鬼來神辟衆惡

艾葉 苦下痢赤白吐衄下血婦崩漏安胎止腹痛暖子宮使有子痔殺蚘虫

星 下氣中風痰壅咽痰通氣破堅積散血消癰腫

貝 心腹滿結閉喉項直咽痺煩渴咳痰乳難胸肌逆氣

蔚 血積下氣涼心止血淋尿血心痛婦崩血金瘡生肌

熱灰炮用之 惡瘡金瘡石以 以油汁 和研搗丸含之 止嗽

槐花 五痔腸風瘡痒一切惡瘡大腸熱腸風瀉血赤白痢血中熱

蜀椒 開肌通血脉縮尿寒濕痺心腹冷痛咳逆下氣破癥瘕腰勞

虫痢胃

同目 寒通尿十二水腫止咳喘 葉去奔豚伏梁 畏雄黄

胡椒 下氣去冷痰中焦冷滞藏腑風冷心腹卒冷痛霍乱氣逆

冷蚘寸白

大腹 冷熱氣攻心腹痃癖胸膈心下一切氣通二腸痢胃滑腫

黒豆 中風脚弱熱毒心煩風毒脚氣緩攣痺赤痢頭風心煩五軟

腰調血氣

紫苑 苦辛无毒咳逆上氣胸中寒熱結氣去蟲蠱毒咳嗽膿血止喘咳

名又紫菀中

茅 吐衄咯嘔下血崩下五淋利尿止渇益氣補中瘀血

茜 忌鉄 畏鼠姑 黄疸吐衄血崩下血尿血産後血運 諸死血蟲蠱毒吐血

薷 霍乱腹痛吐下水腫通尿咯逆衄以水用之 口臭煎含之

麹 下食化食積痢胃滑痢食止痢霍乱胸痰破癥

烏梅 炮炙論取烏梅去核灰燒存性米飲和重之 解風毒吐逆去痰

瘧偏痺吐〻瀉〻煩悶消渇腸口乾下氣

楝根皮 苦児熱蚘虫悪瘡疥癩之 治 逐風熱毒 治之二便利心腹 実名 川楝子 金鈴子

苦〻 止渇黄疸瘧腫瀉血癥瘕虫蚘瘡疥癩血熱痢風熱細疹入歯

換骨腰痛

賊 明眼退翳腸風瀉血止痢月水不斷脱肛脹之 故燒之一味藥 治淋効

鹿茸 形如小紫茄上酥炙用漏下腰脊疼氣力益氣強志生歯不老

藜蘆 殺蟲蠱毒咳逆泄痢腸澼喉痺不通 九 悪瘡疥痒 有二種

黄白者良 雷公辛 收仍鹹 高鶴者有毒三月採根不入藥陽

舡底苔 治血吐淋疾 加ホナ 五淋 藥服 水脹尿不通 加陳皮ホ中藥服

赤丹 付〻

石葦 苦 労熱五淋利尿止煩下気 去黄毛用之

鼈甲 心腹癥瘕堅積寒熱除蝕痔悪肉瘡腫温瘧労痩骨熱

児腹堅積婦漏下堕胎破瘀頭焼児諸疾用之

胡連 児疳久痢温瘧 骨蒸 明目驚癇寒熱

雷丸赤者殺人逐毒氣胃中熱殺三虫除百病皮中熱結積蠱
毒寸白又能令陰痿
罌粟殼味酸澀止脫固氣止勞嗽 子：治反胃利二便不宜多食
訶子皮苦澀酸止收固血治瀉脫 消痰歛咳澀腸 苦：多服少能
浮肺歛肺
草果味辛消食除脹截瘧逐痰解瘟辟瘴
常山苦寒截瘧擷痰解傷寒熱 水脹ヒヒ寬 酒浸切片
白芥子辛專化脇痰瘧痰藥 痞塊脹之ヒヒ安 炒用
商陸辛甘 赤白各異赤者消腫白：利水氣
葶藶 苦辛 利水消腫痰嗽癥瘕治喘 肺癰
蘇木甘鹹 能行精血產後風經氣暈撲跌
蘆薈 苦寒持膽明目兒諸熱癲癇驚風五疳殺三虫
槐花平炒：令腸風痔血赤白痢熱：枝：平痢後熱腸風痔血 花：令人得眠
茴 調中止嘔下食 炒用 治痛胃勞癩疝入膏方也

益母 赤白帶不止晛痛刺明目 月血久不止腹中瘕痛產後惡露

不止大熱頭痛心煩

烏藥 止痢殺中惡腹痛宿食晛殺虫衝上骨勞冷氣

蕪荑 三虫寸白痔浮

竹茹 嘔吐熱吐衄崩往來熱煩悶膈

竹瀝 胸中大熱煩悶明目通竅熱痰

夏枯 苦辛寒瘰頭瘡癭結明目破癥脚氣除濕痺無毒一味淋

痛血脹

龍膽 驚癇邪氣熱痢蠱毒腸中小虫胃熱明目除熱痢痛熱蛔

心痛 痛氣客忤

辛夷花 味辛無毒寒熱風頭腦痛溫中利九竅通鼻塞涕面腫

齒痛眩冒去白虫明目生鬚髮

桑 皮無毒止泻血婦心腹痛 桑椹付寒通血氣明耳目益精神

止渴飢末蜜丸

木鱉 甘无毒 消結腫惡瘡生肌止腰痛乳癰肛門腫痛 水煎洗之 薰之

治痔

甘遂 苦甘大寒有毒 主大腹疝瘕腹滿浮腫破堅積癥瘕利水道穀道 取根陰干 白皮者良名甘遂節 蚤休也甘十汁蕎麦汁三日浸尤勝 麸炒亦可

萱草 无毒 利胸膈下水氣酒疸 取根杵絞服 亦治 婦佩其花生男故名宜男

蒼耳子 痺拘攣疥癬瘙癢齒風五痔腫痛明目強志 葉微寒 治同 忌猪

茵蔯 苦平 微寒 无毒 去風濕寒熱邪熱結黃疸尿不利頭熱去伏瘕通身發黃 去根忌火 偏身風痒生瘡疥 煮汁洗之 備患甚發黃頭面脊尿黃用之

蜜 諸驚癇痓心煩肌痛口瘡益氣補中止痛明耳目宜婦人 不宜濕人去用熱

酒行表氣通血脈消憂發怒潤皮膚性之升氣必遍之 痰壅上膈泛於下 肺受賊邪金體燥

辛之散苦下甘居中淡滲利尿達下 心五早痛 酒傷脾胃溼中熱

茶下氣痰熱渴利尿清頭目止痛消食赤白熱毒痢久患痢 行義甲亦 曉之若茬之

醋殺魚肉菜毒除癥塊堅積消食破血氣痰飲多食損筋骨

損胃不益男解昆布海藻毒

絡石冬夏青實黑圓木生薄葉大 風熱口舌乾背瘡咽腫聲難入利竅

石血葉尖一頭赤絡石葉圓正青

五倍解熱毒搽口瘡收頭瘍腸虛泄痢齒宣痔䘌皮肌溼痒

疳瘡竹消蟲毒

石榴皮治虫積久痢止血澀腸根皮治寸白花治吐血衄抹吹鼻

實多食損肺成痰忌鐵

青黛五藏鬱火驚癇天行頭痛脹之瘡熱痢消食積

殺惡蟲傳熱瘡

兔絲明目益氣力強陰堅筋骨潤餘瀝尿精益髓腰冷

痛莖中冷精自出

芒硝 久癥留血痰實 利一便 煩滿腫毒 散惡血五淋

蛤粉 咳逆陰痿 腰痛五痔婦崩 帶下 利尿陣痰止渴除不爽劇

覆盆 男腎精虛竭 陰痿已令堅長

蓽澄茄 下氣消食 心腹氣脹 霍亂膀胱冷吐 腹痛咳逆

山茱 補腎水虛堅長莖陰尿精 髓療耳目發汗老人尿不

禁 腦骨痛

補骨 風虛冷痹四肢酸疼 腎冷精流 骨虛腰痛囊濕陰囊

止尿 名破骨紙炒用 似奇色赤

肉蓯 女絕陰不產 強陰益精 泄精尿血崩帶下 消渴去黑汗

硫黃 惡瘡血食下元虛冷 寒泄心腹冷氣咳逆 腳冷痹

五靈脂 酒研 心腹冷氣兒五疳腸風血崩產後腹氣刺痛 婦心

痛 行經血

桃仁 益氣除風濕痹虛 損止汗久服明耳目殺蠱 腹滿痢赤白

崩殺五藏虫腰重痛

旋復花下气利大腸胸膈痰満頭風明目通血脈除水腫下血气痰満
虚人不用

乾漆咳嗽消瘀痞結腰痛症瘕利小腸三虫傳尸女人經脈不通

去長虫

松脂疽悪瘡生肌止痛歴節風風痒白禿癘殺蟲 皮ゞ治赤帯下

橘実水腫除湿利尿明目

蝦蟇破癥堅癰腫陰瘡服ゝ殺疳虫児虚痢 燒之五月五日有

毒 眉間白脂多蟾酥 治瘡疔腫

白殭蠶児驚癇夜啼去三虫男子陰痿婦崩帯下中風失音喉痺

二番ゝ蚕蛾ゝ

天麻辛治麻痹利膝舒筋益氣児驚癇通女血除疝消癰腫

利用根如黄瓜在大小

鼠尾草寒熱下痢膿血不止 白赤花 白下赤下 久痢不愈抹〆良ゝ

蔓荊子 実 筋骨間寒熱湿痺拘攣明目堅歯去白虫風頭痛
腦鳴涙出目睛内痛
露蜂房 主驚癇瘈瘲癲疾蟲毒腸痔崩漏帯下乳癰汁
不出 水煎服
蟬脱 目翳頭風眩風有皮膚瘙痒不止和苛抹酒下日三
蟬花 蟬殻頭上有一角主児驚癇心悸夜啼胞衣不出痒乳難瘡
胞
不巳鳴子
去嘴不用
阿魏 鉢研熱湯黒上裹過用殺諸小虫破癥積下悪氣心腹痛痺
瘟治癰蠱毒
威霊仙 主諸風腹内冷滞去心膈痰水積癥氣塊腰脚痛風痒
瘡瘟癰
附子 通行諸経性走不守童便煮殺毒下行塩入達胎非身
表冷四肢厥冷 不可用 難産及数日手足冷崇血不暖 故
難産桂竹用 胞衣不下

合歡皮 續筋骨 去損疼痛 殺虫 補陰蠲怒 明目 消癰腫 肺癰

已撮口

蒺藜子 不入湯藥 炒丸散用 破癥瘕積 喉痺 乳難 明目 頭痛 咳逆 癰腫 泄精 尿疾痛 令し 肺痿 其葉風痒人可浴

伏龍肝 婦崩 吐血 咳逆 止血 催難產 胞衣 腸風 帶下 尿血 兒夜啼

心痛 惡露不止

阿膠 勞喘嗽 久痢 補虛 治痿 筋骨 足酸 崩漏 腰小腹痛 下血

尿血 勞極 灑灑如瘧 安胎

惡實 明目 補中 除風傷 治瘡疹 將出已出

枇杷葉 去毛 拭炙 卒啘不止 肺熱嗽 婦肺熱久嗽 產後口乾

鯉膽 寒 目熱赤痛 青盲 明目 益志 耳聾滴之 兒熱腫塗之

獺肝 冷 主疰尸勞 一門染着 火炙末服 治虫毒 止久嗽 燒服し

肉水脹服 膽點目

豬膽 寒 殺疳蟲 療古前丸ノ 凹目中骨 勞極 兒五疳 驚癇 燒

脹〻殺蟲蟲䘌上下蝕苦酒調煎合〻出立死愈 又曰
膽煎兒初生浴〻瘡癬不生
熊膽寒時氣熱久痢疳心痛兒客忤疳蟲惡瘡痔傳〻
妙 疳瘡塗五十年痔不差傳〻妙 惡瘡已芋
犬膽溫吸酒脹〻明目塗惡瘡 陰莖鹹平六月取百日
陰干陰痿令強熱大生子 女子帶下用〻
蝟皮平五痔陰蝕瘡下血赤白血汁不止陰腫痛腹痛疝
積腸風瀉血痔
虎骨〻熱 止驚悸癇強筋骨 肉主惡心吐益氣力損人齒
兔頭骨平主頭眩痛癲疾 催產墮胎

万療一統集 病名

中風一　傷寒二　感冒三　瘟疫四　癍疹五　咳六　痰喘七
癃八　痢九　泄瀉十　腫十一　脹十二　積十三　淋十四
脚氣十五　痛風十六　脇十七　嘔吐十八　膈十九　痞二十　頭痛廿一
腹痛心―腿―廿二　腰廿三　秘廿四　健忘心悸廿五　汗廿六
暑廿七　氣疝廿八　諸虛廿九　勞三十　火熱卅一　癲卅二　失血卅三
癰疔卅四　咳逆卅五　眼卅六　耳卅七　鼻卅八　唇舌口卅九
齒卌　咽喉卌一　蟲卌二　疸卌三

迪蒙一統

宜帆齋　集李

発揮丹云要略云

中风脉緊為寒浮為虚

虚寒則温〻弦〻寒数〻虚熱〻

正

中風　邪

脉浮遲安　緊痰然　急實大数然　浮弦順　浮而无力虚

浮而緩皮膚不仁風寒入肌肉

証　九　ケ血充血　四物ケ芎丐勺　紅主桃

右　不遂　氣虚痰　四君参朮苓甘　二陳半キ　氏主

一可分肥痩変

肥而人氣虚湿痰甚証健忘恍惚眩言澁四肢痿攣不仁

参朮苓甘大　貴半中　ケ芎丐勺小　桂紅羌艽烏

黒痩人血虚燥甚証拘攣痿軟癱瘓言澁眼口喎斜

ケ芎丐勺大　参朮苓甘中　貴半ケ　氏艽紅羌辛爪主

老師加減在者倍之无者加〻　増損在通之方寸

恍惚健忘遠参斉甲　汗多玉勺星氏朮　遺尿氣虚〻参芪蓮

脉弦七通令、 脉數芎氏連及 脉黃百 或知

大便結無桃紅朴 大便浮姜芍朮連 筋攣瓜紅芄

手 竹蔞 痰咳嘈桃半半 臌攣青弓

足 攣 羌七

氣虛眩参苓白止辛 不食宿朮半雀 一身麻人參竹弓桂羌

久瘸瘓天广羌蒼竹木瓜氏 口眼喎斜燥桂紅羌蒼竹辛 偏身疼痛竹蔞乳没

臂痛桂羌蒼朮 腰痛羌七仲兵 四肢冷痺竹桂羌 羌芥

惡風寒桂羌氏 唇緩紅芍竹 失音桂杏人氏桔吉卞

鼻塞羌辛 眼昏耳聾紅竹桂芥氏什 皮膚如蟲行竹蔞氏芍 羌芥紅

關節疼痛此已芄羌 風嗽汗出身痛羌桂蒼 熱而頭痛此雀冷

頭目不利頭痛芎止辛 盗汗芥芍氏 血弱四肢不運動宜養血

耳鳴人氏補氣 竹蔞芥益血芎責 舌強不能言血弱宜養血而筋自榮四物加減

声如鼾痛屬氣虛收参一味煎湯入开竹瀝姜汁

一先師云有痰証難言二陳加減 舌強難言三分二 痰三分一 血弱 ト 肩半

一中風舌強肌肉脱而細痛事者難治
一中風ト云不分蔵府経 風薬偏不可用氣血痰分作ニ風劑ト師說キ々
一素云静以勝甚躁トモ云ハ血液ヲ益ヿ也血潤則事急痛痒也
一卒風倒ヽ不知人者先蘇香円至寶丹以姜汁与之或皂辛二味ヲ
抹而吹鼻不嚏者不治 或烏梅肉擦牙吹灸ニ百會五心俞大椎
回蘇後調氣散白豆一丁旦木二銭霍甘八銭宿四銭合平胃散抹而沸湯
点服ヽ 或藿香正氣散佳也

古方

八味順氣散 中風正氣虚痰涎壅盛 朮苓青芷貴烏薬参ホ下 甘 右姜水
三化湯 中風二便数皆不利邪氣閉実 朴茈実羌 右三味少姜煎也 羌不忘 平凡也
烏薬平氣散 胸膈塞不降四肢痺 陽氣不通心氣弱心肺脉結大
参 烏 朮 弓 介 苓 百 正 紅 及 蘇子 ホ下 右姜水
家蔵防風湯 頭目不清常眠去風明目 芸 正 弓 米甘 右末荊湯下

匀氣散 腰腿疼半身不遂手足不屈伸口眼喎斜乎气中风中氣
便用风薬治之十无一愈當以氣薬治之气順則风去服之
朮四分五 沉五分 天广一分 烏薬二分 青五分 止参甘叁 右姜三片 穌葉五
纵三分 棗二 入水煎服之

胃風湯 胃风者病初飲食訖乗风凉而至甚証食飲不下
瘦腹大悪风頭汗多胸塞不通脉関弦緩帯浮胃风
参 令 弓 阪圭 朮 匀ホト 腹痛加木 右

一 卒暴中风口眼喎斜 天仙膏 星一分 芨二分 草烏一分 姜蚕七分 右末生
鱔魚血調成膏傳喎処覚正洗去
又方 白鬐 附子 伏竜 蚯為末雄雞冠血和丸 喎貼右 右貼左

灸治
目眩 百會 顖會 眉上寺 大椎 背中一推一穴
口噤 承漿唇下 巨闕 鳩尾下寸 百會

耳聾聽會耳微前 翳風耳後陥按之引耳 耳門耳前起肉當耳缺者陥中

肩 肩井肩上陥中缺盆上大骨前一寸半三指按之當中指下陥 膽也

肩髃肩髃肩端上兩骨間陥中舉臂取之 大腸

肩貞肩貞肩曲胛下兩骨解間肩髃後陥中 小腸

手 曲池肘曲骨中紋頭尽 三里曲池先二寸 大腸

足 三里膝眼下三寸 風市直身垂手中指先大筋中 絶骨足外踝上三寸

陰陵泉膝下一寸陥中外廉 三陰交内踝上三寸

蔵灸甚俞 三肺 五心 九肝 土脾 明堂 脾風不言舌急則

針瘂門舌後針風府

恒 黒豆 コハウクヨウキ 大麦 フウト ミヤウガ セリ アカサクス

アワ 大コン ナッ フキ ヒトモシ アサミ ニヤウカ クルミ カヤ ナツメ サギ

コニ ハウフ

イリコ クレアヒ クラケ カニス メハル トヒウヲ コイ ガキ 見ノ 十一ツハム

手ざツルハトウツク

禁 ミルイツハワるヒ 油ケ 蓼ウリ フチトウフ 柿 まし コミヤツ
里イモ 五上 十三ス モチ 百七五物 イノミ、ビワ クリ ヒミ
モ、十二コ スノワタ 百イリ物

傷寒（正・邪） 綱目（陰・陽）病（陽・陰） 脉（生・死）

脉浮（緊・緩）而（有・无）力 傷（寒・風） 沉而（有・无）力 可（下・温） 脉（洪大生・沉小微細弱死）

裏証而脉（浮緩ク下シ、夕此ノ文・沉急下シ、トト実尾） 表証而脉（浮急汗・沉緩汗）之（ツ昌广中・搓ツ貴而）

証発熱悪寒身体痛頭痛項背強腰膝痛 脉清非 裏証表之 浮緊数い

表熱セ 昌广 貴 升 羌ノ 汗シ後表証減也

表証残発熱尿黄半表半裏也　此ハ六貴ノ類和解也
四五日過熱裏ヘ入尿キ咽乾大便结潮服満喘脉沉実数
此今実ト付下ス或寛腸丸
表証鼻塞ツナ　裏証鼻塞今冊　表ノ裏ノ証咳逆キ杏ツナ冊 今此
表ノ裏ノ証呕吐キ葛生 今ト実　表ノ裏ノ証自利ノ并葛ヲ主付 六ヲ今ノ
半表半裏呕此今ヲキ半　自利渇葛ヲ参　自利不渇蔵寒参朮姜桂
表証咳貴杏吉生　裏証咳今此桑貴　无汗今ヲ付 此証忌汗
譫言大便結下之　手足厥冷脉沉細而自利譫者必死
痞証 実 大便秘奴下
虚 痞 大便利ヲキ
一発熱而反欲得衣者ハ 熱在ハ肌表 寒 骨髓　用桂枝 寒去ハ柴桂

一身寒不欲近衣者、熱在骨髓 寒在肌表 用白虎加參湯 知膏甘粳 熱去各半湯 大生芍杏甘

一舌脉洪大舌巻囊縮鼻煤面赤譫言捻衣趣塩歌咥臓血而毒傷

寒也五日内可治七日過不治 咽毒升ア湯 升下 犀附令參甘下右 喉痛玄參升ア湯 玄參升甘右

一六脉沉微而腹痛或自利手足重咽不利吧吐唇青黒厥冷三日内

治四五日過不治 陰毒傷寒也 理中湯 參姜朮甘

一吐蚘雖有大熱忌冷劑必死用温劑 黒蚘者死

一悪寒表裏頭痛身熱悪寒名表悪寒 宜辛甘散〻 辛熱劑温〻

惠傷寒邪 頭不痛身不熱而悪寒厥冷踡臥不渇名裏悪寒

一可汗〻証 三汗而熱不退者危 有表証脉浮数汗〻 脉浮緊者汗〻

下後微喘表未解者升汗〻 発熱汗出悪寒者汗〻

一不可汗〻証 凡脉沉数下〻不可汗〻 脉微軟弱遅不可汗〻

凡動気在上者不可汗〻 咽乾者不可汗〻 失血者不可汗〻

水穀下利者不可汗〻

一可下之証 經曰三下而熱不退者死 口乾咽燥ハ少陰病下ヽ
腹滿大便結者下之 傷寒下利脉遲滑ッ下ヽ 脉数滑者有
宿食下ヽ 六七日目中瞳子不明无外証便難微熱者下ヽ
无汗尿不利渴引飲此者瘀熱在裏発黄者急下ヽ
大下後六七日便結燥熱不解ヽ腹滿痛者下ヽ
一不可下ヽ証 脉浮緊者可汗不可下 脉数弱者不可下
浮數弱尺微弱不可下 結胸証浮大者不可下
四逆冷者不可下 欲吐者不可下 外証未解者不可下
腹滿吐食者不可下 少陰病心下緊滿不可下下而後利不止必死
一可温ヽ証 凡発熱頭痛浮数身熱疼痛可温散ヽ
腹滿下利吃吐身体疼痛宜温其裏 下利不渴者藏寒也
可温ヽ 脉沉遲下利者温ヽ 遲緊者温ヽ
下後水穀利下不止者温ヽ 吃吐腹痛厥冷者温ヽ
悪寒者温ヽ散ヽ 凡悪寒温之発熱汗ヽ随時

一灸咳逆　期門婦人屈乳頭向下尽骨间陥中動脈是穴　又灸気海穴
丈夫及乳小者以一指為率リツト

一傷寒雑証　腰脊項強ゝ羌独活　口苦此　耳聾耳出甘　骨節痛羌
吐衄多脉危今甘　悪風羌桂　声重為吉甘　頭重痛　煩ゝ今判
瞬細今此

宜　アヲ　大麦　シヤウガ　大コン　セリ　ウコキ　ホミナ　クコ　クズ　アヲキ
フキ　フ　ユハツ　ミツバ
クコテ　イリコ　カニス　大ハル　トヒウシ　ホミ公　クミアハヒ
禁　四足　二足　メシルイ　ウリ　ビワ　スモ　酒　モチ
百日間　ヌイフチ　房事　多油ケスミ　鱠　猪　難　川魚　生冷ノ
物　ソハ　飴　コンニヤク

古方

表 麻黄湯 治傷寒頭痛発熱悪寒骨節痛喘満无汗脉浮緊項
強 杏 麻 甘ソ 桂枝 右水煎 回三六 加芎芷羌風升甘生姜汗之

半 敗毒散 傷寒時気頭痛項強発熱悪寒肢体煩疼咳嗽鼻塞
声重風痰咆嗽 参苓西芎羌柴奴吉獨甘ホト 右姜水煎

半 小柴胡 四五日往来寒熱胸満脇痛心煩咆風湿身熱邪在少陽経
柴二下半 芩 参下 甘半下 右姜水

裏 小承気湯 六七日大便結腹脹満狗病在陽明无表証汗後不悪
寒潮熱狂言而喘者 厚七 朴 実三 右水煎服

陰 理中湯 自利不渇寒多咆腹痛下利鴨溏蚘厥霍乱等
参甘姜朮 胃気動者去朮加桂 吐多去朮加丁生姜
若下多者倍参朮

表 蘇大陳芎藿飲 四時傷寒頭疼発熱或感冒 芎ホソ 吉下 柴半 六半 下
奴甘三匕 昌下 甘・右姜水

感冒 感冒ハ皮毛 傷ハ肌肉中ニ蔵

脉浮緩 或浮緊 浮ハ風 緊ハ寒シ 頭痛熱 悪寒シ 感ハ風有 寒ハ无シ 汗悪寒発熱 圭ツ桂 ツ广升キ

頭痛ツ桂西羌

師云其証

悪寒 圭ツ羌 発熱ニハ升葛

汗出 貴ツ吉 肺熱ニハ芩ハ他令

咳嗽 初貴半令桑 後ハ柴及参

感冒諸証加

辛頭咽痛吉参升耳 汗多不止朮芸蚼浮麦 芍ツ广

悪寒桂ツ麻羌 悪風圭羌 耳聾耳鳴此西

口苦柴 咳嗽ツ吉ち半 発熱升ツ西桂葛

痰杏半ちツ子朮 声重分甘参杏吉 蚘吐丁吾霍ち

口粘葛门天花 渇も円 四肢倦怠羌句 大便浮ち朮令

大便結奴朴吾 尿黄六石 四肢痛羌此ツ

潮熱脉微弱参吉霍廿 潮脉弦数此西六 加圭 胃冷咳逆丁姜参

脉浮滑而咳逆連今 表証 吔昌辛半 裏証 吔生今卜昌

自利渴藏寒弋姜桂参朮 自利勺姜朮 發汗ツ羌广麦 甚熱自利勺六今 汗止朮勺氏

声瘂参杏門 或圭 煩躁此古或冊知 肺虚盗汗氏参勺

表虚微汗悪風圭勺

鼻塞

風 寒 実

邪

実壅今危生

圭羌

ツ麦羌

清 浊 涕

壅熱危今

肺寒参ツ吉

古方

八解散 備風頭痛發熱自汗骨節疼痛飲食无味咳痰涎汗出嘔逆 参令麦朮霍乙夕朴半甘 右姜棗水煎

惺々散 児感冒風寒鼻塞咳嗽痰發熱 参朮令吉舌ヶ 辛苛甘 右

参蘇飲 感風寒發熱頭痛咳声重鼻涕粘肌熱

参ツ半令西昌半 下 奴甘麦 下 吉木七下 右水煎 四 熱咳 去参 気壮 去木

藿香正氣散 四時感冒頭痛増寒壮熱霍乱吐浮

服ツ 霍止令 六下 朴朮麦 吉半 下 甘 右姜水

十神湯　時令不正瘟疫四時感冒風熱憎寒頭疼身痛无汗
弓ツ甘麻葛升止勺キ推ホト　右姜水
香蘇散　四時傷寒感冒頭痛発熱悪寒ツ推二习支又习甘
右姜水
頭痛加弓止　偏正頭風辛苛　傷風无汗土广昌
傷風悪寒羌桂　傷風発熱不退柴升　傷風咳不止半杏桑
傷風痞満枳青　傷風声重咽不利吉苓　傷風衄血危勺
傷風氣促不安桑腹　傷風鼻塞不通ツ羌吉 熱ニ危苓　傷風不散吐血芋勺
傷風不解耳内膿痛羌杏　傷風喉腫吉咳升　傷風嘔吐丁霍 有熱昌
傷風後時ミ虚熱参　傷風後不食宿青　傷風熱不解六苛此
傷風腰痛不伸桂桃丘　傷風脚氣筋攣七爪瓜　感風項強羌圭

瘟疫

敗毒散　温疫四時頭ミ痛項ミ強憎寒壮熱身痛羌独西廿吉
弓奴苓参甘　右

太元神朮散　治四時温疫惡寒壯熱身痛　蒼朮朴藿甘菖
一方无菖在藿右
神朮散　四時瘟疫頭疼發熱傷風鼻塞声重
朮五匁　高止辛羌弓一匁　右姜水
考傷風寒ハ風中人頭先受之頭痛發熱惡寒者表也　小服急
邪在下大便黒ハ瘀血也　尿利者血病　氣不病く
一考大頭病頭項面唇口胸背偏赤腫痛者為実不痛為虚
腫赤者為血熱　不赤者為留氣
一丹云大頭病乃湿熱在高巔之上用羌及酒芩酒大黄随病加減
治法可宜某速く則上熱未除中寒亦生必傷人命宜用
一蝦蟇瘟属風熱　荊通聖散　加減　小柴
緣茅　少陽邪耳前後腫
一大頭天行病従頭頷腫熱名鸕鶿瘟東垣方羌芩流加減
或小柴ニ加キツ荊芎ノ類　頭痛ニ芩　身痛羌荊芩主勺

甘桔湯 治冬瘟咽喉腫痛 甘吉弐升弐吹 右水煎

付薬 側栢葉搗調蚯蚓糞付〻 又方五葉藤事前ヰ搗付〻

又〻丁子实附子实 星抹硝調〻付

重

瘫疹 軽 有補散下〻三可 本別印

発瘫者有色点而无顆粒是也属氣熱挾痰自裏発於表微汗而散之下〻

疹者浮小有顆粒是也随出即没〻而又出屬熱与痰在肺清肺火降痰汗之則愈 丹疹皆悪熱毒血蓄命門若熱辛涼

瘫〻 凡従四肢入腹者死

一瘫疹風疹隠疹脉浮数陰実而大 大風而表故陽脉浮数下焦実熱故陰脉実大

脉多沉伏或細而散或絶无 而化之脉若血〻波瀾故発班者血散於肌膚故脉伏

清肌湯 常一身瘾疹出皮膚 四物加升危牡羌芸止分

一方班疹頭痛咽痛咳　苓吉甘苛升昌

（八風湯）傳解毒芸湯　發班及隱疹痒痛　芸六氏匀今奴雪实炒　右

解風湯　風湿感皮膚疹痒痛止而　霍二下　羌芸六下　氏弓中下

右或加蟬脫或加吉姜蚕炒

加味敗毒散　瘟疫及隱疹　羌独而此竹弓奴吉苓參五下　甘荷半二下

加苓芸今匀蒼芋五下　右水煎　因虛而感冒風湿以致発班

者服之良験

心云瘡疹　痒（虛　實）

實　表剤加血等　无力而気怯　虛

大便不通大黄微下之　有力而気壮　實

葛根橘皮湯　冬温始発肌膚斑爛咳而心悶但吧清汁

昌中下　杏知今麻材中下　右水煎服

加味羌活湯　傳四時不正氣発為癮疹　羌西下　參吉甘奴弓天下

苓半分　蟬脫炒　荷三下　右姜水

咳嗽

有声

脉浮風邪出汗 貴推桂　緊実邪无汗貴ソテ

洪滑多痰 半貴今　沉数実邪 今桑丹宜

形盛脉細不足以息沉小伏皆危　脉浮実嗽者生 細数ハ虚ト労ト

証有風寒 有火 有労 有痰 有肺脹

一風寒ハ鼻塞声重悪寒 是発汗降痰 二陳广杏吉或汗之生永ソ

一風寒鬱熱于肺夜嗽者 广杏貴知推生 有熱今生姜

一寒嗽古方生姜薄片焙乾為末糯米丸米飲下

一声瘂為寒包熱 感寒嗽者 辛半少生桂 以辛散

一喘嗽遇冬則発此寒包熱也解表自愈奴杏广芸貴少杏生

一火者主降火清金化痰 今香吉推青訶黛 海石 栝蔞 蜜丸 戴氏

有声痰少面赤 是有痰因火逆上者 必先治火 今推桑類加減

一労者主補陰清金 四物丹瀝姜汁 盗汗出兼痰多証寒熱 是労嗽

一陰虚喘嗽或吐紅 四物知百参及判 桑六

一肺虚甚者参及貴生有痰者加痰薬 是好也腎虚者在之
痰嗽者半夏實貝吉知奴丸　痰多ノ咳喘朮半崔杏今右丸
嗽而腹痛青貴弓㒵　又曰実者白芥子ノ類
一早晨嗽多者胃中有食積此時火気入肺中　知六降肺火
上半日嗽胃中有火知膏　実熱変作而痰嗽　小紫加知或桑白皮
一午後嗽多者属陰虚四物知而先降甚火
一黄昏嗽火氣浮于肺不用涼劑収五味五倍斂而降也
一肺脹者主収斂戴氏曰動則喘満気急息重香訶子海粉崔貝杏
肺脹鬱不眠難治　　嗽而无声有痰脾治半朮及芸奴貴
嗽而有声无痰肺治杏及蘇升吉桑　　嗽有声有痰朮半桑奴杏
上氣嗽面目腫ノ腹杏貴桑今　若肺虚久嗽及麦菀補し
若肺実火邪今杏天花　深し
一考師諸咳加　上気蘿子今崔　咽痛吉甘ㄗ
咽乾杏ㄗ　燥痰ㄗ杏仁吉杏　湿痰半朮今

痰血 桑白今・・汗多 圭白氏朮 盗汗 氏白今

声嗄 杉杏仁参甘吉貴 頸痛 桂弓升 水腫 腹桑今沉桂

面赤 冊今列桂 氣虚面腫 沉貴サ辛 腹痛 弓弓昔サ又白

咳而尿多 智 咳而挾虚者 参必 久嗽必有痰積 青奴

貴奴 氣利痰飲自降 星半 痰去嗽自愈 氣促 参吉沉桑

一 五更嗽食積痰嗽如膠 実桂青朴モ入貝

一 玉咳久不愈風入肺者 雄黄 末和艾中以生姜一斤留舌上灸之以

煙入喉中為度 如作筒子様某燒吸之亦妙後姜湯下 肺虚々忌之

一 墜痰化涎和脾胃 半一匁 礬参今一匁 右末丸

一 梅師方 肺疾唾膿血 故仁十両 水煎酒少入煎服

一 本草方 化痰涎 礬一匁 白姜半匁 右末丸荷湯下 喘咳用之

一 又方同証 巻 五倍末用之 又方 呉生姜水煎服

灸 肺三 膏肓 中府 乳上三肋間動脈中 両方六寸 巨闕 鳩尾下一寸 膻中 両乳間一穴

章門 十一

一妙灸　背五椎下六節上一穴十壯

一海藻云吐吐咳嗽訶子一枚含之嚥汁差亦治眼疼痛

一廣利方吐逆不已食訶皮二兩去核熟末蜜和丸空心二十九日三服良

一孫真人常患氣訶子三枚去核能し

一衍義一切氣病食不消氣虛痰入夜含之訶子至明嚼嚥之

一日華子訶子消痰下気除煩調中下五膈又曰痰嗽不利含三枚殊勝

一經同經驗嗽気久者亦主之生訶子一枚含之嚥津差後不知食味

檳榔湯服之便有味

宜　マキノタワ　大コシ　コハウ　生姜　ニ　クヌフ　ヒエ　アワ　アワキ　ムキ　クス

アサミ　サンセウ　アカサ　カフ　ウコキ　カヤ　ムメホシ　エビキ　クヌギ

ハウフウ　コイ　カラス　蛎　カニス　公　トビウヲ　イリコ　クミアワビ　ヒタイ

万カラキ物

禁　万コノミ　ウリ　不酒　万ヒエ物　ミルイ　ワラビ　雉　子　冬　雞　鮮　四足　二足

痰喘 有声

脉浮滑生 濇数死 浮遅吉 緊急数凶 弦滑 沉滑 微濇煩

証色 火痰黒 老痰膠 湿痰白 寒痰清 湿兼熱痰黄

眩 耳鳴 口眼蠕動 眉骨痛 噫 呑酸 心悸 手足痺麻 臂痛

心下痛 眼流 咳喘 悪心 健忘 頸痛 咽喉不利 腰脊或痛

或腫痒 渾身如蟲芒刺

一二陳湯 貴 半令 甘 右姜水煎 此本方宜湿痰不宜燥痰加減

風痰星吉芸実 寒痰姜桂 食積痰朴奴青査

湿痰二朮令 痰気脹痛査実少子 半忌 熱痰令此桑

上痛弓止雀 下痛已七百 塊痛乳没実

痰火令連貝 去半 気逆発痰呃逆病丁 酒痰連病蓄貝烏 去半

一黄痰咳 肺胃熱久不愈成腫瘍吐癌膿或痰血腥臭難治

吾実吉今丹桑杏蒼子 丹瀝之属

一黑痰成塊者勞傷心腎皆是久嘗勞尤痰治法同

一老師云 散痰貴西 燥痰半星 降痰奴岳 潤痰杏仁此吉

胸痰痛奴朴岳夫夫入半 痰脇痛夫弓朴半奴此

痰頭痛弓辛半貴萑 額痛止半萑辛芸

一久得濇脉痰飲膠固脉道阻濇也卒難開必調理貴着也

一著云因咳有痰者咳為重治有肺 因痰有咳者痰為重治

有脚俱是食積為痰々氣上升以致咳嗽只治甚痰消痰

積而自止不必用肺葉以治咳也

一喘脉 滑而手足溫生 濇而四肢冷死 喘証有痰奴桑以子杏キ皂蘿蔔子 有虛充膠杏參氏及貝

肘後方上氣喘息而欲死 桑白生永呈某水一盞酒半盞煎

脉口入則氣下 千金不傳方 凡喘未發時以扶正氣為主 己發以攻邪為主

回痰喘氣急 積子宿實今香 喘甚者不可用苦寒藥大

盛故也宜溫劑々

升月五七錢研末姜湯調服喘止之後因痰治痰因火治火

細目丹云肥人鼻清涕流乃飲食痰積也苍术了星止辛夷花甘

右丸

細目嘗中年男子右鼻管流濁涕有穢氣脉弦小右寸滑左寸

澁先灸上星三里合谷次以酒芩二兩朮半一兩辛夷辛乙了止参

昌半兩服之愈此方濕熱痰積之治

古方

回風蔞枳實湯治痰結咯吐不出胸膈作痛不能轉側胸膈滿悶作

寒熱氣急并痰迷心竅不言語皆治之 杏仁 實 桔 苓

貝志 黄芩 陳各一錢 茯苓 砂仁 木各五分 甘三下 右姜并瀝水煎服

痰迷心竅不能言加菖去木 氣喘加桑蘗子 炒姜渣搽擦

痛加

回風蔞枳殼湯 治痰嗽症 杏仁 實 吉了 苓蔞 桂 香 芩 貝一錢

縮キ下 貴一錢 木五分 甘 右弁遲姜汁水煎服

橘蘇散 傷寒咳嗽身熱无汗惡風脈浮数 少甘ち久术半藥貝杏右

華蓋散 肺感風寒咳嗽痰壅 大子杏桑苓貴キ下 右

清肺湯 治大喘 今一錢 梔 実桑ち久今杏少子门貝八分 沉辰各[illegible]

右弁遲入水煎

加減浮白散 咳口乾煩熱背膈不利喘促 桑六知ち久杏半今甘 右

桔梗湯 胸膈脹滿短氣痰盛嘔逆或涎沫 杏半貴又十 実五又

右 姜水

瘧疾 有暑有風有湿有痰有食

脈多弦 弦而数者熱多宜汗之 麻姜 弦而遲者寒多宜温之

弦而緊実者宜下之 弦而虚細者宜補之

弦而実大者宜吐之 弦短者多食

弦滑者多痰　遅緩者病自愈

証瘧来時呵欠　怕寒　手足冷発寒戦大熱口渇頭痛腰膀骨

痛酸疼或先熱後寒或先寒後熱或單熱單寒　寒多熱少

熱多寒少表在之者可汗　有汗者正氣湯為主

在半表半裏者柴胡湯参　合利陰陽而未已者人参養胃湯

一　无汗要有汗散邪　為主帶補　十ソ羌芸弓麦人　暑瘧風瘧必汗之

　　有汗要无汗正気　為主帶散　氏夕朮参麦人今此

暑汗之　玉麻黄羌活湯　処暑前頭痛悪風无汗項痛悪寒発熱　芸ナ羌

甘ホト　加呂貴水煎

風汗之　参蘇飲　風瘧寒熱往来咳頭痛口粘　参ソ令半西奴貴甘吉

朮　右水煎

回　人参養胃湯　暑瘧初発服一貼後人参截瘧飲加減截之

参苓貴半朴朮霍竹弓果八分甘三下烏梅一ケ　右姜棗水煎然食

加奴桂　寒多ゝ桂　熱多ゝ柴　汗多去弓霍加氏朮

飽悶青宿去參　渴門知去半　瀉加炒术各　瀉不止加肉豆去朴果

内熱盛今去半术　痰多貝母去半果　嘔吐嗽青昌宿去果朴

長夏熱薷扁豆去半霍

人參截瘧飲　治虚人截瘧一切瘧疾并可截之　參术苓竹青朴

柴苓知八分　桂枝三分　常果八分　鱉甲烏梅甘三分　右姜棗桃腦七个

水煎露一宿臨發日五更空心温服侍日午再煎服切忌雞魚

豆腐麸麪及房事怒氣此方得服前人多養胃湯後兩治加減

相同截瘧飲酒少許加丸妙

參歸鱉甲飲　老瘧腹脹有塊成瘧母　參三分　青皮甲竹苓术朴薑

梳弓八分　宿山查三分　實麦芽三分　右姜棗烏梅水煎服　如製丸

藥加阿魏醋煮化和煎　藥末為用水醋少許打糊為丸桐子大每服三十

丸空心米湯吞下

十將軍丸　治久瘧不差有瘧母者　莪棱青貴果宿　無烏梅

常酒蒸二分　半二分　右常果二味剉用好酒醋各一碗入瓦器内先

浸一宿復入味同浸至晚入瓦銚内炭火煮取出晒乾火焙乾抹半
酒半醋打糊丸桐子大三四十丸白湯下日進三服忌生冷魚腥鹹
油膩麵食炙煿諸死毒物
清脾湯　單瘧脉弦數但熱而不寒口苦咽乾尿黄澁
朮青朴半此今苓果　加無白蔔　右姜煎
鱉甲飲　瘧久不愈脇下痞滿腹中結塊名瘧母　甲朮白芪無弓果
貴苓朴木卜　加青　右姜水煎
七宝飲　一切瘧不向寒熱多少の山嵐瘴氣寒熱如瘧食瘧
朴貴苓菓無常青木卜　加白　右水酒煎露月星影移
曉温服　脉浮大用之沉弱者逆也
一老師瘧之誌加減　脇痛此西青弓　吐逆者貴半曽生姜
大便結実朴無虎　腹痛卜貴白　咳熱貴今曽
大便溏宿貴朮白姜　尿赤而知　尿澁已沢通
悪寒發果桂　渴瘧毋手無　渴荊蔔

一暑瘧風瘧先汗而退惡寒隨證合宜　經曰出汗不愈者知有内熱

一久瘧不愈者脉必虛調脾胃養正則自然邪去愈

一瘧虛一證每日午惡寒發熱至晚微汗而解脉虛微語截之則

殺人耳八物加桂百无邪

紅丸子消食積　胡椒一兩　阿魏一分醋煮　我積青一兩　右丸發白湯

綱目常山一兩　無果知一錢　梅肉炒　甘七分　右水煎一宿發二時

前溫服若吐則順妙

圓散邪湯治瘧疾初發憎寒壯熱頭疼无汗弓止麻風少羌

白朮卜　甘　右煎

圓正氣湯治瘧疾初憎寒壯熱頭疼口渴有汗此西弓止半門無果

青令桂甘朮卜　右

圓柴苓湯治發熱寒病在半表半裏陰陽不分　此令養半猪茯朮苓

桂甘　右姜水煎　有汗加桂　寒多桂　熱多苓

灸初大椎一穴後十一十二九章門 厥陰井 西方三壯 中封 足内踝骨前一寸筋脈中

高丘 足内踝下微前 合谷 手大指ト次指岐骨間 京門

宜大根 セリ コハウ ミヤウガ クコ アワ 麦 クス ウニキ ホシナ 山椒 フキ

生姜 ノサキ フ アザキ アサミ イリコ 串アワビ 干鯛 トヒウヲ カニス 公 クヽチ

禁 クリ スモヽ ツハトウフ ミツケ フナ 甲エモヽ 冬瓜 イモ モチ [illegible]

スミ 五辛 サハ イワシ サタイワ アメ 万ヒエ物 アノミ 四足 二足

痢疾 一ハ後ヒ

血水下血之類 沉小流遅生 洪大数身熱死 浮大緊者死 沉細遅生

弦急出 並脈小手足冷死

証 元湿熱鬱滞後痛 元後重逼 宿食去 調気

一宜下之証　脉滑数有宿食下〻　膿血弦粘可下〻
後重[illegible]痛腹堅熱下之　譫言燥糞下之　腹満痛実熱者下之
一宜温之証　脉浮大虚弦下故〻温〻　浮散而腸中鳴者温〻
遅緊而痛不止温〻　脉虚肛口痛者温〻
陰脉而青痢者温〻　身冷汗出者温〻　手足厥冷者温〻
厥冷无脉者可灸〻
一脉弱数自欲止発熱不苦　少熱有渇脉弱者自愈
脉数而少熱有汗出者自愈
一行血則便膿自愈　紅桃桂　和気則後重自除　貴奴朴岳
一師傳忌有温　有滞物温益火　是以滞益滞火得火
一孕婦痢膿血　木今竹貴　五ノ木散是
一児痢今連虎有妙　赤痢加紅桃　白痢滑石末
一禁口痢胃口熱甚故也　連参煎湯服〻
一血痢久不愈属陰虚四物為主　紫黒血痢痛死血証也　桃紅

一氣行血和積〻但瘀坐努責為死血証 芍勺芽以桃仁佐之黄和之

自血安

一如久痢体虚氣弱滑泄不止以濇薬止之訶蔻丘〻類以黄耆為佐

諸痢加減 発熱不止者属陰虚寒涼必兼温薬

有熱除勺令 虚寒姜桂 腹痛 勺甘君 芍木佐

初痢痛 姜桂 忌参朮 痢桂甘可用不可放〻 氣下陥 参升

腹脹 朴奴 血虚 芩芍桂 呕逆胃火上逆 芩連

大孔痛 芩 芍姜朮姜 熱証 芩連勺 手足冷 姜朮芍

往来熱 勺柴 咽乾 葛門 脉濇黄 決遍百

赤痢久栄血虚 芍芎甘 白痢久衛氣衰 参朮甘 冷痢 沉遅 姜桂芍

虚脱労痢 蓮蔻参 呕胃火上升 呕葛連 胃虚 呕 痛 藿黄

一裏急後重 虚 芩芍勺黄甘 或 蔻 四神散 実 麹奴岳卜桃 或 寛腸

氣血俱虚後重 四君子 芍黄

古方

為某湯　行血則便膿自愈　和氣則後重自除　此方是　竹連今一錢
甘　岩木　桂　秀　白二錢　虎七分　右水煎
般導氣湯　膿血痢无度　屎不通　腹中痛　竹　白一下　甘　生　羊二下　夫七下　槐花七下
通令　右水

秘傳斗門散　八種毒痢　青白五色　腹痛　瘀血　日夜血　日夜无度　噤口
痢後重久渴不止不進食　雜痢立効　黒豆一分三下　姜廿下　盆七下　印甘六下
般三下　右水煎　或加葛　名斗門湯

神効参香散　大小兒藏氣虚冷不調　積成痢　純白及紫黒　或
下鮮血豆汁　魚腦　瘀血　赤黒急後重　日夜无度　虚冷証收斂之
貴　盆　白　扁　参　木　令　肉蔻末下　傳有木无木　右末米湯下

加味六均湯　脾胃虚弱　泄瀉及傷寒病後　穀不化　腸中虚滑　發
微痛久不差　児脾病泄痢　人参　本　氏　山　甘　扁一双　卜　肉豆半七下
右末飲下　虚証用之

大抵久痢不止多気血虚弱也宜用八珍湯

一、溪曰 若脾虚而血弱者四君芎歸甘

若胃気虚血弱者用補中益気——此証久不愈或変証百出但守前法久之自愈

血痢及下血久不愈六味丸加建膠地楡芩生芋坚四方皆補益者也

灸関元 臍下三寸 氣海 臍下一寸半 天枢 臍左右 百會 脾十一 大腸十六 氣海俞十五

宜 アツクモキ 久ムフ 大コン ゴハウ ホウレン

久不愈 ウツラ ヤド ウルカ 公 クロトリ ヒバリ アンキ 艾 ウニ

炙あし シホツル シホガレ

禁 四足二足 ケシ ナアフラ物 万コノミ ウリ 麦ヒ 鱠 鮓 万冷物

万下ル物 アツキ 一切

若病久氣暴至氣壮滞固宜下之

久気脱腸胃虚滑不禁温之渋之

泄浮 无力 有力

脈微緩而時小結者生　浮大數死　微小流連生　勁急死　微小生

浮大洪无差曰

証　湿　氣虚　火　痰　食積

湿泄水脈不痛朮苓麦猪圭勺姜　氣虚飲食完穀不化參朮

貴升永

火脈痛浮水腸鳴痛一陣浮一陣　連勺朮麦苓

痰〻或浮或不浮或多或少麦半朮苓

食積脈痛甚〻浮〻淺痛減　又卜丰朮苓

一凡浮利（寒多熱少）寒則不已久　故（久暴）泄非（陽陰）

心云泄脈寒〻作痛洞下清水雷鳴米穀不化　理中湯

熱浮屎色赤黄肛門焦痛暑〻實遺如湯燒尿不利　五苓散　香連丸

湿浮由坐湿処久傷脚梅雨久陰多在〻　除湿〻　胃苓〻

傷食浮因飲食過多傷脾必噫氣如敗臭　理中　枘卜

脾氣久虚不受飲食腸鳴腹急所食尽下為食泄經年不愈
宿蓮令麦朮肉木 或参苓白朮散類
因飲食每晨起必泻者 理中加曷 或酒煮黄連丸
因傷麪而泄者 養胃湯 痛者加木 泻甚去霍加炮姜一銭 又加蘿蔔子炒研
四神丸 脾腎泄 肉豆二匁 破故四匁炒 木五卜 茴一匁炒 右末蜜丸
実脾散 泄浮不止 麦 訶 朮 肉豆 付四匁 苓一匁 木半卜 右構メ
調中湯 泄久不止 朮 宿 腸 麦夕 二卜 姜一卜 甘 右末
益胃散 調脾胃 参 朮 付 木 蓮 令 姜 貴 夕 右末 或加肉豆丘 粉炒
灸 脾十一 胃十二 大腸十六 氣海穴 関元臍下三寸 天枢 百會
石門 絜古云大渇飲水多因水漿一時下宜灸大椎三五壮
宜ヒキワリ フ 山椒 ヨリクス ヤキ大コン ムメホシ ウルカ ウニ サケ ヒ
フノヤキ スイトン アカキヒ
禁 メシノ ソバ 十 カラフ ウリ モモ カンミ ナシ ヒエ アユ

水腫

治有王霸
証有虚実

脈依血洪大生　実生　浮緩生　微細数　虚小死　緊死

証 陽 水脈、浮数煩渇尿赤渋大便秘
陰 水脈、沉遅不渇尿少渋不赤溏

一老師諸加減　尿渋猪伏腹通　順氣参丰椎己木
和脚痛朮令麦文　氣滞猪伏木通　蠱门参連伏
冷桂姜　腹脹朴腹痛　瘀血桃紅
面腫桑目　痰喘丰令桑子　氣下陥升柴木
喉乾门曷　虫衝上手足冷木卜文　泄浮姜勺麦朮
大便結寛腸丸　久病四肢腫虚氣妄行沉腹塊伏
一氣虚老衰久病先調胃通利次々朮令丰姜勺通伏卜腹皮
一綱産後浮腫如水腹脹血腫猪沢没琥桂勺竹一銭　辛射青半銭
右末姜汁酒少入調下

産後浮腫脹必大補気血佐朮苓モ入梹
一実脾散陰水発腫朮蒼朴苓猪茯梹甬奴貴腹木香 右灯心一團
水煎 磨木香調服 氣急〻蘇子葶桑去朮・発熱而連去梹
浮炒為去奴 尿不通滑通去朮 飲食滞山査去朮 悪寒手足厥冷脉沉細桂ケ
腰上腫加羌 腰下加七防去梹 胸腹腫飽悶加蔔子去朮
大橘皮湯 湿熱攻内心腹脹満并水腫尿不下大便浮
貴木滑兵朮苓猪茯桂 右姜水
葶藶木香散 湿熱内外甚水腫脹満止浮利尿〻赤渋葶苓
猪朮半 二下 木半 分 茯通甘 五下 桂半 干下 滑 三分 右末食前白湯下
白朮木香散 喘嗽腫満不已卧不食尿不通
朮猪茯通苓木兵モ入桑滑桂生 右水煎
木香流気飲 面目四肢浮腫尿渋咽乾諸気痞塞胸腹脹一
便秘 半 二分 朴青ソ梹甘貴 分四 桂莪丁腹兵朮木瓜果 分六 通 分八 蔔 二分
霍止 香 瓜苓朮参 二下 右姜棗水煎 春方〻在沉香奴元霍蔔

又方五苓ニ加灯心薏苡妙通

又方鼠尾草ヰ艾葉菫ヰ宝田葉菫大右水煎服効如神尿通ッ加丹

脹滿

脉沉小微細弱軟虚死 浮大弦生緊小疾死 浮易 虚難

証胃寒則脹滿寒脹多熱脹ナ 按之不痛虚補々温々升々 痛実下々消々後補々

一凡初得気脹木朮病ち久青奴朴苦類

久則成水脹宜行湿利水猪茯通腹令已

一治脹大法補中朮扁姜勻行湿羌已通月 利尿猪茯腹

瘦弱脹難補脾 術朮姜勻令ち久

肥実脹安利尿 通茯卜猪兵

治脹吉凶

久脹難補脾胃 後水脹或重

菓脹安利二便 茯腹朴又兵 後調胃朮勻姜ち久

一溪云治脹一攻一補之分別元之則難 水腫同前 治脹之加減

飲食不化參朮麦芽宿 咽口乾潤滑肺門者知 短氣脇脹制肝柴胡

尿赤滑知百茯主 心胸煩熱制心火芩連 痰喘半夏葶子

胸塞痛上實者 泄調胃朮姜句芩 積朴實莪奴 九

虫衝上實胸下等 血虛竹勾主了 氣虛木瓜參升

肌熱此升 惡寒主姜 尿不通茯通脹

嘔吐丁霍痛 瘀塊紅桃青 面目腫桑皮同

一產後血脹之瑰竹芩豬苓紅類不可効急

一辛味散結桂姜麦 苦味去濕知百朮 寒劑去熱伏乃連芩

一玉元揮脹門脾胃虛至者甚多 屬濕熱者少 至積成者亦甚在之

古方不分治又如畜血瘀致者當從血藥治之

一水腫脹積塊者宜半下而半補也

一心云身熱者水氣在表汗之 身元熱者在裏下之 其間利尿順氣和脾不可緩者也

古方

至濟生紫蘇子湯　憂思多傷脾胃心腹脹喘煩悶腸鳴氣走漉々

有二便不利脉虛緊濇　ソ子一両　腹果半　朴木　もス　通木　実　参　甘半両

右姜水

至紫沉通氣湯　治三焦氣澁不已宣通腹脹便澁尿澁喘

ソ又　苓　岳一両　甘　了　朴木　猪苓　茯　生姜　苛　貴　実　右水

中満分消丸　氣脹水熱脹不治寒脹　参　朮　苓　姜黄半両　甘　猪下

連半両　苓　宿　姜二下　実半五下　朴一両　知廿下　茯三下　もス三下　右末丸

回分消湯　中満成鼓脹兼治脾虛発腫満飽悶　蒼　白朮　もス　朴　実一禾

宿七下　木三下　雀　猪　茯　腹八下　苓一禾　右姜灯水煎　氣急加沉

脹痛面黒〃氣鼓〃加半夏木　脹満小腸脹痛身上有血絲血鼓也加紅

与紅牡丹木苓　悪寒手足厥冷浮去湯水是水脹加官桂

胸腹脹満有塊如鼓者是痞散成鼓　山査　麹　半夏　青　玄胡　激煎法　梁　桂

腹脹脾胃氣血俱虛者宜半補而半消也

廣茂潰堅湯 中滿腹有積聚堅硬如石其形如盤令人不安臥二便
濃滯上喘氣促面色痿黄遍身虚腫 我紅升呉下 甘柴沢曲表
青表下 朴芩連蔻个下 半下 渇者加葛 右末丸或水煎
破滯氣湯 破滯氣心腹滿悶甘且霍麦 腹白豆蔲吉下 病参
青兵木姜黄本 中下 右水煎

灸水分 石門 上脘 脾十一 章門 中脘 天枢 肝九 腎十四
宜 アヅキ アワ 黒豆 大コン クス ウド 山椒 ホシナ コハウ アサミ
禁 モチ さケ ナ カフラ ウリ ナスビ 赤ノ魚 ワラビ カコノミ
ナミラ 四ソク 二足

疋

積聚 動く 有一攻一補分別

脉牢緊沉伏順 虚弱浮遅 実強生 沉細死 沉伏積 沉結聚

一 證ハ 気 血 食 痰

一 気積胸塞痛不食或不定脉沉緊 雀ヲ又木貴無朴木今

一 血ノ左脇或小腹在塊婦多在之脇痛時止不移脉沉緊濇

我積桃朴奴ヲ索紅ハ少ノ或鞭中

一 食ノ腹脹或嗜胸塞不食或吞酸脉沉弦 雀朴無奴

或下ミ寛腸丸 或消ミ麦木枳実

一 痰ノ咳喘不止不食胸脇ノ引痛脉沉滑 半貴奴ト雀 或利之 桃無今 鬼丸ミ

又曰 肥 瘦 人積 温痰 気虚順ミ 降痰 二陳加 雀木ヲ又 瘦人必兼食不化

瘀血桃我積ヲ 食積ト実無雀推 推陳補胃木麦今 兼予食積雀

一 久病尨裹虚弱人不可攻積 補脾胃順気 不削難用ミ

慕積 削ミ下之可ヤ 積退後調脾胃

一 保師諸積加減 食積麦ト無奴 不食奴奴雀木

痰積夫人半术吹下又　香醋奴雀兵　痞塊牡紅七桃我虎鞭

腹脹　腹兵朴　一　氣積兵尹稜雀卜　酒積痛連雀夫人麴

泄瀉姜白术夫人令　咳嗽奴术兵夫人尹杏

一　妙方　脾積氣滯胸膈滿悶肚腹痛氣促不安嘔吐清水酒積婦血

積曰食積　青夫我姜食一兩　雀二兩　右醋糊丸或姜姜加奴兵

三稜散　積氣肚疼　痛　留稜我青　右末白湯下

枳术丸　食積痰積　术二兩　實一兩　右末丸消食尤妙

增損四物湯　婦血積癥瘕四物加稜漆韭我七　右散丸用之去芥

香砂平胃散　食積腹痛　雀术痛夫人霍實木香　右世去實加芩香

鱉甲丸　肥氣脇瘦无力少食　甲三兩　虎二兩　稜三兩　奴三兩　术一兩半　虎一兩半　右醋糊丸

脇氣丸　治諸積　稜我夫人尹术奴木　右末丸之

散瘀丸　治血塊七漆桃我紅三兩牡下　以便韭竹麦芽大戟下

右末丸

王壽

灸上脘尾下二寸 通谷尾下三寸両旁各ツヽ 水分臍上一寸 章門 天枢臍両旁二寸ツヽ 関元臍下三寸

脾十一 胃十二 腎十四 或阿是穴

宜大コン 大麦 ヒエ ゴハウ シヤウカ ヤウト クユウキ 山椒 クチキ

フキ クズ フノヤキ アサミ アツキ

ケリ 完カ イリコ 公 クミケ

禁ナスビ モチ ソバ 油ケ アメ サケウ ケヒ 大ヒ ウリ 麥ワセ

争 ゴフ イモ 瓦ユノミ クキヒシ

四足 二足 晩食 夜食 万難消モノ 无塩 莫

淋病

脉 微弱軟濇吉 強実急数凶

一 小腸有 気 血 熱 則尿 通 渋 痛 細数淋 冷淋 少陰冷数 婦陰中痛 男氣淋

一 血淋色 鮮者心小腸実熱 芐 朮 令 冷通 瘀者腎膀光虚冷 四物 七 加減し

心云 気 血 熱 得補而愈 脹 渋 滅痛 水道不行加之穀道閉渇

渇 不渇 而尿 不利 不利 者熱有 上焦氣 下焦血 令 肺主ㄟ 門通尿利ㄟ剤 腎膀光主ㄟ知占

一 淋諸加減 咽乾門知 手足冷七圭 手足熱勺此知

莖中強痛甘淋痛芐古 渋数茯通 尿因謝熱淋不通茯門令滑通甘圭

下焦死血尿渋数黄者 四物知七石月 虚弱老衰寒ㄋ剤難用 七圭竹通

竹猪 血淋久不愈者 氣血俱虚也 八物百七訣印
淋久不愈者 夏枯草濃于煎服効 或木賊一味煎服亦効

古方

五淋散 膀光実熱尿不通沙石便血 参匀危十匁 竹胡五匁 加今 右水
導赤散 心虚溫熱尿赤澁淋痛 生芐 通 甘 等ト 右弁葉水煎
木通湯 老人氣虚淋 参 朮 通 危 等ト 右水
四苓散 虚人老人 伏猪 苓朮 等ト 右水煎加桂名五苓散 持ク向ノ脚下
得効葵子湯 尿澁痛 苓 葵 葦 伏 半匁 朮 二匁 右
清肺飲湯 尿閉澁不利邪熱在下焦 竹通 伏ク 琥珀 猪 苓 萹蓄 右
石葦散 腎虚熱尿澁膀胱痛石淋 通 葦 下 甘 竹 滑ク 白 葵 右末
一囲必効散 治一切淋症随証加減 竹 芊 苓 滑 七 危 門 奴 石 知 扁蓄 通 等ト
甘 右剉灯中一囲水煎服 血淋加蒲茅根汁 膏淋加草薢
氣淋青 労淋参 熱沙連
肉淋麴 石淋葦 尿淋車

死血淋桃牡索琥去知 百知 老人氣虚淋加參氏升ツ去知百滑萹蓄

尿淋不通去去味加倍巻伏

灸 血淋 後留 足内踝上三寸 前方骨尽 石淋 丹田 臍下三寸 石門 臍下二寸 大敦 足大指外旁

氣淋 氣海 両乳間 中極 臍下四寸 一切淋 三陰交 内踝上三寸 外踝 丹田

腎俞 十四 百會 気海 臍下

宜 ナワ アツキ 冬瓜 ヒエ イヌドリ クチナウ タウキビ アカザ 大コン

黒豆 ウコキ クコ クスコハウフ

ミヽミ イリコ 八公 クラケ

禁 塩カラキ物 メシルイ ツハ 四足 二足 油竹 モチ ス 酒 万カラキ物

脚氣

脉弦風　濡弱湿　洪数熱　遅濇寒　微滑虚　牢堅実　結因気
証氣不得行則痛　血不得通則腫　亦痛火腫湿　故脚気壅疾
一　夫風寒湿熱　風自汗而走注痛脉浮弦　羌桂芸
寒无汗攣急掣痛緊濇遅七竹主羌　湿腫満重著脉濡
弱己通朮羌　熱煩渇燥熱脉洪数　葛寸以白　甚痛者利下〻
一　脚気病証累師　先従足発七無独　或痿弱痺以七瓜主羌
或行忽倒七五竹以瓜紅　或両脛腫羌已百斗与　或足膝枯細竹羊七
或心中悩悸無奴今羊　或小腹不仁無以主羌　或偏体攣竹紅主瓜以羌
或食見吐逆無补舊　或胸膈塞下無尹　或偏体痿疼竹主紅美羊
或往来寒熱此牲主四羌　頻痛時止四物今無虎　血虚四物
気虚湿熱羌朮下五苓　大便秘寛腸丸　脉浮已汗通
脉黄知百　男子多腎虚八丸　婦因血海虚或病七情
一　各剤異功　二朮治湿　知百今去熱　归竹羊調血　木無行氣

羌独利関節散风湿 已七通引諸藥下行去湿消腫

一妳方脚气衝心腫痛二便秘结 沉木香羌活子無芽子奴仙少虎甘 右姜水

一諸痛不止則通之痛則不通不通則痛也世以利為下非也

古方

羌活導滯湯 脚气初發一身尽痛或肢節腫痛便溺阻隔用此導引後服當歸拈痛湯以撤其邪 羌活独二錢 已半一錢 虎四錢 実一錢

右水煎 脚气腫痛屬湿熱者宜撤其邪也

當歸拈痛湯 治湿熱脚气四肢骨節煩痛肩背沉重胸脹不利徧身疼痛下注足脛腫痛生瘡毒腫膿水不絶或痒或痛

羌歸猪茯知术各五分 参苦多升葛芸蒼四分 今茵甘五分

右水煎 湿脹

枳實大黄湯 脚气腫痛 羌活奴虎 右水煎止痛

花椒湯洗法 川椒一斤 葱一握 羌一塊 水一盆煎湯洗之

右傳螺法腸說苦脚氣 拃數螺傳兩股上覺冷氣至足不安

大黄左經湯 風寒暑濕流注足陽明經腰脚赤腫痛不可行二便

秘不食喘滿自汗 辛芩羌活西奴朴今杏右姜水煎

服痛勿 尿流伏 喘乗ッ

一洗茱楊節 橘葉右煎洗 又 葛五六章 忍冬右五種集痛

処蒸之

灸三里 絶骨 風市 三陰交 湧泉穴

宜 コハウ クニ ウコキ キヒ 黒豆 アヅキ 山椒 ウド 大コン アワ 芋ミ

アサ アキ クス フ 大キ ホシナ イモ ハコベ ミツナ イスドリ

禁 ミシルイ 糯 シンハウリ ヒサエ クサヒラ ミョウガ アンス リンゴ ヤニモ

キジ アユ 四足 二足 久酒

痛風

衇浮緊者痺 少陰浮弱〻則血虛浮則風〻血相搏為麻痺
沉弦主筋骨 浮緩湿 浮緊寒 濇芤〻死血
證風勝則痛羌芸分 寒勝則痛痺桂辛竹 湿勝則着痺已
朮羌令通 風寒湿合〻為痺也 暑〻着无此證
考 風行 行者痛者 緊滑七湿痰朮羌半令
寒痛 緊濇者瘀血桃紅圭竹弓 熱令共百以
血虛四物圭羌 大便結桃芸奴虎 大便浮麦令朮姜
頭熱痛升芷令 頭冷痛弓辛芸羌 手足冷圭木竹朮
手足熱知百芷 咽乾竹昌舌 痰喘奴杏半生
吐熱連昌梅 冷吐丁藿生 尿黄澤知百伏通
悪寒桂羌 臂痛湿痛二陳二术羌令 痛在上者桂羌紅
痛在下者七已桃通虎 痛不止乳没〻類 股節重痛湿痰

臂痛重是瘀血　汗出身痛是風也獨羌蒼白无汗身痛氣實大邪者也已

一疼痛甚行於陰也治以辛熱寒湿流散腠理開則血行氣和而愈

潤血剤四物桃紅七主牡　燥湿剤二术已苓伏通猪半

去風剤麻羌独蒼可少萑　去痰剤星半二术七人生

一降氣血之剤　奴岳朴今　虎羌紅七　人白薄桂味淡已行手臂領星半术等葉至痛処七　下痛

一婦人胸脇痛白圭术萑　百灵仙甘右水煎　灵仙虚弱者不用之

古方

羌活湯　遍身骨節疼痛皆是血氣風湿痰火也治痛風

羌蒼今竹白令半萑一錢半　木貴卞　甘三下　右生姜水煎

風痛蒼　湿痛信羌　熱痰痛信今香実升瀝　血虚痛芎芐

上痛止灵仙　下痛百七　痛甚乳　発熱柴　尿短遍　臂痛桂

大抵骨節痛加寒熱発腫塊着是湿痰流注經絡与痛風同治法

眩暈

脈数熱 滑乳死兆 実弦痰積 虚大久病 浮緩大風 沉弱緊濡 氣虚

証 肥人眩 清痰今 降火百 兼補氣 参芪今 朮

瘦人眩 滋陰四物 帯抑肝尹此雀

先師云 肥人氣虚挾痰 四君加氏半 夫佐弓荊 或二陳 参朮氏姜汁

瘦人血虚兼痰火 二陳四物合加今芎姜汁

一諸般眩挾風則先芸今芃辛 挾痰今連危雀 挾寒姜桂

一常如二乗舟車暈倒甚困多 上実下虚寸実尺虚此雀人遠今

金瘡後眩四物加減此参 産後眩四物四君合ノ

氣虚眩参升遠甲氏且朮 心腎虚眩連参遠仆芀氏

血積眩我積手紅桃奴 痰眩半奴岳星朴朮

一傳冊風本熱也大甚痰動 二陳今此美朮

一脈大是久病人氣血虚而脈大也大虚形 痰涌來下而弦也二陳 下実雀人今

恵治風頭旋用蟬壳二両微炒為末 非時温酒下一錢匕

同治風吹項背頭目昏眩及頭痛　芷朮丸　荊芥湯下　或茶点下

因勞役眩倦怠頭不爽　脉滑　氏參芎前朮黄蔓　右煎服之

眼黑頭旋風虚内作非天麻不能除　苗爲定風草　獨无風而所動也　治内風神藥

古方

香橘飲　氣虚眩　木苓朮縮陳半　丁甘　右煎吞下蘇合香丸

清暈化痰湯　乞眩着痰也　陳半苓一錢　甘弓　止羌　冷　実錢

芸辛　氣虚參朮　鹽連　血虚芎　右水煎

川芎散　風眩頭暈　弓　角參申山茱　山茱　右末酒下

白朮散　風邪在胃頭旋不止後吐逆　朮朴芸菊止參甘　右水煎

香砂養胃湯　眩不食心中冷逆頭項搐　朮藿縮朴黄苓木參白豆

月中　右

四君加減　氣虚濕痰眩　參朮苓氏芎弓黄半天南星止甘　右姜水

四物加減　血虚痰火頭眩　芎弓白芍半參黄苓陀苓天南星甘　右薑水煎

灸百會 三里 顖會 膏肓 心俞 胃俞 四花穴

宜 奈 葡萄ウト 太豆 莧 クコ ウコギ アサミ アカサキ 黑豆 クズ

アワ アツキ

クラゲ 公

禁 ミシルイ モチ ソバ ワラビ 油ゲ 又酒 キジ 四ツノ 二足

嘔吐 煎劑非効則丸散從權

脉 虛細順 実大逆 微血虛 數則瘀 忌濡弱 浮胃虛 滑痰

証 氣逆上寸実 権衰朴無奴生

蚘吐 二陳加四君丁良 無声生津 二陳加楝根 吏君藥帳 弦

熱吐 煩躁而中渇 門冊貴 昌梅 数

寒吐 四肢冷 桂丁 痛 霍卜生 遅

痰吐 吐沫心悸 先渇後吐 生門 貴冷半目 滑

宿食吧胸腹脹滿呑酸消食去痰戎ヨ朴奴朮推　弦
久病吧氣虚胃弱　参朮貴病霍生　虚
虫吧　黒錫　缶二味末米飲下或良丁ヨ朴　弦濇
胃熱吧膈痰　二陳　苔連梅姜汁ケ　滑数
痞滿短氣　補中益氣｜加械胃弱吧二陳病霍朮
霍乱吧　丁姜霍生病貴　服痛者此ヨ弓勺叉
加味治中湯　體虚感冒雨湿吧吐参朮姜青貴一叉藿半苛五分　右姜水
藿香安胃湯　胃氣虚弱不已飲食時吧悪心霍参麦丁　右水
梔子散　吧吐不止熱証危燵一夯　葛粉一下　参二朱　半一朱　右末以水下之
大倉丸　解胃虚弱不進飲食及胃　白豆二叉　丁一叉　病二叉　陳倉米一斤炒
右姜汁丸
理中湯　胃寒吧情水　霍朮麦陳半苓姜丁白豆病有　右姜水

膈噎反胃

脉濡小血虚　大弱気虚　緊澁難治　沉滑痰　浮緩　沉濡死

趺陽浮濡　浮則虚　濡則傷脾　々則不磨

証気虚脉必緩而无力四君加減四物　血虚脉必数而无力四物加減四君

痰寸関必沉或伏而大二陳加減　熱脉実四物童便瀝連百ル〻

気結滞寸関沉而濡四君推奴　寒脉遅弦丁姜霍病木良

大便結　桃虎忌木　有汗半勺氏

妊悪阻吐稚貴乃生姜今　胃冷者四君病姜丁

一気血俱虚口中多沫吐出者難　年高五十余者難治

一屎如羊屎者難治大腸无血故也　吐而穀不得下者小半夏湯半生姜苓水英

一食不得入者有火也知今百乃〻　食入反出者无火也丁姜霍麦入

古方

伸反胃嘔吐者大半夏湯不愈服此効　半参　白蜜丸

四七調気湯　七湯四気以致膈噎反胃ノ朴苓半実病〻子一両　半丼麦一夫半加参一又

右姜水 効

五膈寛中散　七情四気傷脾胃陰陽不和胸膈痞満停痰気逆一切冷気

五膈　青皮丁二下　朴丹二　白豆一下　痛二下　木二朱二下　推三刄　甘　右末姜塩湯下

膈気散　五種膈気三焦痞塞咽吐痰逆飲食不下

肉豆才姜青朴木五刄　貴莪智積桂一刄　奴矢五刄　右姜水

沉香散　膈気効　木　奴下　烏薬中　右末姜塩湯下

一

仲　咽吐噦生半夂也　其究三者源皆由脾虚弱或因寒気客胃加之飲食所傷而致也　埴似丁半霍夂生姜類　埴氣逆上者必散之　故似生姜主之

冊　胃虚寒咽逆　埴丁香茱萸湯　仲　理中湯　皆益胃推穀気之剤也

灸　肩井　膏肓　膻中七壯　足三里　降胃気　胃十二　膈俞七　中庭寸五中下一穴

巨闕尾下　紫宮華蓋下寸　石関尾下四寸脇五寸　上脘　乳根乳下寸　玉堂紫下寸

回　肩井三壯

宜 大コシ クス 山椒 生姜 大麦 ウムキ クヽ 梅干 アワ タヒラエ スヱリタウ
クラケ トヒウヲ 鴨 鳥 ケラツツキ
禁 メシルイ モチ ソバ 姜 茵 ナスヒ ナ 柔 仏 油ケ 煎 鳥 塩
万有キ物 万コワキ物 四足 二足

痞満

脉微則陽気不足 渋則元血

証 実 痞 忌食大便秘ト実兵令薩 肥 人 湿痰朮半令目痛ちく

虚 痞 不食大便泄痛朮手丁貴 痩 人 営熱奴令建升当薩

傷寒汗下後身冷心痞半永参令 下後心痞胃虚や朮姜半痛

心痞悶建ちく姜丁霍 心痞腹脹姜桂痛夕朴実

細心中痞譫逆心懸痛桂姜奴右水 食積痞之麦芽査子朮半不用

内傷元気痞満者大宜補気血

胸腹痞滿妙推木痛实七下 术苓半半白豆藿朴甘

古方

朴温中湯 脾胃虚弱心腹脹滿疼痛時發時止朴半苓甘木甘生姜

右水煎

消痞丸 憂氣鬱結腹裏微痛心下滿不食实半木六下此七下甘豆半下

紅下 生姜六下 右末丸

痞氣丸 三焦痞滞水飲停積脇下虚滿木白豆手積一呉半又半脹

貴二 痛沉半 右末丸

一飲食後因風寒飲食不消痞滿 呉七下 痛霍甘豆

固養胃湯 胸腹痞滿 推痛木実术苓半夫一白豆霍朴七下

甘 右姜棗水煎

木化滞湯 憂鬱傷心痞不食木生姜半六下 此七七 苓竹实半下 一錢 紅六下

甘豆二錢 甘 右水煎

灸 中府乳上三肋間 旦中 乳根 上脘 脾十一 膈七

宜大根生姜山椒莧ナスセリフキアウ梅干ラウキ
タンホ いム 蚡ワラケ
禁 オンルイ モチ ソハ アメ ヒサコ キウリ ナス タイ [illegible] [illegible]

頭痛 正 邪

脈浮滑大生 短濇死 浮風 緊寒 洪数熱 細緊湿 滑痰結
気虚則微細帯数 陽弦傾 緊弦兼濇血虚

証肥人頭痛湿痰半朮苓芎 瘦人頭痛熱 芩酒苓此升
感冒頭痛汗出咳悪寒ソキ推発汗之 氣虚頭痛参芪升芷ヲ
血虚ー四物芷辛 頂冷痛藁ヲ止 食積ー朴推朮枳実半夏
氣血俱虚ー調中益気湯ヲ蔓辛 痰厥ー苓半半朮同 在熱推此
風湿熱ー羌冷羌芷藁蔓子辛 逆気頭黒喘寸口在力 ヲ推今文
眼閉赤腫頭痛ヲ竹此菊辛升芩止芷推

胃積胃痛風熱与痰止冷　右末茶清下　或煎ろ半芸

内傷〻有時食有時止内傷胃損弋補中益氣

血滯耳鳴頭中サゾメクノ四物辛止紅百　血虛眩身黒瘦虛細

四物此桂止

丹云頭痛　多主痰ろ半芸苓　少主大冷此升百知　兼風芙止羌可辛當

痰結咳氣口渇苓半星朮

血虛頭痛芎一味抹茶調下甚捷　日個

古方

川芎散　風感觸壅鼻清涕熱氣上攻眼目淚多及偏正頭痛

ろ此下　辛半參西芸菊苛有下　右姜水

利氣湯　上氣痰頭痛　婦辭頭痛　煎文今此今止ろ有　右姜水

清空膏　頭痛熱目痛　羌芸連付此ろ今　右末茶清下

點頭散　偏正頭風痛　ろ煎　右末茶清下上氣上降

當歸補血湯　治血虛与風頭痛　竹ろ白辛今煎一芸蔓此方五荊芎四方　右

脉盛氣陽氣虚頭痛脉一錢參本辛半芎高五分升白辛下石姜辛水
太陽ーー悪寒悪風經擧必先弓麻独　少陽ーー弦細往来熱此弓
陽明ーー自汗発熱悪寒浮緩升芷葛　太陰ーー必有痰腹痛沉緩本星
少陰ーー足冷氣逆寒厥沉細广辛　厥陰ーー吐痰陳厥冷浮緩茱萸湯主之

灸百會　前頂髮上六寸半　風門二　温留在腕後寸六寸間動脉中　顖會　上星髮際入寸　強間

直ウド　秦　葱白　大コン　生姜　山椒　クララ　蛎　ハウフキ　クス
アワセリ　アナサ　ダム　ヒエ　ウコキ　アワキ　菊花

葉ツバメヌルイ　油ケ　モチ　トウフ　豆　フキ　スズキ　クミラ　カラシ
四足　二足

正腹痛卅　心痛　脇痛　私云偏味用し効又温散温利之分別

脉細小緊急病進　緊寒　大痰死　沉細生　濇死血　弦滑積痰

短而数心痛　弦細虚

証　寒　積　熱　死血　食積　湿痰　虫

寒痛綿々痛増減なし　脉遅緊四肢冷大便下痢　圭姜白朮丁

先ツ生温散之　積痛死血手戎稜奴卜　无桃紅ノ外

熱ノ気熱湯大便結利〻　无朴奴　寛腸丸

死血痛処定不移動足冷緊弦伏結或濇数往来桃紅戎七

素積手圭牡

食積ノ腹緊弦而腹脹便結呑酸下ゝ後痛減奴卜キ稜手朮柞无

痰火ノ時痛時止脉弦滑咳喘胸衝子弔ク乙痛則尿不利又无卜柔生令柞

虫ノ唇紅衝上足冷或吐腹鳴濇緊弦遅時止時発

无青丁木黄良桂姜　奴金

一虚弱人大便泄不食腹痛者可調脾胃脉亦ミ可虚弱朮姜芍朮先ツ人桂

一諸痛不止則虚実分可通利　痛則必不通通則不痛世〻以利為下非也

一痛稍久者必胃中存鬱熱　丹推弓連姜付主之

一心痛初起者胃中在寒〻　姜良桂朴夫宿木推文

一心痛胃口有虫作痛時止西唇紅　安虫丸　丁良木呉実手

一心腹疼痛及諸証或絞痛　玄胡　桃　五灵乳没　醋糊丸〻

諸痛加減老師　吧吐丁貴生　悪寒良主姜

熱連勺推　泄痛勺姜朮　頭痛弓推此

手足冷丁木桂　胸塞又卜呉　小腹脹痛手此桂弓呉

気痛　木又呉推　虚人参朮姜主補〻

心云 血痛　什弓紅桃　又曰　実調胃兼気湯下〻或卜実呉

一脹痛左右〻弁　右脹痛ハ推気散　又桂姜黄朴

左脹痛ハ此大弓青膽中

一痩人寒〻熱脹痛多怒者瘀血也　桃紅什手牡此虎

一咳而脹痛　二陳青推姜汁星奴朴

一婦人服痛　萑圭索ヲ抹而用ヽ　有積ヽ積実莪圭卜実
一婦人腰服痛并児枕痛　索竹桂抹而用ヽ　或随時以酒下ヽ妙
一婦人血痛血脹　乳竹肖桂参索　姜水煎　或抹ノ
一婦悪血心痛悪血心腎ヘ痛尤効　桃紅圭索之丸加竹弓莪
一小服便痛満而　尿利ヽ畜血　尿渋溺溢 之証也　桃紅ク便牡　ク車茯令危
一跌撲服痛瘀血　桃仁蘇気ヽ加竹紅蘇木煎ヘ童便
一服痛必用温散忌芐参氏　服痛ヘ寒ヽ血虫痛ヽ食積ヽ痰ヽ積塊ヽ傷食ヽ疼ヽ　各対用ヽ　対下
一回諸痛尉法韭菜連根搗爛醋拌炒絹包尉痛処

古方

拈痛丸一切心痛　灵実莪竹木弓　末或蜜丸
没薬散一切心服痛　没乳ミ　山甲五　木鼈黒や　右末一錢温酒下
朴温中湯脾虚寒脹満疼痛　朴圭令中豆木肖　圭錢　一錢　姜ヽ下　右姜水煎

木香兵節丸　食脅気滞痛　木兵ヲ麦入実木朴　右末丸
加味七気湯　七情大病発則心腹痛　半桂棗匁一　参一匁　乳三下　右姜棗水
異香散　腹脇脹痛痞悶噎塞症痛　莪膂稜匁六　青麦匁三　朴匁二　蓮一匁
右姜入或水煎
苦磨湯　虫寸白并水脹満　練皮銭四　船底苔銭二　水煎服虫下尿通効
一寸白腰脇足筋牽痛難忍　貫衆　桑白　柘榴根皮各等　右水煎服効在し
灸　鳩尾　巨闕尾下一寸　上脘尾下二寸　中脘尾下三寸　分水臍上一寸　通谷尾下一寸　旁五分ツヽ
十一　十三　気海穴　関元　小腹痛　天枢臍両方一寸ツヽ　九　五
宜　アツ大根　ヒエ　山椒　コハウ　生姜　ミヤウガ　クサギ　マキ　葱　アサミ
クス　カラミ　イリコ　クコケ　ハム
禁　メシルイ　アメ　糯　サスウケミ　蓼　ロミヒ　油ケ　ウリ　笋　下ヨノミ
菌　タイ　タコ　スミ　十二ス　アエ　四足　ニツク

腰痛

脉必沉弦 沉ハ滞 弦ハ痛ヽ虚也 緊為寒温之姜桂瓜朴

濡細為湿燥之己通朮独 浮為風散之羌桂独

実為閃肭通紅朴羌桂當帰大下之

証 腎虚 瘀血 湿熱 挫閃 痰

腎虚脉弦大 弦ハ痛大ハ虚 形也立居苦之 尿数 仲山五加朴智 百爪 七斛

瘀血ノ脉濡緊也 濡滞緊痛 棠血頂ヘ之 桃紅莪七圭朴牡丹己

又曰委中刺出血 其血滞故也 腰曲不已轉者用之

湿ノ脉緩 天陰久坐甚 湿燥気廻スヘシ 己苗朮羌独通苓仲

痰ノ脉滑結伏 多ハ肥人在之 時々嘔咳 星半苓 又蒼ハ羌朴木香生

閃挫之ハ弦緊 破血剤 桃紅七己 當帰大 或下之

一 諸腰痛補気剤不用之 偏寒偏熱不用之 二便通塞詳之

一 妙方治腰痛 官桂 延胡 仲 右末熱酒下之 腎虚冷ノ証妙

又方 鹿茸一両 兎絲一両 茴半両 抹丸用之 腎虚ニ

一考腎主脊脉、行于脊骨、腎壊則脊脉虚、故令腰脊痛、骨枯髓減者枯
涸々極也、腎主骨。
一諸痛例皆、雖知痛者、随通減、諸痛為実、痛随利減、世皆以利為下
非也、痛在表汗之愈、痛在裏下之愈、痛在氣散之愈、痛在血行之愈
故経曰、通則不痛、痛則不通、此之謂也

古方

三因青娥丸 腎虚腰痛常服壮筋補虚 仲 破故 炒一斤 生姜 十 右末胡桃
肉為膏蜜丸塩湯下
如神湯 斜閃腰痛不過三服效 弓 竹桂 玄胡 斗 抹温酒下
補髓丹 老人虚弱腎傷腰痛 仲 破故 四両 炒去胡广 胡广二両 鹿茸 酒二下 没下
右末胡桃肉丸塩湯下
独活湯 當没腰痛 羌独芸伏桂 三下 虎付 二 竹麹 五 巳両 酒炒 二下 桃 三个
右水酒煎服
立安丸 腎虚腰痛 破胡 仲 瓜七 牘下 萆 二下 右末酒糊丸々

回養血湯 治腰痛腿痛筋骨疼痛 个羌活 桂七 仲 参芪一錢 土茯半一錢
弓五卜 寸 右水煎 酒少
回調栄湯 失力腰悶或跌撲瘀血凝滯及大便不通腰痛
个 桃尾七二錢 弓一錢 多 紅 生卞 羌一錢 桂二卞 右水煎服
灸 命門 右椎骨上 十四骨 腰眼 腰俞 廿一 胞肓 十九 闕元 十七椎 兩方 阿是
宜 タコ ウナギ 黒豆 大コン イチゴ 多柔、 コハウ セリ アサツキ アサミ
葱 クネギ 牟 アワキ クルミ
クラゲ 公
禁 酒 ウリ ソバ 糯米 川芎 ヒウ モモ クサヒラ ス モモ タイ
生 フチ キビ イノこ

秘結ー糞し

脉沉伏結 滿結沉実而数 陰結伏而遅 老人虚人便結脉雀啄者不治

証腸胃熱結便尿不利者脾約証ト云 脾約丸用 虎奴麻仁杏ノ丸

一久病有実熱大便不通激利ゝ峻利不用 麻仁実ト虎杏桃勺 蜜丸

一脾胃在伏火大便燥而不通及風結血閉麻仁竹桃虎朴羌芸皂角仁蜜丸

一腸胃燥大便結而不通 麻仁竹芋桃奴去 蜜丸

一上焦熱蔵府結 虎章 為末 厥冷芒以酒下ゝ

一送鑑蜜導法口傳

又方導水餅秘方治水脹不服薬去水通二便 真水良粉二銭 巴豆肉四銭

硫黄一銭 右三味研成餅先用新綿紙一塊鋪臍上次以餅當臍掩之

外用帛縛如人行三五里自然浮下悪水三五次去除薬以白粥補之

古方

潤燥湯 熟芋竹虎桃甘麻仁二分 紅芋 生芋升下 右水煎服

通幽湯 生芋 熟芋竹虎桃紅升 治燥腹痛之用ゝ

本草方 宣積子以握薬便通 芭姜韮子良硫寸遠白芥帝令壽

右末研飲丸如彈子大用早朝使椒湯洗手麻油塗手掌曰

握薬一粒移時便浮散得浮止即以冷水洗手

灸臍下一寸 小腸俞 十八俞 関元 臍下三寸

宜アウ 灸、桃仁 莧 カヤ 大キ アンキ マキ 柚 ク三 タヅイハ

禁 イリ物 モチ

健忘 正 邪 心悸 正 邪 驚悸ハ忽然驚惕而不安也

脈 趺陽脈浮胃気虚是以悸寸動弱動ハ為驚弱ハ為悸

左寸弱心神虚為忘 滑大ハ痰為忘

証 有血虚子痰 有虚便動属虚

血虚者怔忡无時驚悸有時而作 四物湯加参申氏遠桂
痰実者心悸健忘 二陳 参苓朴実朮益
神虚者心悸健忘 半申遠参升氏沉昌且朮 労役心跳太虚
瘦人血少有虚便動虚
肥人是痰時作時止是痰
諸病痿痰驚駭皆属於火
経曰臥則血帰於肝今血不静臥不帰肝致驚悸於臥也
心法拾遺 人臥則氣浮於肺
定志丸 心氣不足恍然多忘及怔忡驚悸 参苓遠昌 右末蜜丸 辰衣
驚悸養心湯 肥人因痰火而心惕然跳動驚起 参遠半[illegible]申桂及
氏百子仁棗仁芍 右姜水煎
茯苓湯 有痰者 苓甘半参 權智 朴 芍 右姜烏梅水煎
鎮神湯 血虚有痰 竹芋甘芍弓半苓昌甘桂連 右姜水
遠志丸 虚労驚悸神氣不寧 遠申氏参熟芋一両 昌半両 竹三斤 右末丸
六味芾丸 健忘驚悸怔忡不寐 芾丸加遠昌参竹酸棗

四物加減養思慮即心跳者是血虛治心中无血養故怔忡兼脹
安神丸四物去弓加人朮申酸棗仁連危門茹 辰梅一ケ右
灸心俞 膈俞七
豆アウ 生姜 山羊コハウ ウコキ クニ 蛤 ヲクニテアウニ
イリコ 公 黒豆 ヲ羊 ヲ羊ミ 中中ヲ
禁 さシルイ モチ ソハ アヱ サンメウ 古コノミ ヲチ 冬 雉 雞
猪之、

汗 自盗、陰陽也

脉虛小吉 緊凶 自盗汗忌生姜半夏
証 自汗属氣虛 属湿与熱 盗汗属血与陰虛
自汗参芪桂勺朮百可 盗汗竹氏生芊連 今勺芸百可

一発熱 厥而自汗 湿虚夕芐氏竹石 胃虚参氏朮夕 脾熱自汗夕今 脾胃冷汗氏夕桂

一表虚自汗秋冬用桂〃春夏用芪〃虚労自汗〃

一世治盗汗 山茱一味去〃末臥時酒調服効〃

一文蛤散 治自盗汗 名獨勝散 五倍子末津唾調填満臍中納帛縛

縛一宿即止加枯礬末尤妙 又方治自盗汗浮麦升同等水煎服

又方用何首烏末津唾調填臍中即止

撲法 蛎煆 麩皮 麻黄根 藁本 芸止右末周身撲〃

古方

茯苓補心湯 治心汗 苓参朮竹芐酸棗仁夕門麦遠等辰井服時入

甘三下 右棗梅浮麦入水煎服

鑑黄芪湯 治気虚弱自汗 氏竹芐門冬苓芸〃黄〃根浮小麦

甘 右水煎温服

芪湯 常自汗出者 甘氏参苓朮夕芍 右水煎服

建中湯　表虛自汗　勺三下　圭肉二下　右煎服加（氏二下　名氏建中　治虛勞自汗／芐二下　名芐建中　治婦血虛自汗）

當歸六黃湯　盜汗　亜茱芐氏一　各生芐熟芐百連芩七下　右水煎服

白朮散　中風汗久不止　蛎燒三匁　朮一匁二下半　朮一匁二下半　芸二匁二下半　右末溫湯下

危擇牡蛎散　治諸虛不定及新病暴病虛津液不固体常自汗

許學士方　盜汗不止　氏　麻根　蛎燒　右小麦百粒水煎服

灸　百會　曲池　陽溪　在腕中上側兩筋間中

宜　梅干ス　クスセリ　イカ　蛎　クコウキ　クラゲ　ハム　フキ
スハウ　フノヤキ　フ　アサミ　ヒエ　イリコ　クミ　アワビ

禁　メンルイ　酒　ヒトモジ　ナシ　ソハ　生大コン　万カラキ物

暑

脉虚弱微 或浮大散 或伏皆虚類 脉虚身熱傷暑也

証身熱煩渴尿不利渴升人参大決 暑熱腹痛吐利煩心 香薷朴朮連苓

感冷食餓吐浮腹痛厥冷者 丁姜朮参桂ノルリ

一若卒中昏冒倒仆角弓反張不省人事手足或発搐搦此為暑風奇

作風治当以本方加羌活 十味香薷飲人参朮苓参陳五 方香薷一銭朴扁豆炒甘右

暑風搐氏加連 如搐搦加羌 如泄利加倍朮苓

脉虚弱倍参芪升 如虚汗不止倍芪朮 如心煩倍連

如胸脹加枳吉 如夾痰星半 如虚人倍人氏

尿不利赤苓滑 嘔吐霍香姜汁 如渇葛天花

六和湯 夏月病人霍乱転筋嘔吐泄瀉寒熱交作倦怠嗜臥伏暑煩悩

尿赤渋或利或渇中酒胎産用縮半杏人朮甘霍砂卜苓扁豆右求

五苓散 中暑煩渇身熱頭痛泄尿赤悸惕 猪沢天令朮圭右

注夏者属陰血虚元気不足之夏初頭疼脚軟食少体弱者是其証頭眩

眼花腿痛膝軟五心煩熱口苦舌乾无力胸膈不利脉数无力

参芍熟芐 冬門 及キ 百知寸 右棗梅水煎

飽悶病白豆 澤朮病山薬去半知百 尿少加通危

頭目眩弓 虚汗氏朮棗仁 口苦舌乾危易梅

藿正気散 吐泄腹痛頭痛発熱止ツ冬腹卜朮も入吉キ藿 右姜棗

灸霍乱腹冷腹痛 巨闕尾下一寸 上脘尾下二寸 天枢臍両寸ツヽ 臍中塩入灸之

宜アツキヒ牢 クス ニシニク 生姜 大コン 山牢

禁 モチ ヌシヤ ソスハ ウリ 牟 諸肉 上上物 百コノミ

氣

脉緩沉氣芩木升参 沉実数氣滞芒肖知 沉弱氣虚 浮実氣実

寸洪実氣衝上脅進 推奴之スツ

調氣各剤 利肺氣吉 浮肝氣手 快滞氣推

泄逆氣貴 散表気ノ 浮衝気下 行中下氣木

浮至高気兵 上行胃気霍 沉升降真気 脳射散真気

一氣之有餘火ソ氣左辺脇下起者 肝火連姜汁丸下 陰火百炒末丸下

一陰虚發熱四物加百 補陰降火妙剤 甚則加亀板

身熱无汗気有餘昌升ソ手 身冷自汗氣不足麦良白耳

兩脇攻築痛 二陳加青白芥膽

崑

面色痿白
言語輕微
四肢无力
脉来虚弱
則
望 聞 問 切
之知其氣虚実如此則以参可補氣

要云　冷氣木参丑霍　滯氣推通手　逆氣奴呉朴生

上气推今勺　厥气貴少推

凡氣有肓膈間而為痞滿刺痛伏梁等証二陳加奴木吉連手

在下焦而為奔豚七疝等証　二陳　危枳核　茴練子

在中焦而痞滿脹急二陳奴木朴呉痛　或平胃散

婦人氣疾作楚四物加跡利　行氣莱

氣結則生疾〻盛則氣愈結故調氣必先豁疾如七氣湯半夏為主

桂佐之調氣並用豁疾亦不可无温中劑

一溪曰（氣／血）病補（血／氣）則（虽不中病亦无害／血愈虚耗然后氣血俱虚）

憂思鬱胸怒氣痞奴吉　呉推霍哉　面目水氣豬茯車

氣塊〻哉核　性急此青　多怒今合　食少痛木　咳吉半

胸緊奴推　氣屁奴朴　上焦熱推今　下焦熱智　及胃沉丁

散表麻少　浮衛朴呉　浮肝氣青　快滯氣推　泄逆気吉人

一風傷氣者為痛　寒傷氣者為戰慄　暑傷氣為熱悶　湿傷氣者為腫滿

燥傷氣者為閉結 有氣虛 有氣實

古方

木香流氣飲 診氣痞塞不通胸膈膨悶目虛浮四肢腫滿口苦咽乾一便秘 半二戔 朴青少雀甘四戔 桂莪丁腹奔門木草果六戔 通八戔 菖八戔 霍下止下令朮伏參下 右姜棗水煎

三香正氣散 治陰多陽少手足厥冷氣刺痞滯胃膈噎塞心下堅痞吐噦嘔水 朴木丁半各 麦智病戔半 雀二戔 甘姜丁皮莪烏茱一戔 右棗姜水煎

順氣木香散 氣不升降胸膈痞悶時或引痛及酒食過度噫氣吞酸心脾刺痛女人一切血氣刺痛 木木吉茴三戔 姜半病朴丁香皮良桂二戔 甘

右姜棗水煎

白氣散 氣滯不白胸膈虛痞酒食不消心腹刺痛脹滿噎塞嘔吐惡心常脹調順脾胃進食 丁旦木白豆二戔 霍甘八戔 病四戔

右末沸湯点之

異香散 心腎不和腹脇脹飲食難化噫氣吞酸一切冷氣結聚

腹中刺痛 蓮一匁 莪智 稜 井三ト 青キ半下 ト下 右末 姜水煎

崔氏 同
灸 膏肓 四花 患門 三九 十一 十二 壺 腰眼 五椎 一寸 百會 三里
手拇ト

直 アヅ麦 カヤ クコ セリ ウコギ フキ ウド フ 公 ツル カン 猿

禁 モチ 万 胸塞ル物

疝氣

玉 疝証 經 厥陰 此
脉 弦急 青 萑
内 湿熱 智
外 寒 朿 桂

稍欲解則少加虎

香殼散 疝氣 胯腹疼痛 筋急 陰股中痛 悶暈不知人

茴 塩炒 奴一匁 冥半匁 右末 酒調下

沉香散 子 七疝 心腹引痛 且 木 乳 沉 丁 霍一匁 姜 棗 川 烏 香 桂 可 右水 半匁

世疝 俄惡寒 紅 炙末 胡椒中 神馬 藻 大 燒 虎中 末 而 塩湯下 効

廿暴而悪寒時小麦藁古煤黒焼而熱酒收用之汗出効

廿散法 治腎囊偏墜 蜗良一分 右末而唾調付大偏処須臾如火

熱痛止

一 枳核因四種癩病卵核腫脹有大小堅硬如石痛引臍腹

甚則膚嚢腫脹成瘡時出黄水或癰潰爛

橘核 海藻 昆布 海帯 川楝子 桃仁一分 朴 通 実 索 桂木半分

右丸塩湯下

橘核散 食積瘀血疝及癩 枳核三分 危桃楂三分 乃麹 茴半 茱一分

右姜汁の

灸交儀 陰蹻 中封 大敦 三陰交 石門 関元 五枢 臍下 天枢

章門

諸虚

補諸虚不足証及数日同前則知无効
治有餘実証及数日同前則知某効

脉軟浮微弱者為虚　細微氣血倶虚　弦中虚　大如葱管血虚

気　虚辛厥脉　細中血斗残
血　丸大外気残中血脱

損　肺　心　脾　肝　腎　者
益衛気　参氏圭
補栄血　ケ芋勺
調飲食　痛朮キ
浮其中　キ乃此
益其精　百芋山

治損之法也于其同治労不受補者難治

八物湯気血両虚用之四物四君合而加桂氏　十全大補湯也

表虚有汗参氏桂　裏虚自利参勺　遺尿精朮山茹

眩乃此甸芸

一　腎虚陰痿　山茯兎戟仲七及令芋児枸破故苺遠断　西後盃韮子

腎虚腰痛仲七斛兵　遺精竜知百

枸子仁蓮　雞頭実之類

一　弁疑人身運動莫過血気之之旺則屈慾動之之動則気血虚之之虚刈

形躰憔悴矣 古人云補於胃不若補脾 此之謂也

旦因病虚致虚病則多難重 蓋病勢淺而已過氣未虚已衰也 初發愈後也 愈後再發

人参養榮湯 参氏七分 白茯令及遠志 朮桂芍 右脈極忽忽 喜忘少顏也

眉髮墮落 積勞虚 四肢倦怠 肌肉消瘦 短氣 飲食無味

右棗姜水煎

一氣虚者四君加味 血虚者四物加味

六味地黃丸 腎經虚損久新 憔悴盜汗 發熱虚煩 瘦弱 痿弱 下血 咯血

山薬 山茱四两 茯 牡 令三两 熟芐八两 右蜜丸

荒莫仁湯 虚勞骨蒸 晡時潮熱 虫衝上不食

竹芐乃勺 参氏七分 朮 荒芪 百合 豬骨炒 木律等 除参氏朮 右以酒

少炒甚後合 参氏朮 水煎服 勞潮妙也

至畏虚不可養食病 先師諸虚加減 四肢倦怠 白朮七分 或荒芪 此紅

憔悴 竹主参朮 表虚有汗主氏 裏虚自利参勺 不食以宿

秘結芐紅或桃仁 足無力七已 身痒芩萍 夜不安不眠竹芐

口中爛舛百連　遺尿精出蚘　眩弓角此風

固真飲子　中年堅人常脉之氣血兩虛備五味妙方

參棗什氏下熟苄半下百下术茯山茱補骨半羽及拉十冬下仲甘七下

右水煎服

灸膏肓　肺三　脾十一　胃十二　三焦十三　腎十四　腰目章門

宜大麦アウ黒豆フクス大コンセリ　コハウ　クコ　ウコギ

公ムコイ　イカ　クラゲ　田ニシ　蚘　トヒウヲ　カシ　ツルキジ

禁メシルイ　ソハ　アツキ　モチ　茄　ウリ　麪　ハコヘ　筆　古コノミ　コセウ

アユ　豬ミミ

正
勞瘵 郁 勞究為瘵

脉沉滑生 堅大危 大為勞 虛為勞 弦大 弦則為減 大則為芤
芤為虛 寒相搏此 為革男子亡血失精 沉數細 宗衛虛多死 久病形瘦死 減為寒

証 心 腎 主 血思慮過多而損心血 芐竹勺圭氐
精房勞而竭精元 芐竟落枸百

心 故 榮血涸患夫 腎 故 多泄尿數
婦人月閉 筋燥骨枯
治傳尸勞熱 吸安息煙咳甚者為傳尸宜吐出虫
用乳香薰手背有毛出為傳尸宜汗出虫

一陰虛極故痰火衝上虛煩時發 脉細數无力 竜牡 血 六拘 氣 退虛煩
蓮肉智 鎖元精 遠竜骨 鎖精神定夢或丹參加辰 固精 酒塩炒百 清相火

一勞報損胃氣瘵証又生其脉浮大而无力
參朮甘生胃中元氣 茂蛤 鎖表虛保肺虛 久嗽挨肺又邊用壽膏 耗備呼吸
或痰血咳嗽 為咳甚 脉浮微而无力及歲 此合膠甘 虛煩 六牡
盗汗 及夕竜骨蛎 无熱柱
若脾胃浮 蓮及朮姜鎖之 大瘦 竹芐圭肥栄

一丹劳瘵其生在乎陰虚痰与血病丹溪虚発熱、四物加而養氣虚令氏参

瓊玉膏 補血氣皆損延年益壽 参廿六匁 苓廿四匁 生苄十六斤四五度取汁搾去查

右末蜜丸空心以酒或湯調服

古方

樂令建中湯 藏府挨身体消瘦潮熱自汗時成劳瘵此業大退虚

熱生血氣 両辛麦下半 二朱 竹参桂门氏苓甘白一匁 右姜棗入

秦艽扶羸湯 肺痿骨蒸已成劳嗽或寒或熱声啞不出体虚自汗

四肢倦怠 艽鱉参竹一匁 菀半一匁 甘六稍匁 此二匁 右姜梅入煎

黄耆湯 虚劳不食中満痞塞大腸或秘或洩

白豆朮 麦 参 姜 甘 丁半匁 香二枚 朴 右姜棗水

黄耆鱉甲散 虚劳客熱肌肉消瘦四肢煩熱心悸盗汗減食多渇嗽

有血 桑半二匁 六匁三下 知母半三匁 艽三匁三下 鱉五匁 桂参一匁 赤下半 苓三匁三下

夕半三匁 天门五匁 甘 右水煎

地骨皮散 骨蒸壮熱肌肉消瘦痿多困夜多盗汗

六丸此吉知竹甲右為末每服五丸桃柳枝頭各七ケ姜梅煎服臨臥
灸患門四花膏肓五椎一寸腰眼
宜大コンヒ牛房露盆クコウコギ山芋クスクヲケイカ〻公鴉
禁ソハ茄クステウリアレスワラヒメシルイモチイモリンゴ油ケ
ヒワ胡木魚鳥房事酒晩食勞怒

火熱　君火〻七神賊

脉数而无力者是陰虛　大浮数虛　沉実大実ハ　細数為害
実熱火可浮黄連解毒湯連亭百危可
虛火可補參朮生可　鬱火可発散ソ升昌もよ
風寒外来者可発ソ推羌芸去ス
凡火盛者不可用寒涼必可温散ソ羌可升推
火急甚者必緩〻生可兼浮兼緩　參朮亦可

人盛氣實火盛顛狂者可用正治 硝黄冰水之類

人虛火盛狂者以生姜湯與之 若投以冰水之類 正治立死

有補陰則火自下 始而生芐之類 木通下行 瀉小腸火

今連瀉肝膽火 而加辛浮旁光火 黛能瀉五藏之鬱火

但能降火從尿中泄 其性已下座曲之麴

陰虛發熱四物加炒百酒知乃降火補陰之妙劑

氣虛参氏朮付 陰火虛動脉數元尤是 滋胃降火而桂知或芐門

毛性

癲癇 躁之 世云癲者不守神舍 癇疾

脉實大生 沉細死 虛弦爲驚爲風癇 小急疾死 丹云 虛易卜 實難卜

証癇者卒時暈倒身軟咬牙吐涎不知人後醒者是癇病

大法痰與火 連星半 舌黛黑 且引之類

深師云
顛心血不足補神辰圭半卞竹付
癇痰連星半香支或可吐
狂肝熱裏熱弋連白丑或可下

一癲者神不守舍狂言妄語如有所見動經年不愈
如心經有損是真病　如心經蓄熱則清心除熱　如痰迷心竅則下痰
婦人因血氣迷心或有產後惡露上衝而言語錯乱神不守舍
八珍湯　產後血迷心如癲言語不正參昌半丂辰芸下辛二朱有右抹黄湯下
宝鑑沉香天丁湯　癇疾一月五六次發則頭重足冷心中无力出沫搐搦痰
從有声脉沉弦急因驚　沉智川烏二禾天麻芸半附三錢羌五錢付竹姜
半一禾独四禾　右姜水
鬱金散　癲狂可畏多因驚恐得之從留心竅經年不愈鬱七匁礬三匁右
抹丸五十丸湯下　初服之覺心胸間有物脫去神氣洒然再服稍輕多
服去痰

一妙方治顛癇參苓及因豆一匁桂一匁亦下桃下付雄熊膽下雚二匁右水煎用丸

一

癲癇妙方効多　丁香木雄黄今胡連乳各一朱　熊膽輕粉各一朱　連蓯積甘各三朱
飛朱大風子氣各三朱　射香二朱　辰二朱　大黄二朱半　赤小豆廿七粒　白丁香廿七粒
以上廿二味抹蕎麥粉小麥粉等分煉其糊一兩十丸二朱衣隱于甚後井花水
茱鷄八月星影移丸茱一粒曉天瞥以湯下之十年病以一丸出下
一丸不下廿三五日過又一丸吞之必虫形如小豆出四五分色薄紅口大出業
世間无比類効

牛黄清心丸　諸風緩縱不隨言語謇澁心怔健忘恍惚去來頭目眩
冒胸中煩鬱痰涎壅盛精神昏憒又治心氣不足驚恐怕怖悲憂
慘慼虛煩少睡喜怒无時或發狂癲神昏乱
牛五朱　羚射腦一朱　令弓此吉杏五朱　芸朮白門今竹姜白斂三朱
膠桂大豆黄卷六朱　雄三朱　犀八朱　麯參蒲十分　山藥八朱　甘廿　大棗廿五箇
金薄　辛　庁　右除棗去薄二角末及牛雄射腦四味别為細末
入餘和勻煉蜜棗膏為丸毎兩丟十丸以金薄為衣一丸食後
温水下

三痫丸 治育児二十種驚痫 荊芥二 巻生一両半 右為末丸如黍大朱砂衣每服湯下

當帰大黄湯 諸痫壯熱心中悪血下 虎竹白芍三分 半夏下 棄付 右姜竜水煎

灸 百會 顖會 骨上五寸 三里 鳩尾 身柱 筋縮 九ノ一穴 前頂

間使 掌後三寸 兩筋間陥

宜 生姜 山芋 ヒユ コハウ クコ ウキ クサキ フキ

禁 メンルイ モチ 油ケ ソバ ワラビ アメ ナスウ ヒワ 串ガキ

クサヒラ 四足 二足 乾塩魚

邪

失血 上　吧衄　咳血　咯　嘔　溺　便　腸風　蠱毒

脈沉細數弱生　浮洪實弦大死

一冊云　諸見血爲熱　經所謂知其要者一言而終不知其要者流散无

窮此之謂也

吐血出於胃吐出　犀牡芐勺竹今連茅

吐紫黑者血塊胸中之氣塞　紅桃

吐痰ノ後見血者是積熱　竹芐勺支令二刊今卮桑梅膠

嗑血後痰見者是陰虛滋陰降火　芐今卮百付

吐血咳血嘔血吧血　歸芐牡勺卮連伏令付

吐衄咯咳嘔血　竹勺芐參今卮刊卞付梅

衄血出於肺　竹勺芐今雀卮連吉　或毫骨末吹鼻中

咳血出於肺痰中帶血　竹勺貝桃牡今卮青吉木付

咯血出於腎之　半知貝令芐吉卮杏桑膠ノ承

嘔血出於腎　鮮血隨嘔而出　知貝吉而芐玄參遠削姜付

溺血小便出血心熱於小腸移ス 芎苓梔連甘勺百少令通知門甘梅

茎中痛加滑奴甘去勺令

腸風下血者必在糞前名近血 側栢葉芎苓連槐卯苓奴甘梅

蔵毒下血者必在糞後名遠血 連令百丹翹槐辛甘

下血過多心虚四肢无力面色痿黄 生芐牡皮槐連山茱山茱虎キメ

腸風積熱下血痔漏疼痛 四物連令翹卯槐芸奴苓茜根栢葉キ令丸メ

一 傳下血風傷肝 湿傷血之説在之 大便後下血腹不痛湿毒也 痛者熱毒之

一 大便先血下 赤豆帰キト 抹用之 又方下血 鼠尾中抹用之 効加卯妙

一 凡血薬不可単行単止 又不可純用寒涼薬 必加辛温升薬

如加涼薬用酒煮酒炒之類乃寒因熱用之法也

袖黄連湯 大便後下血腹中不痛謂之湿毒下血 連芎甘

一 有湿傷血者宜行湿消熱 二朮連百芎勺卯槐 右水煎 一方加奴

槐角丸 五種腸風下血痔漏脱肛治之 槐卯令芎芸キト 右丸米飲下

加減四物湯 腸風下血不止 生芐芎勺一 奴苓槐甘半 梅 右水煎

一下血腸風 茄蒂焼 卮子 右丸用 方ニ下血側柏葉焼用之止之
下血腸風 樗盧木葉実煎服効 下血夜合木灰以酒解之用之
下血槿花末白之飲之効 下血棕毛灰以湯用之
下血蚱草陰干丸用之
黒神散 下血欲死者数人効 黒豆炒半斤 熟芐 般 桂 姜炒 有勺 蒲
済生方 芫蒲 香附子 右水煎服之
般和血散 腸癖下血湿毒 槐花 手各下 竹升下 各下 弓下 熟芐 木六下
右抹
灸治下血 灸脊中對臍一穴 五七壮 吐血 上脘
衄 大椎 風門 温留 脘五寸 六寸 脇中
下血 命 気海穴 大腸十六 胞肓 十九椎両方 三寸ツヽ 三里
宜 卮花 蓮根 大コン ソクウキ 大麦 クヒ 黒豆 クズ コハウ
イカ 蛎 クラゲ 公
禁 四足 二足 万辛物 又酒 モチ 生魚 油ケンヂイ ミヤウガ ゴボウ

癰疔

脉数而身无熱内有癰　又曰无積聚身无熱脉数腸中有癰

諸浮数奇発散及洒淅悪寒有痛処当発癰疽

脉微而遅反発熱弱而数反振寒当発癰腫　短散則危

虚数遅或芤濇微潰後亦宜長緩易治　結促代見必死无疑

証熱勝血則為癰ハ壅也　疽沮也深シ　癤ハ節也　癤頭小瘡

疹ハ浮小瘾疹也　瘤ハ赤留丹煙火勝気火色也

結核嵓結而堅破如菓中核也不必潰熱散則自消

膿出反痛者為虚宜補之　四物氏令もス

疽発深不痛者胃気大虚必死肉多痛不知之

癰疽発渇乃血気両虚　参氏竹节忍冬

治癰疽　虎　芸　羌生苄竹月止貝勺皂今吹翹類随虚実

気虚者参氏　潰後亦宜加之

一　一切悪瘡癰腫便毒始発脉洪数弦実腫甚将作膿者三脉而消尽

虎蚸舌皂朴硝麴金銀花𠆢勺今　右
癰疽發背𠆢勺弓忍冬麴吹　懸癰喉腫痛升吹虎玄参肘
喉口内瘡吉升曷勺人夬吹積肘　乳病喉口内知𠆢芊弓止吉圭肘
一切腫物沉木丁霍乳氏参芸芊圭弓𠆢卜令肘
一日數熱瘡悪寒虎止令舌弓𠆢勺芊肘　右水煎　郁九弥撒七
一小瘡疥痒痛升吉朮曷虎肘ち久𠆢止令奴勺
一癰疽疔瘡及无名毒腫　吉如参氏紅朮𠆢羌麴令芸肘
一肺癰心胸氣壅咳膿血煩悶咽乾兩脚腫尿大便澁
吉貝𠆢舌実以奴桑乙氏肘杏百合　二便加虎通
一便毒足厥冷湿熱　吹虎兵生姜
或𠆢勺止肘弓吹忍冬虎穿山　浸蕣朮木鱉　抹酒下
一婦人馬刀瘡　圭𠆢悪実肘丙芊此令知ク麴
同方悪実　𠆢連肘舌氏夸此紅麴
一児項側有核堅而不潰者曰馬刀此麴𠆢参肘積吉連紅悪実

一結核在項在臂在身如腫毒不紅不痛膿是瘰注二陳酒炒虎止七麹吉

古方

九味散　一切癰疽瘡癤腫毒因氣壅血熱生勺止竹丐寸虎華下舌今ホ下　右水煎

五香連翹湯　諸瘡初覺三日使厥逆喉塞注木

乳連　虎下半　翹　沉木　独　桑寄　丁子　吹升　射香寸　右水煎

内補十宣散　癰疽初愈後脹し　瘡口合後元患

参竹二及　芸朴丐吉止寸氏二及　右末溫酒下　又木香湯下　此藥生肌肉

止痛當歸散　腦疽發背穿潰痛竹参氏勺寸生苄ホ下　右水煎

桔梗湯　肺癰心胸氣壅咳嗽膿血心神煩悶喉乾多渴脚腫滿尿赤黄大便

多澁　吉貝下　竹舌実吹下　奴桑巳氏五下　寸杏百合三下　右水煎　便秘三虎

加味桔梗湯　喉口内瘡可用之　吉升貝勺参寸ホ下　右煎

金銀花白芷散　托裏散之証　氏竹岳丐寸天花ホ下　乳没三下　皇刺金銀花下　半芸止下

右酒水煎服

同托裏散　氏　竹金銀花　甘各下　右酒水煎服引經藥加之尤妙

便毒馬刀之方

蒼朮散　治便毒　木鱉　竹白止　甘弓吹忍冬虎肯没少禾各下　右酒水煎

紫翹湯　治馬刀　惡實　連　竹　甘各下　香氏下　今此下　翹下　紅少　右

通經湯　咒項側有核累而不潰名馬刀瘰　紫翹　竹甘今惡實稜

吉下　紅少　右

升陽調經湯　瘰癧遶頸或至頰車皆出足陽明胃經中來若瘰

深遠隱曲肉底是足少陰腎經中來乃成瞑傳於藥腎是走傳与毒

侵作塊破大小不同　升　升下　昌中竜酒　今我稜有少　連翹吉各下　今竹句之下

酒浸下炒　右水煎　或丸

忍冬円　一切癰熱渴　忍冬莖葉花　右酒浸日乾甘少入抹丸而用之

乔葉氏湯　癰疽渴　乔葉一斤　生芐四斤　氏竹門弓有今白人半膏半奴　泉

黄氏湯　膿出後痛或咳嗽　合歡一味　莫服隨証加減

調經保安湯　早服少　疹毒散　右　没下　忍各下　甘生　右酒煎服

赤芍药湯 癰疔初出悪寒痛 金銀花 勺二ネ 膏三文 舌 竹 月奴下 右

秘方 癰疔一切悪瘡腫物血疝痛 搠皮アニハ又抹 忍冬葉五日中夜 右未分

末加 虎月 水煎 脹腫 消痛止妙 クネ

灸 弁馬 治癰疔初発 又百灸癰頭五三日内 痒ハ至痛 痛ハ至痒

宜 アツ 小豆 麦 金穀 サハコヘコフ ウト

蚄 公田ミ クミケ

禁 タミルケ 油ケ 豆腐 モチ 茄 ウリ 五辛 セリ コノミ 菌 イモ 子

鯛 アユ サケ 一スフリ 四足 二足 生魚 久酒

咳逆

脉浮緩易治 弦急者難治 結促微可治 代者難治

証 有痰 有氣虚 有虚火上衝

不足者補之 参朮宿丁各入 痰半各入苓生 陰火衝上連百丸之

一橘皮竹茹湯 竹茹 一升 参生姜 半分 同大棗 大病後咳逆不已脉虚大者

一香柿蒂湯 茹丁柿各入 右大病後中焦氣塞下焦呃逆ニ

一木香調氣散 木旦向蔻丁 三分 宿 四分 霍香 半分 右抹塩湯下中焦

吃逆ニ

灸 乳根 乳下寸留 氣海穴 天突

宜 大コン 生姜 山末 梅干

禁 ソハ メシルイ ケヒ 麦ヒ ウリ ムキ 真鳥 万ヲノミ

眼目　河間曰在藏（府）則為裏（表）當養血安神（除風散熱）

脉右寸洪數心火炎　左関弦洪肝火　浮弦風　緊寒　微弱數血虚　得血而見

証　風熱　血少　神労目ハ神ノ舍　腎虚目ハ腎ノ竅

風熱上壅眼目疼痛　芸辛羌荊酒芩

血証兼熱目痛宜養血少加風薬　四物芸匊玄参

腎虚壯水之主鎮陽光　沢申生苄牡竹山茱　及此百山茱

労役飲食不節内障昏睛　蔓参氏才百勺朮

神労昏弱不欲見物内障黒花瞳子散大皆裏也血虚労神腎虚故也

遠申参氏竹苄勺百五加炳及山知甘

失明昏渋翳膜眵涙班入眼皆表也　羌芸辛酒芩

虚者補之　四物除　実者瀉之　芩連芸弓甘

一　能遠視

不能近視　火盛水竭　苄百門竹参氏知甘　傳云味地黄丸當補腎

久病昏睛以熟苄為君　羌芸匊佐之

一　㠯近視　不㠯遠視　有水无火　山茱仲斛蓯羌連竹氏傳　定志丸加苓當補心

一　暴赤腫以今芸為君以浮大連竹為臣以養血羌此升芎為使

白精紅加白豆少許

一　血熱壅痛四物加廿菊巳芸羌　一　去實熱上衝眼痛用連浮大般補血

又方　眼腫痛用生芐洒浸搗爛塗眼上　又明礬水解同包塗之再三腫消痛止

又方　草烏星姜桂抹礦調貼兩足心　時用牛膝膏洗眼

凡肥　風熱上壅眼目疼痛　芸羌散

瘦人　目痛乃是血少兼熱須用養血藥廿加風藥

右方

蔓荊子湯　勞役飲食不節内障昏暗　蔓　參　芪　芍　白芍　二下　右

滋陰地黃丸　眼痛熱　熟地　生芐　此下　天门　芍　奴　六　連　及　三錢下　參　般今　五下

右蜜丸茶清下

撥明散　治内障　羊　麦冬　丁　木　各半　芍　生芐　熟地　此下　芪　半下　竹　二下　右水煎

助陽和血湯 眼發後微有上翳白睛紅隱澁難開睡多眵淚
蔓下止三下 此氏 朮 竹 芸半夕 升七下 右水煎
歸葵湯 目中留火惡日與火光隱澁難開小角紫視物昏花迎風有淚
此三下 月 蔓 麴 生芐 飯 紅葵花 參半下 氏 冷 芸 羌半七下 升下 右水
益陰腎氣丸 此壯水之主以鎮陽光 伏申二下 生芐 牡 山茱 飯 及 山茱 此十下 熟芐一刄
右蜜丸 塩湯下
當飯竜膽湯 眼中白翳 芸 膏二下 此 羌 及 升三下 月 酒連 氏半 冷 酒竹 膽酒七下 芍半 京
一眼睫方 七月 印倒睫拳毛七 木鱉 去殼 二 抹綿裹塞鼻中 左目塞右 右目塞左 三夜 其毛自正
一内障内葉 熟芐 生芐 一刄 下 奴 斛一刄 七三下 芸一刄 右水煎
一誅眼目洗葉 連 百 勺 竹 水煎洗 爛目加五倍 枯礬洗
一眼腫痛 桃一刄 朱一朱 以醋煉合加水 解目包 額塗之再三 右以揭山茱効
乾熟芐丸 血弱不足著心 心火旺盛 肝木自実 瞳子散大 視物不清者
參二錢 竹 冷五錢 熟芐一刄 此八錢 生芐半 一錢 月 天 枳 古 奴 連 及三錢 右末丸用

真人明目丸　目昏多淚一月ニ目明夜已視物瞳子清水虚竭故令目昏

肝從老淚肝實因熱故令淚出　生芋　熟芋　川椒炒　右蜜丸五十丸塩湯下

一方輕身益氣明目　蕪菁子一升水九升煮令汁尽日乾如此三度末方匕服

一綱目銀海止淚方　蒼朮半斤　木賊二兩　香附推一兩　右末丸食後塩湯下

本事頭風冷淚　龐安常二方　甘菊　決明子各三分　朮　羌　弓　辛　並荊　炒各五錢

右末湯食後下く

同方　弓　甘菊　辛　朮　止各一分　右末丸

灸二九　膏肓　合谷　上星　後頂　膏肓後寸五分　陶道　二推　肥痢合谷

翳風右九　同灸右九　耳後尖角陥中按之引耳中痛　推目　手大指折テ横文内カレラ灸く

宜黒豆　クロマメ　七五　マキ　カヤ　クチ　ウマキ　アワヒ　黒豆　コハウ

風眼ニ　穴ト　ヒトモシ　ハウフ　蜀椒　クチ　公　五加葉　クフケ

禁酒　油ケ　シヤウカ　アサツキ　メシルイ　ソハ　ワラヒ　タイ　アユ　フナ　鮭

又　五辛　生魚　四足　二足　モチ　コセウ

耳病

脉两寸実 心火可降 両尺実强 命门元上衝 虛弱細 氣血虛 滑実 痰 浮洪 风邪

証病後耳聋者 宜補陰降火 四物 百 知 桂

中年以上腎水枯竭 大病餘後 火元 耳痒鳴 知 百 圭 苄 竹 苻

厥
風 聾 兼 眩气上 蔦 以 岳 奴 夕
労 頭痛耳塞 弓 竹 昌 辛 桂 芸
昏瞶房労 苄 竹 昌 弓 百

氣虛者 經氣滞塞 人 辛 圭 升　风々者 风熱 用 芸 辛

労々者 労火 用 参 氐 苄 百　耳痛者 塩炒布包 熱時耳掩之効

心法 耳鳴 白分子 研和乳 綿包 用耳中 鳴止 口伝アリ

一 莵擇 治耳中出血 以竜骨末吹入 鳴止 膿出 加巻 小豆 黄丹 烏賊 圭 耳䆞

一 烏頭膏 耳聾 茱萸 烏頭尖 大黄 右末 以津粘 湧泉穴付之 上熱降

一 耳痛湿 蒙螺 灸末 射香少入耳中吹入

一 腎虛耳鳴 巴 升用 蔦 松脂 末 綿包 耳入 一方 耳痛 枯巻吹入

一方耳聾 雄硫三卜 抹綿包塞耳中即聞声

一 治聾耳久不聞者 磁石豆大 穿山甲燒末一字 右綿裹子塞所患耳内

口中啣少生鐵 覺耳内如風雨声即愈

四方　竅

滋腎通耳湯 耳者腎之竅 腎虚則耳聾耳而鳴

竹弓勺生芐知百今此止崔三卜 右水煎服 胸膈不快加枳殻少許

聾聰湯 左聾耳者忿怒動膽火 連芩危竹茹下星膽星崔卜 香附七卜

黛木姜三卜 右水煎 玄明粉三卜入 痰盛加至五分 食後服

如作丸加芦薈五分 麝香三分 末麵糊丸 姜湯下

滋陰芐丸 右聾耳者色欲動相火 熟芐六卜一兩 山茱四卜 山茱卜 青核牡 皮 苓

百知丙丙 昌三卜 遠志二卜 竹卜 弓勺卜 右水煎服 如作丸用煉蜜湯下

亦大治產後聾耳

兩耳俱聾者厚味動胃火也 防風通聖散 方中見

蔓荊子散 上焦熱 耳内生膿 或耳鳴聾耳 蔓升通勺桑木付

一鼻内瘡　杏仁研付之　又白方面無者ノ末豬脂付之

一鼻齆　枯礬末綿包胭脂綿付鼻入

元澤通竅散　鼻瘡氣息不通辛息肉辛附通炭末蜜和綿裹少許納鼻中

同葛蒲散　鼻内窒塞不通不得喘息葛蒲角各等分末一錢綿裹塞鼻中仰卧少時

又方　鼻塞不通　澄茄半兩　薄三分　朳一分半　右末蜜丸噙化

古方

通竅湯　治感冒風寒鼻塞聲重流清涕芸羌高升葛ブ蒼白芷

錢各一　麻黄半　辛寸　三分　右剋姜水煎　肺邪火加芩

荊芥麯湯　鼻淵膽熱於腦　芥此ブ皈生芋勺止芸苛危芩吉

麯卞寸　右水煎服

清血四物湯　鼻赤熱血入肺成酒齄鼻　皈ブ勺生芋芩酒紅芩

支卞寸　右水煎服

一治鼻不聞香臭　辛止芸羌皈ブ半吉支卞芩錢一苛三分右水煎服

一男子面白鼻流清涕不聞香臭三年矣余以為肺氣虚用補中益氣

加冂危而愈

灸顖會 鼻臭 通天二穴 七壮顖會上一寸両方各寸ツゝ臭ニ妙 風門ニ 肺ニ 百會

宜 クラゲ ミツリ ホツナクタ ウコキ 辛夷花ノ手ナレ花 大コンワウレン花

公 フキ

禁 モチ 油ケ 四足 二足 魚 コヽ ケシ コセウ

唇口舌 内経曰有病口苦名曰胆癉胆熱 栄

脉虚中氣不足故口瘡 涼剤不宜 理中ノ

脉左右 寸洪浮 数 心肺 熱 口苦 辛

左 関 弦数而虚 膽屢口苦 兼洪実 肝熱口酸

右 脉実 脾胃有実熱口苦 兼洪数口瘡重舌

一 証 風唇動 燥唇乾 血虚唇无色 熱唇裂 氣鬱唇瘡生 寒ハ唇ヤリ

口鹹ハ寒ゝ 口淡 燥 口苦ハ熱 口脯 食滞 口淡ハ虚 口臭ハ胃熱

心脉ハ舌根通 心熱則舌腫瘡生 今刺而速

又巻末付ゝ

脾絡舌傍通脾病則白胎生如雪　巻末付之
肝脉舌本通肝塞候舌血出此令連末用之
舌上出血連危石　石一味抹米飲用之或生蒲末塗之
重舌皂角荊　抹以醋付之　或生蒲黄或蔚金末塗之皆効
木舌急以針出血則腫減和　生蒲末付之
唇舌瘡生齗腫痛心熱　升门令有虎危西牽独有ハナリ
脾熱口舌瘡生咽喉腫痛　升勺参吉甘連　又抹姜連ホ末掺之
心熱舌生出血　门生芊升甘勺茜　又槐花炒末舌付之
口瘡ニハ　星末醋調涌泉穴付之　又口爛白凡掺之
又方　鵬砂石苛ホ巻末生蜜丸含之　又口瘡七含之汁呑
一　口中痛含黄連石升訶巻　喉痛加吉含之　又口臭辛茴煎含之

古方

六味丸　口臭牙齦赤爛腿膝痿軟或口鹹此腎経虚熱也
熟苄八両　山茱酒蒸去核　山薬各四両　牡巻沢各三銭　右抹蜜丸

一舌下腫結如核或重舌木舌及滿口生瘡以清火化痰為主
黄八分 半粁一示 令一示 吉五卜 連酒一示 飯卜 生草一示卜 赤茄一示 付 右水煎食後
三黄湯 脾熱口甜 連令卮膏勺朮糖吉麦冬二卜 付梅一个 右末塗之
赴宴散 治三焦実熱口舌生瘡糜爛痛不可忍者 連石令卮辛
于姜各等 右抹末付水漱口後搽葉於患処或吐或嚥不拘
升广湯 上膈壅熱口舌生瘡咽喉腫痛 升勺参付吉易一 右水煎 或末塗之
浮黄散 風熱温於脾唇燥折裂口舌生瘡 止升奴令芸半 斛付
右姜水或抹之
丁香丸 口臭 丁三卜 付 弓下 止卜 丰卜 右抹蜜丸綿包啥化下
一長舌三 雞冠生血塗之即縮妙也
升丁飲 脾胃熱風涼相乗唇腫痛 升西犀以付易胆茹赤卜 右水煎服
冊云 肝膽実熱令舍酸小柴加胆手付 當飯竜薈丸亦可
心熱口苦或口舌生瘡 連浮心湯 生黄清心丸 涼膈散之類
脾熱而口甘者 三黄丸 平胃散之類

肺熱口辛者 桔梗湯 瀉白散之類

腎熱而口鹹者 滋腎丸 大補丸之類

宜 大根 ナツナ クコ ウコキ クヽケ 梨 茄 串柿

禁 五辛 モチ カシケ 魚 鳥 下辛物

歯

脉寸関洪数弦数 腸胃風熱 歯痛 尺洪大虚 腎虚歯摇動疎豁 相火炎上痛

証 歯骨餘属腎脉亦歯入注牙

牙歯冷痛者熱湯恐 姜 辛 丁 半

牙歯熱痛者齗腫冷水恐或血出 升 六 芩 生芐 連

風傷歯痛者冷熱恐 蜂房 辛 芩 独 乳 皂角 蚕 烏頭ルケ

蛀牙必穴有 齗爛顋腫痛 雄 虱痛 痛 半 枝 枝 皂角ルケ

牙歯痛甚〻 椎辛 右煎含〻漱吐〻易〻

牙蛀甚 巴〻 乳一分 右研為丸蛀穴入津可吐出

丹云牙疼歯出血属熱胃中有熱有風寒有虫有湿熱

走馬牙疳方甚効如神 姜黒巻キト抹付〻即愈児疳腐爛

即死此方効

児牙疳 婦人尿桶中白於火煆一銭入銅緑二分射香一分半抹而付〻効

一胃熱歯痛口臭者 大黄剃條一二十片於火上烹歴入姜汁三分一時〻含

嗽甚効

一治一切牙痛 升麻 荊芥乃止抹擦患処 入煎漱立効

一牙疼 蜂房一枚用塩藏孔内燒抹擦牙痛処塩水漱吐〻効

一牙痛用燕子糞丸牙疼処咬之亦即止

一牙疼 川練子肉 川烏 胡椒 右糊丸患咬〻

一歯断腫血出痛咽之一切 アカサ 桑子 土蓮子 土竈焼〻擦〻

一蛀牙或腫痛 霍乱葉茎実以水煎煉如膏歯咬痛止妙

一蛀牙螻蛄足虫穴搗入痛止　斷腫痛松木吸取血其後爵金抹搽々

一治牙宣出血不止痛　荊槐之下末搽々　又牙疼姜一分雄三分右抹搽々

獨聖散　蘭室　一切牙痛風痛北比蓽蕟淮子右末每用刷牙以塩漿水

漱牙刷牙大有神效不可具述

古方

独活散　風毒攻蛀牙根腫痛　羌芸独荊芎芊辛弓ホ卜　右剪服

升广湯　牙痛腮腫　芊弓六升槐子皂角止辛川椒示下　右末搽々

玉池散　牙䐂血褒骨糟風者及骨已出者此方及張穀齒傳也

藁升芸止辛苻飯槐弓独ホ卜　右剪服

林如神湯　風虫牙攻蛀疼痛牙齒動搖連頰浮腫　川椒露蜂房各等

右水剪沸湯漱々即止

林牙疼嗃鼻菜　治牙疼　雄一分雄半分沒一分右末右疼嗃左鼻左疼

嗃右鼻

經驗方　齒痛不可忍取雞屎白燒末綿裹安痛処咬立痊

灸上祉痛 足三里 下祉痛 三间二穴 手梅ノ次本節後 ロ側陥中间明注 合谷

列鈌二穴灸牙疼 側腕上寸半

豆アウ 麦クコ ウコキ ナツナ シラケ ホヒナ アツキ クサキ 岩下

禁シヤウガ 胡キ ネンルイ 四足 二足 ス 酒 五辛 油ケ コフ アメ

サヌウ クミ キ

音室 咽喉 咽ハ膈ニ食通而後ニ在リ胃注通ス 喉ハ胸ニ呼吸通而前ニアリ

脈 沉浮 吉 陰陽 微伏者死 両寸浮洪溢者 喉痺 陰陽右関陰陽俱実喉痺也

証 咽胃ニ通物嚥ハ胃ヘ入 喉肺通氣之往来主カ

諸藏熱則喉腫 冷咽縮 骨喉痛 凤熱ニモ喉痛烦

久嗽喉傷痛 類喉门病非 辛熱物過食或嘔吐依咽腫痛飲 食不入喉中ノ痛非

一 喉痺閉痛甚者也 三粒 明巻ニ下 右土器巻焼甚中ヘ巴ツ入溢終時巴去

礬拂喉中可吹之

一 俄喉中腫燒刺針後麝金抹可塗之

一 風痰腫喉痛 吉升甘水煎含之 鵝口ふ辰巻キト末塗之

一 喉痺鼻塞痛飲食不入吹杏止升竹犀甘 右水煎服

一 熱痰喉瘡生食物不入嗽血氣急 或兒瘡毒咽攻腫痛

門牛房子 吉甘 升葉 入煎服

一 喉閉塞 鵬砂研 一味梅干肉推合可含之 又方 新射干搗汁含

一 喉痺難言息不出 膽礬一豆斗末鵝羽ニテ痛処可付之即愈 或痰吐

同方 烏梅核去子ニ 冊礬 納包含之

一 稀涎散 喉閉數日不已食苦收此方吐之病愈 皂去黑皮 礬一兩 右末服三字

一 考鍼急喉閉方救急人 手大指外邊指甲後一韭葉許鍼之出血男左女右血出即効 若危急兩手俱鍼之効 喉嚨肺之系所鍼乃少商也

肺井穴故出血而愈

一 考凡喉中紅赤宜鍼出血即愈 若瘂門穴犯之令人失音故耳

一纏喉風氣息不通　白蚕炒一匁　巻三匁　右末生姜蜜水切々服し

纏喉唯痺以惡血不散故し急則刺し　凡唯暴者必先発散し

不愈次取痰不愈吹乃去污血也

一喉痺吹　明巻焼　垣通焼　鶩羽焼去巻　右末吹之　針後吹之効　兼先某

古方

通関散　喉痺痛従治之法也　参令朮吉荊芥姜芸朮　右水煎

牛房子散　風熱上攻壅塞咽喉腫痛或生癰瘡其壯如肉腐

悪実　玄参　升　吉　犀　令　通　各等　右剉服

升麻湯　喉腫痛上膈壅熱口舌生瘡　升参勺甘吉各等　右

二聖散　治喉痺咽風　丹巻三朱　姜蚕一朱下　抹以管可咽吹之

射干湯　喉痺鼻塞痛飲食不入　射止一匁　杏升犀甘半匁　右水剉服

利膈湯　脾肺在熱虚煩咽喉生瘡　雞蘇葉　荊芥　吉参悪実甘

一匁　右水煎或湯服　若咽痛甚生瘡　姜蚕各一匁加之

灸銅人灸法徹者用之速者恐遅則殺人 不容少待

風府　大椎　合谷　三箇

宜梨茄 アツ クコ ウコキ

禁 カシルイ モチ 五辛四足二足 煎ルイ 油ケス 酒

諸蟲

脈沉実生　虚大死　尺沉濇者為寸白　緊急死

外臺曰 蟲脈當沉弱而弦今反洪大即知蚘蟲甚也

傳神聖代鍼散 治諸痛心痛 氣脱飯止 可半両 蒙青一両炒去翅足

右細末一字病甚者半銭先点好茶一盞次摻藥抹有茶上不

得吹攪立化細々呷之 心痛欲死者服之立効 小腸氣搐如角

弓膏光腫呈一切氣刺虚痛并婦血癖血迷血運血刺痛衝心胎衣

不下難産但是一切因血作痛之疾服之大効

化虫丸 化蟲為水 硫黄一錢 木香五錢 蜜陀僧 附子一錢炮 右附末醋一盞煮膏餘末

研為末以附子膏和匀丸如菉豆大每服二十丸荊芥湯茶清下

千金散 治常熱四肢腫急蟯虫生於胃中為病

貫衆炒三錢 漆炒二錢 蕪荑 胡粉 檳榔 向皮一錢 呉茱 苦楝炒各五錢 右末一平匙

甘草水調方寸匕服之

治虫丸 痼寸白積病虫 蕪荑一錢半 苦参二錢 雷丸一錢 右末糊丸用之

家傳丸樂丸 大小人腹痛寸白不食咽逆胸脹痛甚効如神

檳大 甘中 姜莪 青 丁半 吉卜中 蕪窩丈丈 麦小 右末丸

桃灵丹 心腹疼痛及陰証或絞腸沙等証 豪一錢 桃仁五錢 五灵脂五錢 没薬七錢 右醋糊丸

追虫丸 木香 蕪荑 錫灰一錢下 史君肉二錢 大黄二錢 牽牛末五錢 右皂角陳根皮二味

煎膏末丸 沉香為衣 後以雷丸末為衣 五十丸砂糖湯下 取虫積愈

追虫取積散 蕪荑二錢半 牽牛五錢 麦下 木香五錢 右末五錢 小者三錢 砂糖湯調下

五更服行三四次以米湯補之 忌葷腥油膩之物三五日

益胃散 因寒羹過多腹痛不止 参卜 可 白豆 姜黄 姜 窩 沢 智 麦 陳 右

先師訣カ械 散結 化痰 順氣 和血為主

木氣實 参ヲ手 死血 桃紅ヲ 肝火盛 當歸苦参丸

痰 二陳ヲ朮星 咳而脇痛 二陳青ヲ此星 痛不屈伸 龍薈丸

脇下食積 呉ヲ連 脇痛發寒熱 小柴 左脇痛青ヲ句血奴膽桂

右脇痛主奴秋ミ升 肥人脇痛参氏此今木ミ半 瘦人脇痛桃飯紅主ヲ此

婦人咳二陳索以ヲ句変 多怒人句ヲ手膽

一 考虫得若安若ヲ胡連 得醋而軟烏梅訶 得蒜苦瓜蒂蔕虫吐ヤ

得荳花黑丑虫下 得雄川椒蛇床水銀檳樟脳治疳瘡之虫

一 諸寸白虫効 黒丑炒三月 檳三分 蕪三分 鉛粉灰三分 練根皮三分 右末四分石榴根煎 五更下 虫尽下

以白朮消息之効 又苦底湯治寸白或水腫 方服痛門

黄疸

血脉 五疸 実熱脉必洪数 或微濡 証属虚弱

証雖有五俱是湿与熱戦鬱而生黄 一身痛黄者湿有表 不痛者病在裏

玉 傷寒当汗不汗則生黄 邪有表者宜急汗之 在裏急下之

在半表半裏宜和解之 黄色自利不渇者生 脉大大便利而渇者死

疸毒脉々喘者危 寸口无脉鼻息冷者死 経曰湿上下在之宜発汗利尿

一 乾湿二黄 玉 乾黄者燥也尿利肢不重渇而引飲 梔子蘗皮湯

湿黄者腫也尿不利肢重似渇不飲 大茵蔯湯

傳黄証 食積者量虚実下之

甚餘但利少便之清利則黄退 合 疸 証之黄 尿不利

血 尿自利

玉 大便自利而黄々茵梔連 往来寒熱身黄 小柴加梔子 強不奇用涼薬 尿利

心発黄脉沉細遅肢冷身冷自汗不止 茵々四逆湯

同虚一証口淡怔忡耳鳴膝軟微寒発熱尿渋此為虚証宜四君二

合八味丸

玉 脉沉細遅四肢逆冷有皮膚粟起或嘔吐舌上有胎発黄尿赤者皆陰

候亡故浸黄多以麴湯温之或湯漬布搭背腹或以湯腳下熨之

一黒疸目黄青面黒大便黒皮膚四肢不仁脉浮弱難治

一疸病當以十八日爲期治之十日以上爲差又劇者難治

一寸口无脉鼻出冷氣形如烟薫揺頭直視爲心絶環口黧黒発黄爲脾絶並盧扁亦不救

一終身忌蕎麦湿麺犯之再発難治　渇而腹脹則難治

古方

玉茵陳橘皮湯　治身黄脉沈細数熱而手足寒喘嘔煩躁不渇者

茵朮湯　酒疸発黄結胸飲癖心背堅満不食尿黄赤脉弦

令三分竹一分朮三分令一分半二分茵一分川奴西二分杏二分　右水

加味四君子湯　色疸　参朮令白皮一分白扁二分甘　右棗姜水

秦艽飲　五疸口淡耳鳴脚弱発熱尿白浊艽阿白朮姜芩芎半麦遠

分半月　右姜水

茯苓滲湿湯 黄疸嘔乾咽尿不通 芩連梔己朮青皮枳 茵陳猪苓沢卜一 右

茵蔯散 五疸者湿熱鬱蒸於脾也 治湿熱発黄

茵梔苓猪沢朮実連朴滑ヰ卜 右剉水一盞煎服 身熱者加柴

尿短赤白 胸膈飽悶如痞滿子 飲酒人杏仁香砂仁去滑

戒酒疸者多 小水清白者易愈 疸散成鼓者多矣

宜調熱之方

木香檳榔丸　食滞気滞　木兵牙麦芽実朴木下下丸

白朮散　積痛和胃生津止渇吐利驚風癥瘕熱　参木朮苓霍葛甘　右

参蘇飲　傷感冒鼻粘咳有熱声重　参苓蘇半西奴甘枳吉木　右棗

六君子湯　脾泄脈細推痛毛人朴人朮夕半甘ホト　右姜梅水煎

惺惺散　傷寒時気風熱瘀壅咳嗽　吉辛参甘苓朮香　右水

補中益気湯　参氏朮甘竹ホト麦人此升示ト　右水　虚瘀難愈加苓

小柴胡　傷寒往来熱胸満二便濃　此参今半甘　右姜水

為苓湯　熱痢後重　夕竹連苓桂兵甘朮尾　右

胃苓湯　脈不通虚証　伏桂猪苓朮蒼朴甘　右

聖毒散　傷寒時気頭強発熱悪寒頭痛咳鼻塞声重風痰咽喉生仆

未熱　桂参苓甘西弓羌此奴吉ホト　右

藿香正気散　感冒頭痛悪寒壮熱風湿吐瀉腹ノ霍正苓ト朮キ吉甘半卜　右

不換金正気散　感冒傷寒温疫往来吐瀉痢　朴半霍半朮甘　右

八解散　傷寒頭痛壯熱多汗骨節痛疼喘咳羸瘦嘔吐

　参令朮半霍朴半　右姜水

九珍散　白殺熱氣　虎止令香ろ竹ろ芊付　日殺瘡砂　右

升ア和氣飲　瘡疹毒瘀痒痛　升香朮昌虎キ付竹令止姜努ろ右

木通湯　老人氣虛淋　参朮通包卞　右

導赤散　尿赤澁或淋痛　生芊通付　右

五淋散　膀胱熱尿不通淋瀝不出如豆汁沙石便血令ろ包竹付加令右

五苓散　伏熱尿赤痛如淋　伏桂猪令朮　右末沸湯下

七宝飲　虛証瘧不用ㄑ　卜半付果兵常ヲ加ろ　右水酒入煎

勝紅丸　脾積氣胸氣胸嘔吐不食食積血積　姜良莪稜一两　椎二両　右丸

神朮散　四時溫疫頭疼發熱傷風鼻塞声重

　朮高止辛羌ろ付　右姜水　傷風鼻塞茶清下

加味羌活湯　四時不正氣夫瘧疹　羌西人去付奴ろ令天子　右姜水

消風湯　風湿感皮膚疹痒痛　止西霍下　羌芸六下　氏ろ中卞　右水

或加蟬脫　或加吉姜蚕　有効　名八風湯

十神湯　不正瘟疫妄行感冒風熱悪寒頭痛身熱无汗　右姜

弓　甘　广　曷　ソ　升　勺　止　麦　椎

藿寛中散　七情脾胃傷痰滿胸塞　手　麦丁四分　朴　宿　白豆　木　椎　甘　右末

斗門散　八種毒痢撮痛赤血或五色相雜日夜无度噤口痢裏急後重

腸酒痢臟毒不進食　乾葛半分　卯　甘二分　姜　竹一分　黑豆　罌粟四分　右水煎

参苓朮散　脾胃虛弱不食多困廿力中滿痞噎心忪喘吐泄咳嗽

達吸　宿吉一分　白扁　令　人　甘　朮　山　蓮二分　右末

產後

當歸湯　產後有熱風頭鳴痛　芋　竹一分　勺　弓　吉　朮　人　麦大二分　加椎　右

同為葉湯　產後往來熱　勺　令　麦三分　参　竹　弓　椎三分　右

香橘飲　氣虛眩或反胃　木　令　朮　宿　麦大半　丁半分　甘　下　右水

下　藜香丸　加弓　竹三分　圭半分　治血虛眩

黑神散　悪露胞衣不下　黑豆半升炒　芋　竹　桂　姜　甘　勺　蒲四分　右末和酒調服

六味丸　形瘦无力頭多困骨蒸久虛寢汗發熱五藏齊損遺精便結

清濁淋法等証此薬不燥不温專補腎水兼理脾胃陰虚証用之
熟芐八両　山薬　山茱四両　苓　牡丹　沢三両　右
香砂平胃散　治食積痛　苍　厚朴　蒼朮　香附　山査　麯一
錢　木　桂　姜　甘
三下　右姜水
内疎湯　常虫蚘鳴奔或痛　芍　桑白　楠根各二両　貫三両　右水煎服
天麻蒄園　治一切驚風壮熱痰盛驚伤　姜蚕　青黛炒五分　人参一両　芸
天　蝎去毒炒五分　射二分五　細研　胡　朱砂　甘　炙　牛一分研　右抹煉蜜円如
梧子毎服三円　荷湯化下
九樂丸　虫不食吐逆腹痛　蒼　厚朴　兵　霍　半朴　奴一両　姜　莪　青　丁　香　吉半両　右丸
枳薑枳実湯　痰結嘔吐出胸膈作痛不已轉側或痰結胸満悶塞
熱氣急痰迷心竅不已言語甚暖　杏仁　実　吉　苓　貝母　今丹　大　竹
痛　木小　甘　氣急加桑　子　右姜水煎服
分消湯　中満成脹氣水氣兼脾虚発腫満飽悶
二朮　朴　実　一錢　痛　木　香　三下　苍　猪　沢　腹　作　苓　一　甘　右姜灯　水煎

木流氣飲 諸氣痞塞不通胸膈膨脹面目虛腫四肢腫滿口苦咽乾

二便秘 半夏 卜 青皮 蘇 桂 丁 腹皮 蓬 木瓜 果 通 菖 霍

止 令 朮 瓜 参 右棗姜水煎服 白芷 在 沉 虎 奴 元 菖 霍

四七調氣湯 七情四氣以致胸膈噎反胃 朴 令 半 実 蘇 半 青皮

一貼 右姜水加参

香砂養胃湯 脾不食 参 頭 朮 蓬 朴 令 白豆 木 右

麻黄白朮湯 感冒 瘧 桂 止 令 朮 吉 加 兵 右姜

聚積散 癩積虫 水脹 胸 虫 食積 脚 白 喘積

雷 鉛 風 君子 石留 木 吉 牽牛 右 木 石留 参

青黄五更天 月星影移 右 四文 月黄汁服之 五六度 泄 即止

金瘡血出湯 初 参 止 竹 吉 朮 令 沉 木 下

右水煎服

淋 梁上 一 柚葉 右如常水煎服

人参截瘧飲 虛瘧一切新久皆効 参朮令 朴 知 常 果 桂

烏梅一个　甲八分　右姜棗水盞加桃梠七个　煎一痛人發日五更温服午刻

再服酒少加丸妙　加甲　烏梅三个　妙効

回

婦人

脉經曰寸関調如故而尺絶不至者月水不利當小腹引腰痛

寸脉浮而弱則為虚 浮則虚弱則亡血

尺脉来斷絶者月水不利 脉来如琴弦者小腹痛月水不利

一婦人漏下赤白数升脉急疾数死 遅者生

漏下赤白不止脉虚小滑生 緊実数者死

回 調經

一經水先期来者血虚有熱當補血清熱經自調 芎一錢半 歸五分 芍酒炒八分 芐一錢 膠五分 艾葉三分 芩一錢 連炒八分 香附三分 知五分 茯一錢 朮三分 右水煎温服

經水過期不来作痛者 血虚有寒當温經養血痛自止 芎一錢半 歸五分 芍酒炒一錢 熟芐半錢 桃仁二十ケ 紅花三分 茯一錢 桂五分 莪一錢 蓬朮半錢 玄胡半錢 朮三分

右水煎

經水過多久不止成血崩　四物今朮令膠地榆香附　右水

經水行後作痛氣血虛　四物參朮令姜炒甘　右薑水煎

經水過多不止發腫滿者　四物令朮陳皮木貴朴ソ子豬通香七分　右水

經久不行發腫是瘀血滲入脾經　芎歸桃紅牡姜桂朴奴木香七分玄胡　右水

鹽荊芩湯　崩滿不問虛實立止　芎歸荊芩白芍香一方加艾膠去香荊　右

同方子芩丸　過多不止　芩炒四兩醋　芎酒浸二兩　加香　右醋炒醋糊丸空心酒下或四物加芩朮

同心法　婦上有頭風鼻涕下有白帶下　星酒芩朮辛芎百炒半蚴　右

綱目血崩　荚稻草為末米飲下　同方香醋浸一宿炒焦一及白凡二錢米飲下

大全漏下不止　鹿角燒灰末食前溫酒下　綱目崩　芎歸姜棕毛灰存性　右末服之

灸　綱目崔氏四花穴　治赤白帶如神　穴法有勞瘵門

綱　赤白帶宜香桂六合湯　四物四兩　香桂五錢　右

牛膝散 婦月水不到腹痛 七桂勺桃玄胡归牡丐木各等分 右末

治經湯 月水不通繞臍寒疼脉沉緊 归丐勺桂參牡莪各等分 甘七 右水煎

本事 室女月經不通痛或成血瘕 通經丸 桂青姜黄莪川烏七归桃川椒各等分

為丸

綱目

悪阻

一 孕 帝曰何以知懷子之毋乜 伯云 似有病而无邪脉

大全 妊婦稟受怯弱便有阻病其狀顔色如故脉息和順但覺肢体沉重頭目昏眩擇食好食酸醎甚者或寒熱心中憤悶嘔吐痰水恍惚不安巢氏謂之悪阻在輕重耳

綱 婦人陰脉平陽脉小弱其人渴不能食无寒熱者名悪阻桂枝湯主之六十日當有此証絶之醫治逆者於一月加吐下者則施之 右絶之者謂絶止医治候其自安也

雞生姜茯苓湯 姙惡阻嘔吐空心頭目眩運惡阻百節煩疼好食致臥羸
瘦有痰胎孕不牢 半一兩二錢 苓 熟苄半七錢 貴 旋覆花 千金方見此味 有辛[illegible]
參 芍 弓 吉 甘五錢 右姜水煎 若客熱煩渴口瘡去貴辛加而知芩
同方阻病心中煩悶痰吐暈重先服半夏苓丸後服此方
參 苓 桂 姜半 貴半兩 朮 曷 奴 付 右末蜜丸米飲下
同姙嘔不止 參一兩 姜半二兩 右丸米飲下 大全論半夏動胎而不敢
仲景豈獨不知而下半夏專治姙阻病累用半夏未見動經且有効兮援
大全治惡阻清水甚若十餘日粥漿不下者 參一兩 朮五錢 丁半二錢 付 右姜水煎服
又方 諸藥非効嘔氣痛 參 付 弓 竹茹 丁 令 朮 貴 吉 奴 半 右姜水煎
又方 嘔吐痰水 參 貴 朮 門一兩 朴 令五錢 右淡竹茹 姜水煎
一傳丹溪束胎丸 七八个月內服之 令炒夏一兩 秋春七錢 冬五錢 朮二兩
令七錢 半 貴三兩不見火 右末丸如桐子三四十丸白湯下

胎漏下血

保全集

一保治婦漏胎下血及因動下血 奴令 五錢 朮 二月 右水煎

一冊婦人歳二十餘三ヶ月孕發癰疾結血水下腹満口渇 勺朮苓令竹

弓黄有 右

一胎動疼痛不安 縮 一味炒末温酒或温湯下 腹中熱悶胎不安者極妙

一妊二三ヶ月至八九ヶ月胎動不安腹痛下血 艾葉膠 竹弓 刄三付 右水煎

一姙宜常服當帰散 竹令勺弓朮 右末

綱目

一子煩者心神悶亂乜 参二分 芸一銭 門冬半一分 右吞葉水煎

一子痌者目吊口噤乜 弓竹 姜独 令五加 収杏 木羚 酸棗仁 方 右姜水

一子懸者心胸張痛乜 胎前諸病總此方加減 竹弓白参積貴大腹方

右姜水煎 咳嗽々 奴桑 熱々 今 浮 加术参

一子腫者面目浮腫乜 今竹弓勻熟苹 茯令木危門朴方 右水煎服

一子氣者両足浮腫乜 天仙藤 鳥青木香 藤塗炒 積貴 産烏 茉木方 右姜水煎服 加参术 朮炒

一子淋者小便淋乜 門令通 湊弄葉 右水煎服

一轉胞者孝不得小便也 葵子五銭 危 日 滑 日 通 三銭 右水煎服 外以葵子危滑抹田螺肉 搗膏敷臍中 亦以葱汁調貼臍中 立通

一崩漏者属血崖漏下乜 膠艾四物湯 下血腹痛四物加膠 今术 痛崖艾 右糯米

一撮入水煎服

一胎水已来腹痛不密者名弄痛 非當産乜

一月前忽然腹痛如欲便産却又不産者名曰試月 非當産

小產

小產重於大產將息當過十倍大產乃栗熟自脫小產如採生栗破其皮殼斷其根蒂非自然者蓋胎藏損傷胞繫腐爛然後胎墮豈不過於大產但多以小產為輕以致殞命大抵小產宜補虛生肌肉養藏氣生新血去瘀血

補氣養血湯 治小產氣虛下血不止

參氏亇朮勺艾付膠弓青崔㾊苓 右水煎

補血定痛湯 治小產瘀血心腹痛或發熱惡寒

亇弓紅熟芐勺一錢 玄胡七分 桃崔青決蘭牡各 右童便酒入煎服

一回催生飲　芎䓖大腹奴炒韭各五卜　右水煎五味下胎催生立愈

芎歸湯　归䓖加桂紅奴　右水煎立効　催生妙方

催生散　難産胞衣不下　韭　伏竜　百草霜　滑石寸　右末　归歸湯

酒少入調煎服之二次立効

綱難産開骨 乳香研抹五月五日午時滴水丸雞頭実大毎服一粒无灰酒下

又方 乳香 硃砂等分為末 麝香 調酒下

又方 催生腰痛 乳 参各一錢 辰半錢 同抹用雞子清調生姜自然汁

放開冷服 如横産倒生即時順下子母俱活

又方 催生神妙 乳珠丹 乳香抹用猪心血和丸如梧子大朱砂衣毎服一粒

酒化下 良久未下再服一粒 服々

一綱 催生丹 産婦生理不順産育艱難或横或逆并皆治之 十二月兎脳髄去皮膜研如泥

乳香二錢半另研 母丁香末一錢 麝香一字另研 右三味以兎脳髄和丸如雞頭実大陰

乾油紙裹毎服一丸温水下即産 児握手出 勝金方 催生治難産甚妙

同難産 痛産奴月滑 右末湯調服

一綱 万金不傳 遇仙丹 草麻去殼十四 硃砂 雄一錢半 蛇脱一尺燒 右細末漿水飲和丸

如弾子大 臨産時用椒湯淋漯臍下 次安薬一丸於臍中 蠟紙数重

薬上以濶帛緊束之 須臾生下 急取去薬 一丸可用三次 一方用草麻七粒

綱 救産難経日不生 雲母生一兩 温酒調服 入口便産 万々不失 一陽氏云已救三十五人

同横逆産理不順菴肝抹一錢研調服之仍上著兒頭上戴出妙

難産灸

右足小指尖至陰穴五壯必立産方見又照海穴右足内踝少下後方陥三壯必立産横逆妙方見経乚

崑崙足外踝後跟骨上陥三壯必生産方見経乚

緇 胞衣

奪命丹 治血入胞衣為血脹不下 附子半兩 牡丹一兩 干漆炒下 右丸酒下

黑神散 惡露胞衣不下 黑豆炒半升 芍竹桂姜有勺蒲四兩 右末童便調服

牛七湯 治胞衣不出臍腹堅痛須臾不救服此藥胞即下

七ク四兩 竹三兩 通六兩 滑八兩 葵子五兩 右

胞衣不出 七一兩 葵子一合 右水煎服

胞衣不下 收蛇退炒焦 細末酒調三錢服

胞衣不下 葵子 七竹圭了奴榆白皮紅 右水煎

乳病

乳汁不通者有盛有虚

盛宜吉ヶ與天花通青止白麹付 右水煎服頻服更摩々乳房

虚宜通天花竹ヲ句生草 右水煎服加王不留行 先葱白湯頻洗々

吹乳腫痛不可忍用生山茱搗爛敷上昴消昴去之遅刈肉腐矣

乳疽乳癌成労 瓜蔞散 杏仁炙不去皮研 竹錢五 乳没一錢 百右好酒

穀食凝脹

婦人吹乳用桑子一合董酒下昴散

吹乳仙方用葱一大把搗成餅一指厚攤乳上用灰火一罐覆葱上須

更汗出腫痛立消

婦氣血方感乳房作脹或兒飲脹痛增寒發熱用麦芽二三兩炒水

煎服立消其耗散氣如此何ッ脾胃虚弱飲食不消方中多用々

玉露散 産後乳脈身体壯熱疼痛頭目昏痛大便澁滞涼膈壓熱

下乳 参令吉 月ヲ止 一刃 竹夕 草七卜 雄 右水煎

產後 緩滑沉細亦宜
実大弦牢濇疾皆危

丹產後 竹弓氏芐参朮苓甘 少加萑貴 右水煎服

產後惡寒發熱脉大无力氣血俱虛 本方倍参氏 去弓

產後惡血不尽飽悶疼痛或有塊 加紅桂七木 去氏朮苓

產後腹痛或児枕痛加桂延胡 去朮苓

產後血熱頭痛加萑令 或芍炒 去参氏朮 神仙与之

產後去血過多眩加参芍為炒 去弓 神仙散与之

產後氣虛倍参氏加升小 去芐 神仙与之

產後泄痢痛加疒肉豆木 去芐 或益中散加疒朮

產後嘔吐参苓貴萑疒丁木 右水煎

產後血刺痛々 用竹和血 児枕痛々 五灵桃江萑頭

児枕痛難忍 竹肉桂 延胡 右抹而用之効 或加疒木

産後惡血不盡小腹痛 芎紅桂芍 延胡七

産後自汗 四物 芪參朮苓 去芎

産後心腹痛四物紅桃延胡甘香桂 去芐

産後月餘經血淋瀝不止四物加止升調血餘灰

産後下血四物艾朮苓芪卯令 去芎

産後喘瘀芍痛蘇子貴參 有熱香苓 或柴

産後吐逆參白豆貴朮香丁苓霍 有熱者加芩去丁

産後咽逆 丁霍貴苓生姜

産後鼻衄 四物香苓芩貴 或升 神仙散

産後咳逆胃寒也 姜痛香丁貴 或丸之

産後不語敗血迷心竅 四物 紅參菖 或黑神散

産後子宮不閉補中益氣加芍香 或八物加升芸芪

産後眼窩昏口噤發熱惡寒 參荊芎芍熟芐 或黑神散

黑豆炒半升 熟芐芎桂姜甘芍蒲四兩 酒生地黃蒲有附子右挂薑便 或酒調下

産後腹痛微泄朮苓黄芩姜芍酒炒甘木小或痛

産後有紅汗証敗血衝心病可有之属心熱四物合連氏朮参羌升甘

産後虚汗不止氏朮芪熟芐蛎煆苓帰甘参

産後胸塞脹参藿黄芩朴陳青木

産後不語参弓菖熟芐一匁辛下芪五下右末薄荷湯下清魂散

産後眩暈昏而不知人参弓甘沢蘭葉荊右末温酒或童便下

産後眩暈悪露不尽或胎衣不下血気攻冲心腹疼痛

黒豆半升炒熟芐芍桂姜帰尾蒲四匁右抹

産後浮腫敗血乗虚流注肌肉面目四肢浮腫不可用水導泄

利之業没琥一銭桂帰蝕一匁辛半匁苓猪沢一匁右末姜汁童便

和調用之

産後通身浮腫四物加乳没通腹毛猪苓辛右水煎乳没另研入服

産後尿数并遺尿益智末米飲下或参氏芍帰

産後失血過多腰痛心熱帰汗芍氏帰木芐苓右姜水煎

產後陰虛發熱或日間明了暮發寒熱 竹ヌ芊此ヌ下有右

產後陰脫謂陰戶中宮脫下也 竹勺氏參二下升 半夏 右水

產後玉門不斂 硫黃 吳茱萸 兔絲一兩 蛇床一兩 右水煎頻洗之自斂

一古麥飯熱布包陰門溫之推入

產後子宮大痛 五倍 白礬 末湯入頻洗之痛止收

產後尿不通腹脹悶亂用鹽填臍中却葱白大條根作一縛切作一

指厚安鹽上用艾炷葱上灸之熱氣入腹中即尿通效

產後大便數日不通 四物 桃岳朴或奴加之效

產後心悸 四物參氏令雀付

產後去血過多心悸恐寒往來熱甚自汗是二便順氣弱頭痛或渴

脉浮大微數濇 四物去芍加雀參氏术令有 右水煎服效

產後血上冲心已死或絡下胳 蔚金燒存性末而灌之 綱目

產後日久虛勞針灸不效者 參一兩 芊 氏术 竹ヌ令 熟芊一 此今 二吞 芊勾

有吞 右水煎服 綱目

婦人產後血暈乃虛火載上來用鹿角燒灰出火毒細末酒或童便調下一呷即省醒 此物行血極効 平傳 綱目

產後頭痛 芎半兩 為抹每服二錢 臘茶調下甚捷一服愈 綱目

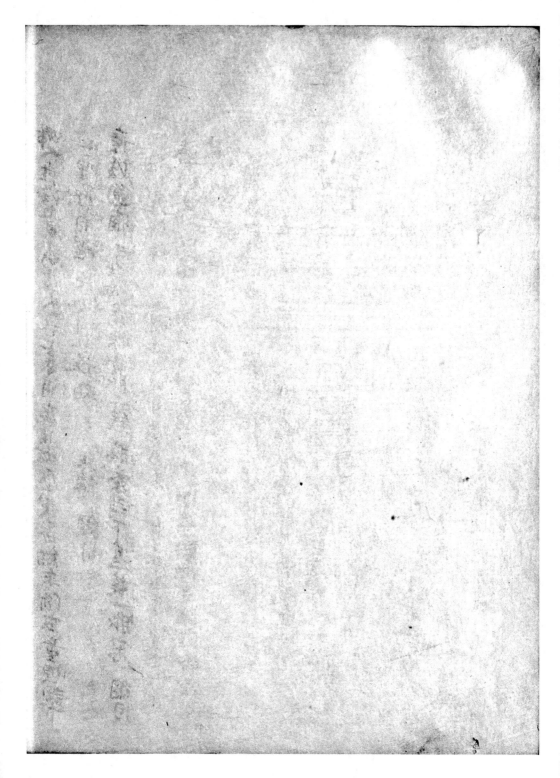

小兒

錢氏　兒初生下吐蓋以綿裹指拭兒口中穢惡不盡嚥入喉中故令吐之

木瓜丸　瓜　木　射　輕粉　無各一字　右末如黍米大每服二三丸甘湯下

同　初生下二三日內吐浮壯熱不思乳食大便乳食不消或白色知是傷食

當下之而後和胃用益黃散　治腹痛胃中風熱治之

氏二錢　參　黃一錢　白勺　香　甘生　香　炙甘　香　連小　右水煎服効

一惠方王懷隱臍帶斷法　初生氣欲絕不能啼者蓋因難產氣悶或胃

寒所致急以綿絮包裹未可斷臍帶且將胞衣置炭火上燒之

仍用大紙撚蘸油燒臍帶得火氣由臍入腹須臾氣回方可斷　治臍

帶也

婦先斷臍帶可只留三寸許帶中有小蟲急去之留之必生異病ス

或線札定然後洗之不然濕氣入腹生臍風

兒生三日二烙臍帶三壯為中則然勿加火艾恐成驚癇

一斷臍後為水濕所傷或風冷乘之臍腫多哭不乳柏金下宜亂髮灰ヲ下

右細末而少許傳之

一千金云兒初生時先以甘草汁吞服中瘀血下　一世之間瘡痘无出

良方兒生下坐婆急綿裹指拭去兒口中惡物令盡不可遲若

嚥入腹生諸疾先用黄連二味汁少入口中

患方除痰去瘀之法灸甘草水黄去滓綿裹指蘸灌兒口中

令嚥之須臾吐痰涎及瘀血方与乳汁母長无病

得効急軟綿裹指連甘汁蘸拭口中惡汁後砂末蜜少許調

塗口中鎮心解惡毒一生免瘡患

海藏　柏者散治兒初生未滿月用之至老无瘡病　黄連三分　朱砂二分　水黄

以先母搗去口涎淨灌下餘藥傾盆中浴兒遍身妙　又黄連甘末

撥口內不生瘡疥

兒生下叫厥冷嗚頻唇黑者先急將臍帶斷而帶口令艾灸三壯　厥冷　喘　退効

陽大黑吉

陽小白凶

一胎實面紅目黑精多者壽矣　胎怯面黄目精少白精多者多病

醫林　月裏　兒生七日內臍帶口不入風湿若入則唇青撮口病

撮口卜ハ児齗ノ白粟粒如物出面赤喘而声不出先老母手指布包熱湯浸
口中ノ白粒研破其痕ノ蚕蛻末蜜調塗ゝ右故一七日ノ内臍帯上痕不入風湿

撮風之治方

垂悪　胎熱撮口　牛黄一分　丹砂一分　右調児口塗可服ゝ

袖珍　定命散　風湿臍ノ唇青喘　川烏生三ケ　射香ケ　赤足蜈蚣半條酒炙一分

右末半字許湯下

又方　蝸牛去殻取汁塗口上差　同灸臍療方　塩鼓著臍上灸ゝ

一臍中汁出痛用枯礬傳ゝ　簒或柄末付ゝ　陳氏緋帛灰付ゝ

又蜂房焼付ゝ　同臍不乾ノ者竜骨ホ下末付ゝ　又方臍腫不

愈汁出　蝦蟆焼　蚌焼　抹弁傳ゝ　明堂灸臍腫背對臍骨節上三壮

垂悪児初生口噤不能吮乳　白丁香一粒乳汁解之調下効

又方白牛尿塗口中　又方東行牛口沫塗口及額上即効

一臍腫多啼不乳哺即成臍風　竹半分　天漿子三ケ炒　乱髪焼分　右抹射香

少又同研捻ゝ臍中　又射香一味抹而和乳飲ゝ

又方口噤灸兼噤頰車穴七壯見經驗方

宣風散 兒初生臍風撮口夜啼不乳口出白沫 全蝎十二ケ去頭足酒灸 射香一字

右末金銀煎湯下

傳臍風撮口發熱面赤声不出撮口因臍斷傷風或尿在胞中遂成臍風 赤足金頭蜈蚣一條炒黑 瞿麦半錢 蝎梢四ケ 姜蠶七ケ

右抹以管吹少入鼻中吹如噴嚏啼声可治後用苛汁調下服之

宝鑑 兒臍風諸薬无効者取然谷穴在內踝前骨下陷中三壯灸

婦惠 摘泡之法 兒初生下昂死急看口中上腭有泡以手指摘破用綿拭淨便活 若入喉不可治矣

一 通便之法 惠方 初生二便不通腹脹欲絶急令婦人盥漱口吸咂兒前後心并臍下手足心共七処每処凡三五次漱口吸咂紅赤為度須臾自通 遇此法乃再生

一 兒初生不大便用葱白尖任入肛門內次用牛黃散送下朱砂丸

林 牛黄散 麝香 吉天花 甘草各等分 右末下
一貼顖之法 鼻塞〃 出胎時被風鼻塞 南星末姜汁調為膏貼于
顖上病去除之 又方 六君子加吉辛服之
又方 鼻塞不通 乳汁用牙皂中烏蔥涎杵為膏貼顖會穴甚妙
同方 蔥白生姜一斤 杵爛貼于顖門 鼻利 同郁搐亦用之
一兒兩手攣不伸或搐元力 竹瀝半升 飲之下 酸棗仁芸半兩 羌 恵方元
羌甘桂一兩 又 右蜜丸如荳大 二三丸與之 荊芥湯下 或射香湯入壽
一洗浴之法 兒初生浴躰 寅卯角日吉 壬申丁巳癸巳日凶
又方 洗浴小兒 用益母艸金銀艸煎汁 則必諸瘡不生
又白良方 兒浴湯冷熱失所 則令兒驚 亦致五藏疾矣
又方 兒臍帶未脫不可頻浴〃〃則水入臍中致臍風撮口
一諸方 兒初生浴〃用五根湯 終身不生瘡疥 柳桃楝梅槐 謂之五根
恵方 兒初生浴法 猪膽一枚 煎湯適寒温浴之 終身不患瘡疥
又方 兒浴壯熱 芷苦参 水煎浴之 不畏風 散諸風

嬰療方 薏苡葉煎湯浴之一生少病

一乳哺之法 惠 凡初乳先須捏去病乳
每欲寐即奪之 啼未定勿與之 乳母兒俱禁肥甘
乳後不与食 哺後不与乳 脾胃怯弱乳食相併難以尅化故幼吐而結於腹中作痛 大則成痞癖積從此始之

治兒吐乳吐逆 白豆蔻 貴 寿 右散或丸用之
綱目 紫金核 兒一切吐吐不止 半参木木丁藿 右末丸沉朱砂為衣
本事 兒吐吐脉遲細有寒 白朮散 朮 参 半 苓 姜 耳 右末
兒寒吐者由乳母當風取冷㒵飲之故吐吐也乳母急可服理中湯
本事 兒吐脉數有熱 竹半 参 苓 二錢 貴 苜 右姜水煎
灸明堂 吐乳 中庭一穴一壯 膻中下一寸
惠方 吐乳不止恐脾風 錢氏白朮散 参朮木苓甘藿 各一 葛 各二 右

驚吐面青　安神丸　霍香湯下　精吐胃冷不化吐酸臭　益黄散　姜梅湯下

冷吐　益黄丸　脾胃虚冷　貴香　訶子　甘半　丁香　右水煎

熱吐熱渴　兼吐　小柴加生姜　児浮面胃寒腹鳴痛吐　温中丸　参朮甘　右丸

一五般吐　浮傷乳食　有風有熱　有寒　有虚

吐乳多泄黄熱乳傷　吐乳気浮青冷乳傷　吐浮傷風淂々ト冷ト熱腥多気麁ス

一交吐　父母交後即乳呑吐乳腥臭リ　黄臭　四君子　参朮苓甘　右加宿貴

六君子湯也

婦人食乳母交接即乳児必生癖　妬婦不可頻飲酒恐児疾嗽驚啼セシ

一咳痰

児痰壅盛　星（巻南蕃湯入　晒乾）　南附子ろ二　右末糊丸姜湯苛湯下

児痰胃蕭二陳　貴半苓加升昌南参及水煎

惺々散　風熱湯同證咳痰熱　吉辛参朮ろ苓朮　一方元ろ百吉右

寧南散　大小児風寒肺傷咳　桑六下朮　右姜水煎　一方加麻杏

咳而咽痛吉門吉　　咽乾貝門吉　　痰乾有咽吉門　忌半

上気咳　雀苓　　湿痰多ハ半朮（忌吉門）　盗汗氏南木同

痰血南桑苓　忌参　　汗多南圭氏　　脹積　青奴

虫咳　連青木　　風邪ソ麦西　　食積痰下又我雀

児熱痰頻風寒ソキ奴半　児冷痰咳喘　病無テ下沉五下　右捏リ用

児熱喘咳有息胸チリケトト云　土竜焼　蝦蟇焼　鷺黒焼共苓抹ス水亨く

傳雄黄解毒丸　𣝣雄（一布ツ）　芭（去皮炒黒　四十ケ）　右末丸升月大一二丸以湯下大覚量く

喘熱痰積咳有息　二三九下く効

又方熱痰有息　𣝣中虎ス　鹿角霜ホ　右熱強去加苓　振盤用く　俗テ草チリケトト云

一方　児咳嗽　蜂房焼末湯下　又方蟬脱　雌黄　点乳上喫之
児痰風壅咽膈不利　半夏五分　白礬一分二下　参一分　右姜汁丸生湯下
十書児咳　石燕末蜜調啓付之　児痰熱　冷実参　今中虎　右水煎真服
説労咳　烏鴉无毒　咳嗽骨蒸労咳膈月丸泥焼灰末飲下　又治児癇

虎口　寅卯辰

一嬰孩未可脉別者俗醫多々看虎口中紋顔色与四肢冷熱夜之　亦
有可驗　吊文以二変紀之
虎口色歌　紫風紅傷寒青驚白色疳黒時因中悪黄即困脾端
冷熱証歌　鼻冷定知是瘡疹耳冷脂知風熱証通身皆熱是傷寒
上熱下冷傷食病若能條色脉参依驗之　所得亦過半矣

本實 診兒脉當以大指按三部一息六七至爲平和　緊脉爲風癇
沉緩傷食　促急爲虛驚　弦急爲氣不和　沉細爲冷　浮爲風
大小不勻爲惡候　沉緊浮大數爲風爲熱　伏細爲物聚　單細疳勞
凡腹痛多喘嘔而脉洪者爲有虫　浮遲潮熱胃寒温之愈
至摩金鑒方　凡三歲以前男左女右視脉紋從寅關風起不至卯氣者易若
連於卯者爲難若過辰關者十難一救若脉紋小或短者易色青易黑難

外証　惠方　林焦

呀咳甚者發驚　口吐涎沫而哮者虫痛　昏睡善嚏悸者瘡疹
吐瀉昏睡露睛者胃虛熱　不露睛者胃實熱　吐稠涎咯血者肺熱
瀉青白穀不化者胃冷　吐瀉乳不化者傷食下之　身熱飲水熱在內
身熱不飲水者熱在外　瀉青黃者胃熱毒　呵欠面赤風熱
呵欠面青驚風　呵欠面黃脾虛驚　呵欠而多睡者內熱
呵欠而氣熱者傷風

一袖顖陥者因藏府熱飲水癖致泄利久則血氣虚不能上充脳髓故
陥不満用狗骨頭灸黄抹而以雞子清調付〻
顖填者腫起也脾主肌肉乳哺不常飢飽无度或寒或熱乗於脾家
藏府不調其氣上衝為之填脹顖突而高毛髪短黄自汗是也
芸 栢仁 白芨各抹而乳汁調付十日愈
傳顖門腫起定作風此候應知最凶忽陥成坑如盡足未過七日
天吴末以油付〻
千金灸臍上下寸半炷骨端三陽交各一壮 明堂臍上下五分三壮未合者合之

一解顱証治 生下腎氣不盛長必少笑白精多皖白色者多愁少喜
年大頭縫開解而不合脳不足人脳髓无之猶木之无根
辛桂 姜 抹乳汁調付〻乾則再塗面赤則愈
同顖開蟹似骨 白斂并下末乳調付〻 又天吴灸抹油調付〻
經驗頭不合鼻塞 南星炮去皮末醋調古綿上付顖上置灸之十壮温〻

一生黄生下遍体如金色作瘢二便不通乳食不進蔵孚衣閉毋湿熱芳湯
四物加石 児母倶服
経験 児初生遍身无皮但紅肉者白粘米研末乾塗候皮生方止
悪児身在赤烈或癧腫或如火丹壮瘢湯 白瓦研以生油塗之又塗藍葉汁
又方芭蕉根研傅之 又方水中苔搗塗之 乳母ニ清涼散
一丹毒 林児赤腫皮上面赤熱 如丹毒の服則死
付 大黄朴硝水苔 丹生芥 末水調付之
又 赤小豆末雞子清付之加炷 又方土朱黛水付之
修真秘旨 丹の服則死无葉急刺針血出莫深刺
林牛黄散 治五種丹毒 蔚甘吉天花葛五ト 右末苛湯下
銭氏白玉散 白善土五下 寒水一刄 水調付之 又火丹馬歯研付之

一夜啼傳心經驗乂盧セ 參連甘丹藥右水煎服 一方無參有生姜
又方灯花三顆以乳汁入兒口 又方牛黄少塗口乳喃服之
聖濟心熱驚啼今參甘丹藥湯下 明堂中脘一壯灸之
三和子夜鳴虎骨灰以乳汁服之 又方蝸焼研一字乳汁服之
浮心湯連甘抹蜜調与之 袖夜啼蟬脫去頭足朱砂少入末蜜調少
与之

一重舌木舌 鵝口 田口鵝口胃中濕熱牛黄辰砂連白黛之類
重舌心脾熱也 木舌大腫以針舌下紫脈出血生蒲黄末 或醋金末
塗之 或牙硝付之 或髮灰付之 或赤歴柿浸付之
一兒口瘡爐白梅燒付之 又柿手抹付之 又鵝口以布研破黄丹加白礬末付之
同口瘡熱南星末醋粘足心付之 又吾茱抹醋調足心塗之効
口瘡連姜末抹擦之 又方桑白汁和胡粉付之
又重舌灸廉泉三壯 行間三壯 兩足踝上

一脫肛五倍末付推入　又葱白湯洗之芭蕉葉推入　又以伏澤蒸之推入
縮砂湯　大腸虛熱脫肛赤腫　痛連臍下　右末米飲下
婦人產用力兒久痢皆致此治必可溫肺補腸胃久則自然收之
又方艾葉煎浸之即入　又方木賊黑燒抹捻懸入
灸百會五壯　翠尾骨上五壯　玉関元　大腸俞十六　長強
又臍中塩入其上灸三壯

一汗綱目治兒盜汗嚼金末塗兩乳下立効　在麩与三黃丸
兒痛虫汗出連勺芊參月百　右丸或散用之
銭氏虛熱盜汗　蛎燒　氏芊參　右末水煎
得効　明凡　舊粉方　煎洗之効　惠汗不止令蛎燒末身上撲之
止汗散　盜汗出肌肉虛　勺芊氏參連月　右
人參茯湯　自汗虛煩　參氏勺芊月　右浮麦入水煎服

感冒

香薷散 傷風悪寒鼻塞咳 推ソ貴朮甘 右
正氣散 傷風初元移変脹止令霍ヌ一朴貴朮吉半ヌ半辛二下甘 右
参蘇飲 俄傷風鼻粘咳声啞 参ソ令半茜昌一下半又甘貴下吉木 右
芎蘇散 頭痛発熱咳吐痰悪寒 乃卞半卞 此令卞ソ昌卞半奴吉甘三下 右

瀉痢 児大便青寒 白モ脂寒

銭氏泄補瀉便可用 白朮散 児虫脾弱泄木木令甘参一銭 昌二銭 右水煎或末
積瀉極臭穢腹痛宜消積 冷瀉散 府虚冷洞泄如水 白朮散
熱瀉口乾尿赤五心煩五苓散 痢瀉如痢泥肚緊 蟾蜍丸
異功散 四君加支 一方加参朮甘名温中丸 虚冷下痢用し
益黄散 児泄痢 支一ヌ 手訶甘半ヌ 丁二銭 右末或煎

児赤白痢後重　三黄丸　芩連尾各等　右丸用之妙

児痢疾流痛　紫霜丸用之

一児癖積肥積　莪朮木丁青干漆　右末丸　加鱉甲妙

麻積因積出腹脹腹痛　條丁一両　莪八両　棱半三両　右末丸

灸法児癖久不愈　中脘一穴章門并　十一十二九

木鱉煎膏　治痞癖　木鱉煎去殻　蒜　雄黄各等　右搗末膏粘入厚紙貼患

処之付之取積

一癖灸法綱鑑　穴在児脊中向尾骶骨以手揣摸脊骨両方有血筋発動処両

穴毎一穴用銅銭三文壓在穴上用艾炷安孔中各灸七壮此癖之根貫血之所灸之

瘡即可効見灸不着血筋則瘡不発而不效

一眼目病薬

児脳熱目閉 白凡 大黄 以水粘之貼眼瞼中

児眼上白膜 白丁香 和人乳研傳眼翳上漸々消

児障膜翳 書中白魚 右末点眼上翳 又蜂房水煎洗之

児眼赤翳 貝歯 焼研点之

雀目 夜明砂一両 微炒研以猪膽丸 食後五丸服々

雀目至暮不見 地膚子 決明子 等分 抹至夜每丸服

児青盲不見物 鼠膽 鯉魚膽 取汁相和点眼立効

児三五歳両眼毎至春秋忽生白翳遮瞳子痛 灸九俞椎上三壮

児目胞腫 黄丹 白凡 等分 抹貼之 又赤淺百 一両 桑白 塩少 又水煎洗之

児瘡目 一真珠 陽貝 二味焼末点之 同古白丁 一下 脳少 射少 膏少 蓬砂少 右末点之

鑑 児熱眼星 冷 大黄 等分 末陳醋調 龙眼敷右脚心 右眼敷龙足心足

纏縛侯口内同業氣而愈

児眼白翳黒眼掩不見或白眼縮 瘦浮痛虫患効 或雀 蝦蟆 焼 蕪木

連無若夜明砂水畫氣ナト　右以上各兩半各猪膽汁末加シ一日三以湯
脹シ去痫熱妙

同方血痫ナラ連荒風桂無句猪膽汁各兩半各加ミ末子之廿日
廿日而眼無筋出汁白翳解去見物効二方作及大善坊傳
又方痫眼白眼黄筋瘦長微熱連　竹皮木一刃　而炒下　漆炒　危炒　各
右末用シ　有川業

急慢驚風　玉兒癲痫瘈瘲背強五柳ヲ灸長強穴三十壮脊灸シ
瘈瘲ハ搐搦ヲ復ス云

急驚風痰熱心膈有悶乱心中痛手足牽口斜大呼
慢驚風無静危　搐似不甚面青白身冷口氣冷啼不寐上視牙噤嘔
自汗吐瀉嗽鴉声口舌白痰頸搖手足牽不治
錢氏謂急慢驚者元陽元陰之証　心經実熱十生一死　脾土虚甚十死一生　有息喘脉復生　急死沉細也

芪湯 慢驚風神某 氏一下 参一下 苻 加为下 右水煎服

白术散 積痛和胃生津止渴損泄利欲成驚風 参术 木令 霍香 苻 右

益黄散 右劑 潟大黄丸 熱嘔吐腹痛泄瀉青白可得 大氏一下 麦 参一下 白七下

苻 炙 苻一下 建小 右

安神丸 驚啼心煩面黄頻赤壯熱者代至宝丹 慢驚 参术 莫湯下

防風湯 急驚後餘熱不退時後手足搐掣 心悸不安及邪風入肝

經兩眼視人開時不常 甚弓 止令 虎一下 苛一下 苻 右末白湯下

傳 慢驚風子母俱服 参术一示 令 貴半分 苻一下 苛半 天广大分 辛 蝎去毒一个 右姜水煎

玉金饗方 探生散 凡急慢驚風諸藥无效 吹鼻定死生

没 雄一錢 乳半錢 射一字 右末少許 吹鼻如眼間鼻涕俱出者可治

牛黄清心丸 諸風緩縱不遂 言語謇澁 心怔健忘 恍惚去來 頭目眩冒 胸

中煩鬱 痰涎壅盛 精神昏憒 又治心氣不足 驚恐怕怖 悲憂慘

慼 虛煩少睡 喜怒无時 或發癲狂 神昏乱 牛五朱 羚 射 腦四朱

令弓 柴 吉 杏五分 芸术 白 汀 令 飯 姜 白斂三朱 膠 桂 大豆黄卷七下

雄三朱 犀八朱 麪参 蒲十各 山茱八朱 甘ウ 大黄十五銖 金薄六十片 右除黄
杏薄二角末及牛雄射黄四味別細抹入鐃茱和匀煉蜜黄膏
為丸每两為十丸以金薄為衣一丸食後温水下
膽寮古 児急慢驚風蟬脱抹正発時水調刷櫟紙上貼心上用魅
宣明論 定命散 治児天吊驚風不已哭涩 藜芦 爵金 芎藭各分
右末自鼻中吹之嚏之如哭可医
一凡痘驚別 身体壮熱面赤鼻尖及股冷忽発搐者此非驚痘搐也
一漫効灸法 卒然㾀頭青黒而死灸臍上下左右各半寸 并鳩尾下寸
五処各三壮 仍用酒和胡粉塗其腹
一児驚斗門 児未満月驚著似中風欲死 辰砂新汲水濃磨汁塗五心効
一冊云児驚而有熱者 参朮匀令 右姜連用加之
一茱金錠子 治急慢驚風涎潮発搐或吐或瀉不思飲食神昏気弱
参朮令申 山茱 乳香 右辰砂二銭 射香一銭 右末丸如彈子大金衣一粒荷湯下
人参羌活湯 治壮熱涎潮牙関緊急 柴胡半両 六西二朱 天麻半二朱 参子独

羌文令 半分 吉部 入煎服

一鍼 兒急慢驚脾危業力不至者 百會穴三壯五壯灸之

疳

錢氏云 疳病皆脾胃傷亡津液之所作也 又肥疳食甘味所致也 肝木青筋也

腎疳者 体瘦身有瘡 實熱足冷如氷 筋疳 浮血白膜遮睛 瘡痳

苄丸 腎肝虛 熟苄 卜 山茱 山藥 中 茯牡 參 三下 右搗白湯下

心疳 面黄腮赤 煩渴壯熱 心煩 口有瘡 虛驚 黄瘦

黄連 手多 末連 生苄 青 紫 散下 右末丸以湯下

脾府休黄肚大吃泥土脹滿氣粗利下痛臭脾胃虚冷

益黄散　貴一刃　青　訶朮半夕　丁二下　右末食後用之

肝府搖頭揉目白膜遮睛子汗流頭熱合頭面爪筋青髮立因青

瘦勞煩　生熟苄湯　弓令又杏連麯甘竹六天广　右姜水煎

肺府咳嗽氣逆多喘鼻弄揉仍安寒熱

清肺湯　桑蘓西令飯麯芸令吉苄乃甘　右水煎

鱉甲散　府勞骨蒸　鱉薫氏勺一刃　生苄六飯半夕　右末或煎

腎府因諸府多困缺乳喫食太早或久患腸胃虚吐出瘦弱肚大氣

熱元嗜味　連麯蘗一刃　使君肉豆吾朴木下　右末丸

大芦薈丸　府蒸虫和胃止浮　胡連連荒薈　蟲雷丸　白朮半刃　射香下

右末丸

四君子湯　五府下利　君子連令參朮一刃　丰木無飛丁訶宿甘　甚者加勺　右水煎

一雜府　內府者因腫脹腹脹利色無常青白面瘦弱是冷府

木香丸　腹脹下　木腹參圭令青西訶半丁甘十下　右末丸

一外疳鼻下赤爛自鼻先捻有瘡不結痂耳輪生
白粉散 治疳瘡 烏賊乙七 白芨 抹三乙 輕一乙 先洗付之
一熱疳潮熱如火大便結肌肉黃瘦雀目夜不見 胡連丸 胡連連 半分
辰砂下 射 黛下 右末丸
一方加蝦蟆半兩不燒 乾末 又方去黛加白蕪木効
一脊疳蟲脊脂食身熱下利常瘦頻咳似大蘆薈丸用胡連丸 去辰瘕加兵 蕪蟬一
一冷疳時々泄瀉虛汗如雨不止 至聖丸 君子一兩 胡連 蕪 炒二兩 射半分 蝦 酒炙
右末丸參湯下
一乾疳瘦羸少血舌乾癡脹渇身熱手足青冷大便結
鱉血丸 參三下 蕪柴一兩 君子三七ケ 連胡連 同前連汁用之 以上三味鱉血一宿浸炒用 吳茱萸の一宿
一蚘疳食肉太早或腸胃滯其証多啼清水嘔吐腹脹痛唇口紫黑腸頭及齒痒 下蟲丸 木貫衆 桃 蕪 楝根皮 酒浸炒 各三下 蝨 炒下 輕 半分
蝦蟆 炒黑三兩 君子 五十ケ 右丸加飯連治脊疳常
一尿白乳哺失節脾傷便濁白色久而成疳亦心臟有熱兼是渇

茯苓散 疳積令痛 五下 青黛 滑石 甘草 三下 右末灯心湯下

一走馬牙疳 斷爛破虚熱乳食不調疳病内有疳虫牙歯蝕腫爛黒

口多ク臭止 銅青散 馬牙 銅青一下 射香下 右末歯上摻く

同蟾酥散 走馬牙疳歯斷臭爛漸唇鼻疳瘡 蚵蚾燒 連黛 末下ッ 射 末摻く

又方 熊膽 鼻疳瘡塗く 又方五倍 黄丹 摻く 疳瘡 蝸牛 灰白化末ノ油付く

一紫霜丸 病滞不化胸腹肥満瀉痢 當以此業 治痢并治疳積虫

杏 五十ケ 赤石 一匁 芭 三十ケ 去皮心 炒 代赭 一匁 燻 一 右丸如黍米大三歳三粒二歳二粒湯下 炒

一雷丸 同 児諸疳 雷 一匁 朴 君子 訶 今肉豆 青木 三下 無 連 胡 右末丸

一丁奚哺露 得効 丁 強く 奚 腹大く 哺 吐く 露ノ証

児脉細 項小 骨高 尻削 体痿 腹大 胸実 號哭 胸陥 名丁奚

虚熱往来 頭骨分開 翻食 吐虫 煩渴 吃噦 名哺露

綱目 大全丹 治丁奚哺露神効方 腹大頭小黄瘦

無奴 青黛 積 我 痛 丁木 雀 右末為丸

惠元事病 天有鳥名元事 昼伏夜行 飛児衣上 此病改く 又脳後核名く

疳毒脳後頂辺核有蝉状按之不痛其間虫有如米粉是破不取
則気随流散而蔵府蝕股節瘡生便利膿血壮熱羸痩頭骨
高皆血気虚憊以三稜針破膏薬付兎夷丸連胡連蕪黛蝦蟆焼右丸
一保養嬰幼 泰丸 喫温喫軟喫少頻揉肚稀洗浴忍三分寒
喫七分飽 以上三慎則病自少
喫冷 喫硬 喫多頻洗浴 暖十分 飽十分 病常魔
一手中虫出薬 鷲黒焼大 射香小 以麻油掌内付之 五指似间如白
糸虫出向朝日取之

灸身柱 疳章門 怯弱則十一 十二 痩疳十一下 男左 女右 脊骨キワ之
翠尾骨上三壮 脱肛浮血之 疳雀目手拇横文頭 拇指ノ横筋ノ端之
合谷 手拇ト次指 カリ一ミタノ分三 雀目臂尖骨先上二寸壮満方 疳肥妒
疳浮腰間 盍 膈下二寸或三寸 十一 十二

痘瘄

一痘未形而先搐大忌冷心蓋瘄屬心心主血必寒則血不能
行大抵治驚推平肝利小便均氣最妙也
一痘疹與傷寒相似發熱煩躁腮赤唇紅身痛頭疼乍熱々
寒嚏噴呵欠喘嗽痰涎
一痘證者同竄風驚搐如風之狀自汗下利發熱而不發熱口舌咽
肚腹痛證候多卒未易辨耳冷尻冷驗之蓋瘄疹屬陽
腎無證耳與尻俱屬腎故腎部獨冷
傳云不若視其耳後有紅脉赤縷為之真
一痘疹則腮赤多嚏噴悸動昏倦々四肢冷尻冷耳冷
傷風則皮涩拘急鼻塞　斑疹則睡中驚悸呵欠嚏
一痘首尾俱不可妄下妄汗温冷劑兼濟々解毒和中安表
大法活血調氣安表和中輕清消毒
一温凉之劑　氏木介西昌升弓匀奴吉紫　通　羌之屬調適々

一大熱可利尿　五苓導赤　小熱當解毒　消毒飲　四聖散
刘張多用涼藥陳氏多用溫藥專門不通者偏用之立見殺人
一疹毒伏藏于内而不得發越者（涯重則人参竹木卜キ丁附木桂蔻）等辛散劫劑（三服劫亦用之）
一痘未出前搐搦風寒感熱氣出是外因　参蘇飲
痘未出前吐瀉是内因　六君子
一覺發熱未明痘疹證疑似間用　参蘇飲　痘明徵見根窠光澤
紅活者不用之
一傳發熱紅斑未見時惺惺散　木香辛人參方　右奇三葉入水煎
春夏為順　足脛熱　兩腮紅　大便秘　尿澀渴　上氣急　脈洪數
右七證熱藥不用
秋冬為逆　足脛冷　腹虚脹　糞青色　面㿠白　嘔乳食　眼青　脈微細
右七證寒藥不用
崐云痘　光白手足寒大便清尿利如是渴者虛
紅赤大便秘尿赤如此渴者熱也

一九渴非熱 痘部 泰九

或 腹脹 浮而 足指冷 驚悸 身温 身熱面㿠 寒戰 氣急咬牙 飲水轉渴不止

渴者已上九証即非熱乃脾胃肌肉虛損
津液耗少故也
宜木香散如不愈加丁香官桂 丁攻裏 桂發表
表裏俱实而瘡不變壞也

一滌穢免痘湯 用川楝子一升至正月朔日子時父母只令一人知將楝子煎湯待温
洗兒全身頭面上下以去胎毒洗後不出痘如出亦輕或只三五顆而已

一鎰綱太極丸 痘瘡臘月八日取生兔一双取血以蕎麥麵和之少加雄黃四
分候乾成餅凡初生兒三日後如菉豆大者与二三丸乳送下徧身發出紅點
是其徵驗有終身不出痘疹者縱出亦不甚稠密也嬰兒已長會飲食
者就以兔血喫之尤妙或云不必八日但臘月兔亦可然終不若八日佳
衍義內兔葉之

一傳鳳毫膏 烏雞卵一个 比毫一條活細小者 右以雞卵開一小竅入比毫在內夾皮紙

糊其竅飯鍋上蒸熟去地竜与児食之每歲立春食一枚終身不出
痘覺隣里有此証流行時一二枚亦好

一凡痘疫行時美燥与廉泉寸灸之三折美燥當廉泉間点指只一壯
灸之則痘不出

一痘疫行時於委中穴蛭十二吸血々出則痘不出

一痘疫行時以蛇皮一條布包周身搽之不出或輕

一胡荽酒已除穢不出疹 胡荽四两 剉酒二盞煎胡荽一沸又已蓋常
一二口含背至足吹々淋頭面不可吹之

全化毒散 痘已出未出 紫草 升麻各半两 糯米辛粒 右煎服
刘氏云痘出渾身壮熱不食時是一服内消已三出用則甚半
解若出當用与頭集三服而愈

絲風湯 絲花連皮子燒存性抹一抄時々米湯下之此物発痘尤妙 或紫草中升麻湯下
同痘初欲出未出時宜服後羊多者可少少者可免重者可輕
方以絲瓜 俗名天羅 近蒂三寸連皮子燒存性抹砂糖拌乾吃 入朱砂尤妙

凡初発時更以悪実抹蜜水調貼顖門上免眼障患

凡発熱時以朱砂一味水飛抹量児大小或半銭或一銭水調服可汗出　傳ニ辰砂トアリ

凡初出未出或色悪　干松茸至赤小豆ナト抹三包煎服　多ハ不用ト

凡初出時一看胸前若稠密急宜服消毒飲加令紫食減加令

凡初出時自汗不妨蓋湿熱薫蒸故也　甚者以参実表

凡初出時煩躁譫語狂渇引飲水則後木臓不利急以涼薬ト解ク

凡乳食不傷内気壅遏宜調解散或四君加蒼木不可要大便自利　理中湯

凡痘赤白痢　以一月連一合肉　右水煎与ㇾ之常ニヲ

凡疹胃虚則寒而生泄瀉ヽヽ失津液則令人渇胃不虚而寒ハ不
泄自止津液自生而渇自除也

傷寒ニ當発散

痘疹行温平大熱ニハ宜解毒

凡痒以実表剤加涼血林王海蔵云

凡痘発熱初雑嚢不拘大小渇入洗周身痘後発ヽ亦佳

凡痘但見斑点者忌葛根湯恐発得表虚也

凡痘二度不可不通一有秘結則腸胃壅遏脈絡気滞毒気无従

若泄看大便黄色其毒氣已盛不可多与熱剤若一秘結見躬
赤ノ痘肌肉黎黒不旋踵而變矣
凡班若三日未見形當以生而塗其身上時々看之狀如蚤痕是也
凡吐浮若班出自吐浮者慎勿乱治而多吉謂邪下皆出也
凡痘初發熱三日未見時向紙塗紅脂厚塗于赤甚上塗荏油燈火
付於痘ノ夕照ゝ見之如蚤痕即効是也十二月臘脂吉厚塗紙燃荏塗之
傳辟穢丹　蒼朮　辛夷　松了　乳另研　降真香　右細末烈火焚之又甚座
布焼ゝ也今世俗例以黄柰焼烟薰ゝ最好沉射香不焚し
一痘疹虚実　吐浮不已食者為裏表虚　不吐浮已食者為裏表実
吐浮隔伏者表裏虚難治　便白色隔頂多汗表虚　紅活凸綻无汗表実吉
諸痛為実　諸痒為虚実表剤加参血　如裏表実則出快而軽
如表虚者瘡易出難靨　表実瘡難出易收　裏虚則発遅而重
如表実裏虚隔伏倒靨　裏表実表虚発慢收遅　如裏表実補裏表則結癰毒
表実用寒表薬則潰爛不結痂　実則脉有力壮実　虚則脉无力氣怯虚

一痘形証軽重虚実日数之次弟
微者邪在府発細疹状如蚊嘬所螫点之赤色俗名麸瘡
甚者邪在蔵発痘瘡壮如豌豆根赤頭白穴出膿水俗名痘瘡
二三日始見微々欲出或黍或米菉豆水珠如此光沢明浄者佳
四日大小不等根窠紅沢光者軽　稠密陥頂併浮者重
六七日瘡形肥紅光沢者軽不須服薬身熱気喘口乾腹脹足冷者重
八九日長足紅満瘡蠟色者軽不須服薬寒戦悶乱腹脹煩渇気急咬牙者
至重
十日十一日瘡当結靨痂々欲落之時将愈
十二十三日当靨而不靨者為逆身熱稍利々以防其餘毒身不壮熱或
腹脹或瀉渇異功散救之
一軽者三次出毛眼中大小不一根窠紅活飲食如常頭面稀少肥満光
沢二便調
一重者一斉出泄瀉不止如蚕種身温腹脹外白内黒 外黒内赤 瘡灰白頭温足冷

一痘悪証　痘白陥紫黒色而喘　悪寒振寒牙咬吐瀉渇　腹脹常抓破臭
大便乳食不化頭熱足冷　痘出譫言不止面青黒鼻煽黒足冷至膝
一凡初痘又或黒陥端午日黄牛糞陰干焼存二服ホト〻　金薄三枚研又耳垢小豆ホト
の能末以水与〻初中末与〻亦能也尤妙
一雲岐治斑瘡黒陥臘月兎脳丸一ケ以好酒服　若乾者好酒浸ナ
時化調服立効　鼻而労烏也
一綱目四聖散　痘倒靨黒陥二便清利人牙焼存性射香少〻細研半銭
以紫草湯下立効　銭氏温酒下　雲岐用升麻湯紫草湯下〻
一又方痘黒陥不能発用之尤妙　穿山甲一味焼存性抹射香少〻一歳半銭
三歳一銭温酒下一服効妙　至半身黒陥欲絶亦已軽甦而発紅色
但同痾死亀不治此方至験前四聖散亦佳効多
一又方王元價撒名四糞散治斑瘡倒靨黒陥御薬院方和嚢
人猫猪犬糞臘月辰日焼成黒灰三銭水調服三歳一銭量児
大小不摸万両金如神

一傳痘不紅万金散　痘出不紅潤　芪參蟬脫　右等三葉入水煎服　甚實者加升

一黑陷二種因氣虛而毒氣不能出盡者　芪（酒炒）　紫草　參　等葉

一林濟生丹　痘已出未出表裏不分已靨未靨寒熱不定見欲死者葉皆可救之効如神　竹茹　雄黄　五灵脂　右末蜜丸量兒大小用之

一奇方　痘瘡出不透服痛甚或黑靨者蟬脫五十五个去足晒乾右抹白湯下　服痛立止而出　退母亦可服一錢　又傳云加有名二物湯因食毒未痒者用之

一傳黑陷用元病兒糞燒存性蜜水調服　子和人中黄燒用之　此方也見綱

一陷の者加味四聖散更以胡荽酒薄付其身（孕其足）噴其座帳衣被并以厚綿衣惠若惱寒因傷而成縮伏是脾虛也急先宜保脾土

一其壞瘡者　一內虛泄瀉　二外傷風寒　三変黑歸腎

一黑陷元詞何時十難救一二其候寒戰咬牙或身黄腫紫色急

而釋丸下之以宣風散代之

宣風散　痘盛出壯熱煩渴腹脹氣喘二便秘澁面赤悶亂及氣腫水腫并逐脾間風　無黄　甘草半分　牽牛四两半生半炒　右末　幼者錢半　蜜湯調下　或毒氣滑入黑陥之

黍粘子湯　斑子已出稠密身表熱急与此藥以防青乾黑陥

鼠粘子炒　甘草一分　此麯今氏半下　六下　右水煎服

保元湯　氣虚陥頂　參二两　氏三两　桂七下　甘　右水煎服

无比散　瘡惡候及黑瘡子　朱砂下　牛黄代之以南星　龍腦　射香　膩粉各半

右末一歳兒一字大兒錢半　獖猪尾上血三两点　熱水調服　寧穩安睡夜下如爛魚腸葡萄之類涎臭惡物即安　兒乳汁調亦妙効

海云此治內熱極不亡開発于外則宜此內畜過泄外亦開発即

透肌陥之葉与至寶丹同

加味四聖散　痘瘡出不快或風寒冒色変黑陥風當瘡內入喘

紫草　通木　氏弓　參　蟬脫各下　甘　右煎服

快班散 痘出不快 紫草 蟬脱 参各下 通下 甘 右水煎服

異功散 四肢厥冷搐搦 木香 桂 茯苓 當帰 朴 参 荳蔻 丁 半 附 右水煎

十奇散 瘡出灰白不決 竹 茯 参下 朴 吉下 桂 芎 風 甘 芷下 右末水調下

声不出去倍吉 汗多倍芪

玉如聖散 喉痛腫 吉二下 甘下 一方加悪実子 升 葉入

六君子湯 痘前後吐瀉 参 朮 苓 半下 甘 陳半 右水煎服

紫草湯 瘡出不快及大便下 紫 木 朮 苓 甘 一包 糯米百粒 入水煎服

滅瘢散 痘愈後痂已落其瘢或黒或凹或凸 韶粉 軽 猪脂 調塗

之 升麻 蜜 煎 數 亦可

一 豆瘡癰毒 大黄 燒髪油付之 或蘘荷汁可付之 妙

一 摻方 治水疱痘瘡 若多潰 蛤粉 軽 芷 等 抹乾摻効

一 実癢如大便不通 方用大黄下結糞 虚癢以実表剤加涼血薬

一 気怯甚者 用蜜水調滑石末 以鵝羽刷瘡上潤之

一 乾者宜退火止用 怪清之剤 亦可升 昌之類

一痘毒上口舌瘡名生連一味煎與之含之或舌塗之

考四順散 痘四五日大便結瘡亦壯出喘急腹脹厥赤 犀竹白芍各下 右水煎

考前胡化斑湯 痘中夾斑輕者主之 酒紅竹錢西 荊各中止月白貴五下

蔚七下 胡荽子抹粒 右水煎服 斑紅淡色佳也

痘中斑與傷寒斑不同 傷寒斑主寒冷 痘中斑寒之則血凝而痘起不

難証前用温補 痘中斑補之則血溢而斑愈盛此方主之

綱目衍義 麻黄去根節半兩以蜜一匙自炒良久以水煎去上沫

再煎之 痒病痘倒靨黑者乗熱盡服之避風伺其瘡復出一法

无灰酒煎之但不能飲酒者勿服然其効更速以此某表也

世傳此法果有神効

綱目 痘不透靨黑色困用一豬肉一味為末每服二錢紫草湯下

量大小加減條進兩三服即紅活

白朮散 治痘已靨身熱不退此藥清神生津除煩止渴

參 藿 木香一兩 苓朮寸 右水煎服

痘眼入

細目痘眼入及翳生　甘菊花　菉豆皮　右末服之

又方　痘眼の蝉菊散　病後生翳障　蝉脱去土　白菊花末　右水煎服

一　痘目入則蓋心熱毒生肝風肝主目熱毒衝之故有目患

涼膈散　玉大门　厚朴硝翹甘卮今苛乔葉　右　又秦皮散洗之

決明散　痘眼の中芝勻甘天花末　抹茶清下

撥雲散　痘毒眼の羌芸此甘末　水煎服或抹茶清下　菊花散下

一　洗薬　連脩銅青末　包絹温湯浸洗之　痘傷眼目可也

傳痘疹眼内有翳　軽黄丹研勻　右左眼翳吹入　右左耳内

芥子膏　痘令不入眼　芥子抹水調足心付之　引熱毒飲下可防避

痘瘡入眼患

一　忌塩醤　醤酒湿麪　炙煿炊気　一切発風動火之物

一　生梨汁眼中点之　又方雀熱血点眼中　又臙脂点之佳

加減四物湯　疱眼の　竹木勻菊花末　右水煎服　一方加芎帰末佳也

白芷湯 疱眼ノ止痒翹 蟬脫ホト 月 右水煎シ服

一 痘眼ヘ入黑狗耳針刺取血ヘ痘毒出散

琉方 孫子和方 朱砂 腦子 水銀 射香ホト 右抹用水銀調滴耳中

一 疱ノ目痒屎取去黑一分 腦小 射一朱 膏下 達一朱 末雄鼻

先血煉元血人乳粘点ス 十日内必明ヤ 疱目妙薬ヤ

又方 痘眼ノ烏賊下 射半分 末点ス

一 痘目腫不已肩用雞子清調達抹塗兩太陽足心以引熱毒下行

一 錢氏痘初出用鼠粘子末水調付顖門并元患眼神妙

姙婦瘡疹

傳婦発痘罩胎散可也　胎動不安　安胎散

身熱甚　木香参蘇飲去木　或瘡稠密　十奇散倍加芍減桂

加雀鳥葉　如胎已五月則桂半〻属俱必禁之

一罩胎散　今朮飯柴胡参吉今芸麦荊奴紫膠並糯有弓窮

縮　大艸青加當二下　芩倍　右剉水煎服々

一安胎散　服酒洗黒豆汁洗　参麦朮勺飯弓雀窮少今有各半分

右灯中七生糯米一撮水煎食前温服之

備地風患

痘疹愈後忽病身青或黒逆手足厥冷口噤涎喘如鋸者此名中地風痘疹方愈忽栄衛尚弱而暴に感時令寒暑風雨地気毒気襲虚而の致し宜

消風散 荊 甘 厚朴 去下 白姜 蟬脱 炒 参苓 芸弓 霍 羌活 下 合一三服 酒生姜荷汁数点湯調只二三服立醒 或 少汗而解 并出癮疹而愈

痘宜禁

宜粟 昌 大根 牛房 烏芋 クワイ 海月 鱵 いふサヨリ カマス 里芋 小豆 干菜

禁糯 蕎 メンルイ 豆腐 飴 糖 油 茄 五辛 仏 コンニヤク 四足 二足 一切魚 一切塩煎 等 蛸 鮭 鰻 七十日忌灸湯治 和布 大忌 一切海藻

慶長拾弍歲舍龍集丁未暮春念一令管見諸家活方投禿筆俟於同志之者求耳　一溪判下直怡庵外學道敬

蠱毒諸毒

細數散死　洪大遅生

脉大者生　微細者死

一元擇因　白礬口入甘者毒也　味醎者非毒

又水中吐唾　沉者毒也　浮者非毒

又含生大豆　昂脹皮脱者毒也　不腥者毒也

又大豆皮不脱　又腥者非毒也

一中毒者先可吐之　白凡建茶末各　抹三錢冷水調下得吐効

若不吐者再子之

一不問一切毒諸毒急腹痛者可吐　膽礬三分水研灌之可吐

一中百毒者　甘草　菉豆末各　水煎服之

一諸菜毒　甘草　黒豆　乖葉末各　水煎服之

一悞水蛭毒　宜食蜜化水　一方濃茶服之

一斑猫芫青毒　建茶極上解之　或猪脂　或大豆汁　塩湯解之

一砒霜毒　五倍　白礬末ト　抹水調灌之　集成清油多灌之立起死

一砒霜毒 釅米醋多飲之吐出毒即解不可飲水

一砒霜毒 伏竜肝抹清油調二銭下 見聖済総録

一解百菜毒 蚕紙出子蚕子者焼存性油抹冷水調下頻服効雖困不

肯面青服脹吐血亦宜服之立活

一巴豆毒 芭蕉根并研自然汁服之 又大豆汁或菖蒲汁解之

一河豚毒 灶煤飲之 又陳皮一味煎服之

一藜芦毒 葱汁煮温湯并解之 甘遂毒 大豆汁解之

一芫花毒 防風解之 烏頭天雄附子毒、 大豆遠志防風車肉解之

一大戟毒、 菖蒲解之 雞子毒、 醇醋解之

一蜘蛛毒 藍青 射香解之 蜈蚣毒 桑汁或根煎服解之

二仙散 蠱毒血吐下 如烏肝 茜根 蘘荷根ニト 水煎頻服

蠱主名呼テ活

聖恵 中蠱下血欲死青藍汁頻服之

国老飲 治蠱 白礬 甘草ニト 末水調下吐浮黒涎

神授散 治蠱 升广末 三銭 溪水調服
一方取蚯蚓十四枚以醋三盞浸之蚯蚓死但服其汁已死者皆活
一欲知蠱主姓名敗鼓皮燒末方寸匕水調服須臾病人自呼蠱主
姓名則病愈矣
又以蘘荷葉置病人卧席下其人自呼蠱主姓名
又鵠皮ヲ病人卧下敷ク煩甚毒也不煩者非毒不可知主
一毒有物ヲ犀角以交之毒自溪タツ 又以白銀交之毒ナハ銀黄
迄こそや
一人言毒食中食之易治 酒中食之難治

魚哽

一魚鯁橫骨實以醋研之吞之勍妙

又方 痛三吞 日中吞 抹絹包吞汁立効

又方 橡牙水研頓吞之効神

又方 鵬砂抹以水下之

網目以乳香燒吸烟即吐出

又方 魚鯁芭蕉根研子之効

網目一切骨鯁金鳳花子嚼爛嚥下无实用根壽哥

魚鯁蜜不拘多少剪栗藥煮用之

又皂菜寸許吹鼻中即出

又方 微骨一斤查之汁吞立下一方燒以水服

又方 瞿麥抹以水下

又方 松節霜以醋吞之

又方 鯁茉茰茰歙之 骨軟帝出見食療

外臺哽不出蓄薇根末水調下之日三

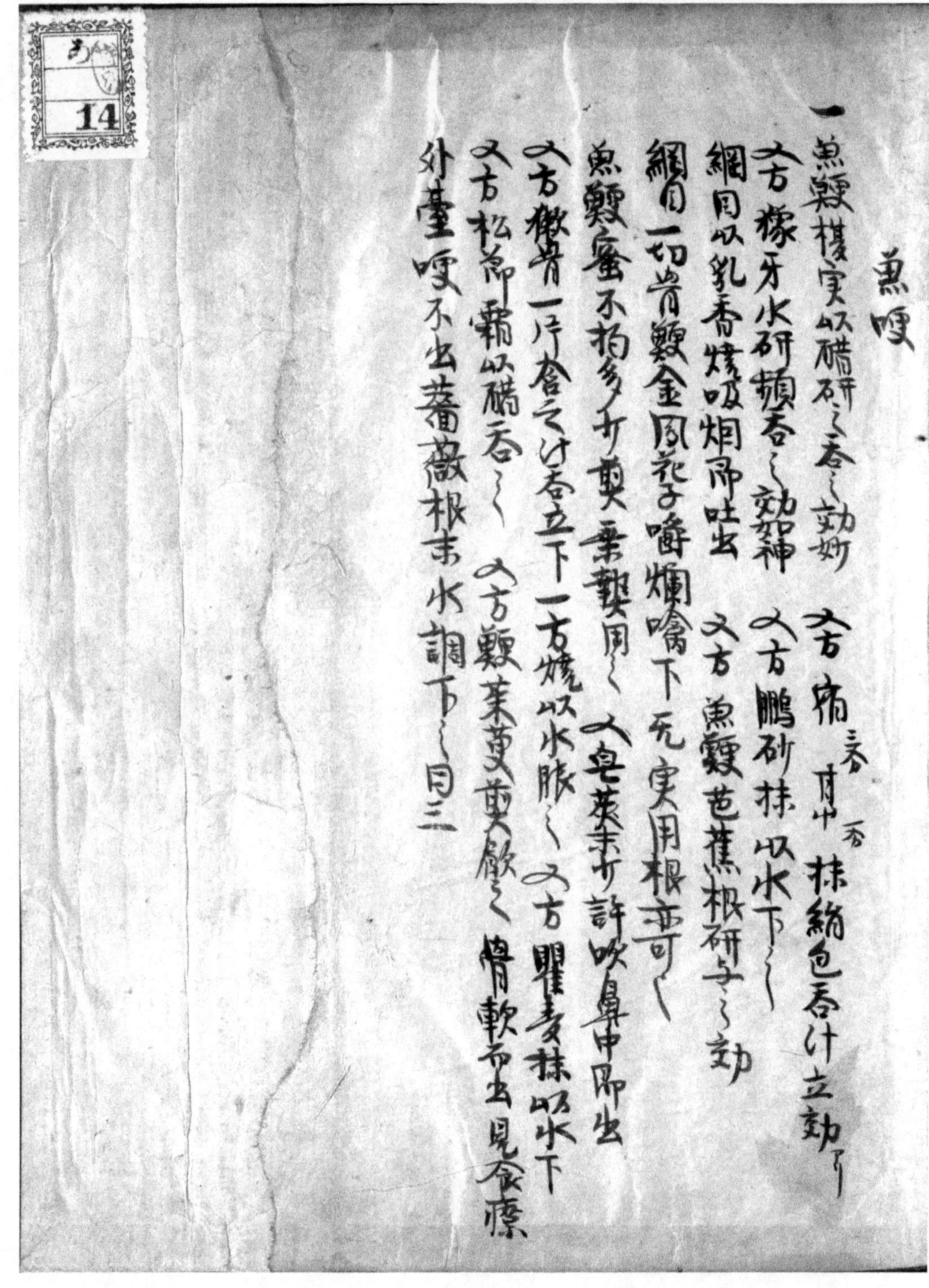